今昔物語集

因果モデルで読む日本中世の心性

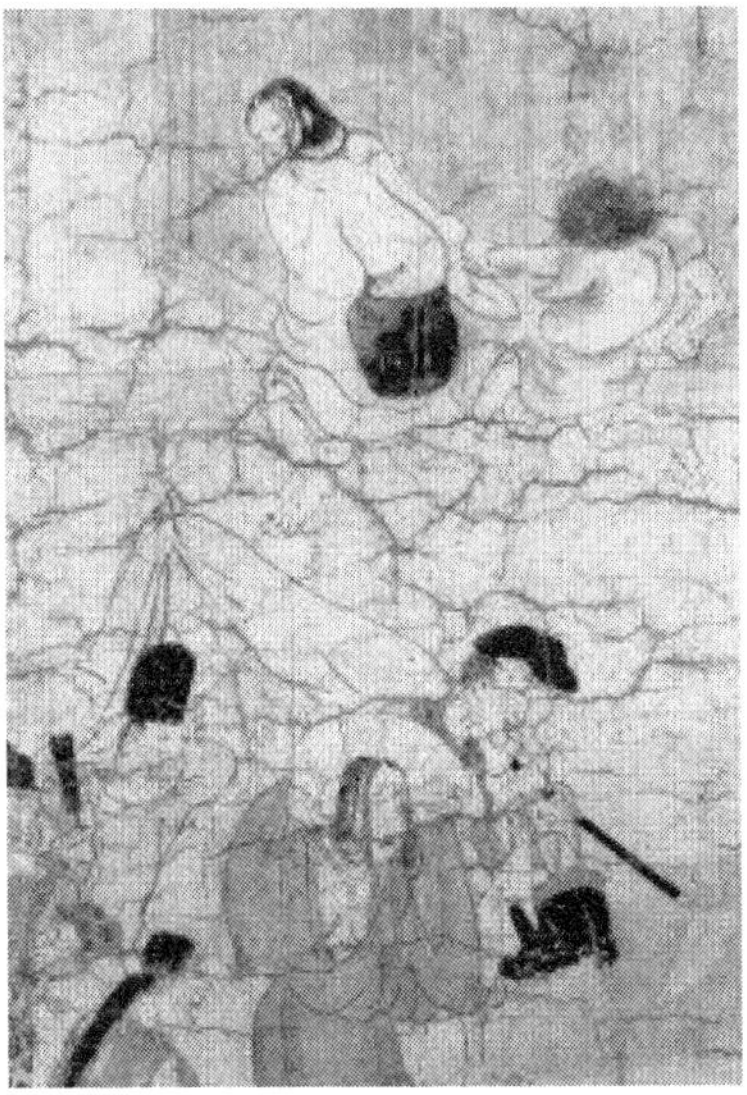

「五百年ほど昔の世界では、人生のすべての出来事は今よりはるかに鋭い輪郭を持っていた」
（ホイジンガー『中世の秋』）

はじめに

『今昔物語集』は面白い。「鼻」など芥川龍之介の翻案を見るまでもない。原文のままで「読ませる」物語が多い。物語が面白い、とはむろん作品論が扱うべき事柄である。先には池上洵一『今昔物語集の世界』（筑摩書房、一九八三年）を嚆矢とし、最近では野口武彦『「今昔物語」いまむかし』（春秋社、二〇一四年）などがこれに当たる。ひとつの説話の典拠や系譜をたどると同時に、同時代の歴史の中でこれを読む。通時と共時を交差させながら、作品の文学的な達成度にも及ぼうとする。

とはいえ、『今昔物語集』が面白いといっても、作品論は私にできることではない。そればかりではない。芥川の翻案はもとより、作品論が扱うのは『今昔物語集』の中でも指折りの物語に限られる。だが、この書物は全部で千を越える説話群からなっている。本朝部だけでも六百七十本以上になる。当然、大部分の説話が短く類型的なものだ。たとえば、本朝の往生譚は巻一五だけで五十四話に上るが、大部分が命終の予告から正念往生に至る類型（臨終の作法）の繰り返しである。作品論の対象となりうる物語がすべてでないのは当然だ。だとすれば、説話の数の多さと物語の類型性そのものに注目したらどうか。目ぼしい作品以外は顧みられないことを知りながら、倦むことなく、『今昔物語集』の編者がこれらの類型作品を並べ置いたはずはない。編者の思い込みがこれにあり、当時の人びとの同じような心性が背景にあったであろう。「当時の人々の心」（芥川龍之介）である。類型的作品をもすべて対象にして、そこからこれらの心性を抽出できるかもしれない。このように思い付けば、もうデータベース作成と統計分析の利用まで、あと一歩ということになる。「標本数」（話数）も統計的分析に耐える数だ。

『今昔物語集』の読み方としてもうひとつ、個々の作品ではなく、その体系的な編纂に着目する研究がある。小峯和明『今昔物語集の形成と構造』（笠間書院、一九八五年）、森正人『今昔物語集の生成』（和泉書店、一九八六年）、出雲路修『説話集の世界』（岩波書店、一九八八年）、前田雅之『今昔物語集の世界構想』（笠間書院、一九九九年）などだ。一九八〇年代から続々と現れたこれらの研究書によれば、『今昔物語集』の三部構成（天竺・震旦・本朝）を通じて、編者は多数の説話を仏法の広がりの歴史物語として体系的に収集配列した。インド、中国そして日本に関して、この点で顕著な併行関係が見られるという。たとえば日本でいえば、編者は仏法の伝来は欽明天皇の時という『日本書紀』の記述などは無視して、聖徳太子に始まり最澄・空海らの唐からの帰朝と弘法、そして仏法霊験のあまねき浸透へと、説話群を配列した。

たしかに、『今昔物語集』の仏教説話が典拠とした『日本霊異記』や、ほぼ同期の『宇治拾遺物語』が雑然と説話を並べているのに比べれば、本集の主題別の整った配列は顕著である。ただ、私が残念に思うのは、仏法史としての体系的編纂の外にはみ出してしまう説話群のことである。本朝の「世俗編」（巻二〇から最後の巻三一まで）だ。伝統的に世俗編と分類されているように、様々な指標によりこれは先行する「仏法編」とは画然と区別される。もう仏教説話という構えは影もない。数も多い。それればかりか、衆目の一致するところ、『今昔物語集』で「面白い」

物語は圧倒的にここ世俗編にある。芥川のほとんどの翻案もここからである。しかしそれなのに、『今昔物語集』の体系的編纂論は本朝世俗編をたんに編集意図の破綻、雑編、ノイズにしかねない。先に上げた研究書は事実そう位置づけている。

その本朝世俗編に限って見ても「標本数」はかなりになり、これはこれで類型的な構造の物語が多い。たとえば、巻二四は文芸芸能の物語五七話を集めているが、ほとんどは朝廷文化の社交に臨んでの和歌など文芸の披歴と、その達成称賛の話である。通り一遍の話に終始している。であれば、ここでも統計モデルが説話の類型群を抽出できるかもしれない。

まあ、以上のような着想から、私は『今昔物語集』(本朝)の各説話を物語展開に沿って四段階(ステージ)に分け、それぞれにキーワードを選んでデータベースを作ることから始めた。物語の四段階とは主人公の発端の状態、出来事、行為、そして結末である。その上で、この四段階ごとに全体の因子構造を確認した。その内の一つ、たとえば本朝仏法編の弘法譚(初期の高僧伝)は類型性が際立つ説話群だが、類型は四つの段階それぞれで、因子「路上途上」(ここでは入唐のこと)、「仏法相伝」、「仏法伝道」、そして結末「発願成就」として抽出想定できる。その上で、因子間の直線的な因果モデル「路上途上」→「仏法相伝」→「仏法伝道」→「発願成就」を仮定して、矢印の重み(因果係数)とモデルのデータ適合度を計算した。すると、本朝仏法編の説話群の物語構造の一つが浮上するだろう。こんな統計的手法が、圧倒的に「面白い」物語作品をもどんなふうに絡め取れるか試していきたい。こうして、『今昔物語集』の多数の説話群を少数の物語類型にまとめて受け取ることができるかもしれない。

私はしかし、統計モデルによる『今昔物語集』の読み方が、ただ読む以上に意外な事実を発掘するのだとは主張しない。統計はそもそもデータを使ったモデルの検証だから、意想外の発見があれば、それはモデルが間違っていると考えてやり直すべきものだ。むしろ、統計モデルは『今昔物語集』（本朝）の六七〇編を越える説話群を物語の因果系列を基準に分類することであり、多彩な説話群の要約になる。私は物語類型を抽出しては、これに従う例話を紹介することに関心を持った。私なりに『今昔物語集』の「面白さ」をこのようにしてプレゼンしたい。そしてその上で、類型には到底おさまり切らない「名作」を類型ごとに選んで、これは丸ごと翻訳した。翻訳も思いのほか楽しい。

前記の著書で池上洵一がすでにこう書いている。「どんなに目立たぬ、社会の片隅を生きた人であっても、その人たちひとりひとりの生はそれぞれにかけがえのないものだと思う。それを十把一からげに階層として集約したり、一般的特徴を抽出するための数量的計測の対象としてのみ処理するようなやりかたは我慢がならない」（七頁）。おっしゃる通り。私のやりかたは数量的計測であるかもしれないが、それ自体の価値も楽しさも主張しない。これを手段として、当時の「目立たぬ、社会の片隅を生きた人」、いや「人たち」の心性にアプローチできたらと思うだけだ。

『今昔物語集』は平安時代（後期）の作品なのに、そこに「中世」の心性を読むといえば違和感があるかもしれない。ただ、近年の歴史学では中世（前期）は院政時代に始まるとされる。『今昔物語集』の作者が生きた時代である。私は編者でなく「作者」といった。『今昔物語集』はたんに古今東西の説話をそのまま寄せ集めたものではない。依拠資料にさまざまに手を加えていることが知られている。ことに本朝世俗編ともなれば典拠不明の説話が大部分であり、これはもう作者の作品だと思う。創作という意味ではない。同時代、中世前期の社会の心性を拾い集める手つきと説話の物語性に、「作者」の存在が見える。『今昔物語集』の面白さは、この意味で作品の面白さだと思う。

本書の構成は以下のようにした。第Ⅰ部では物語論を参考にして、『今昔物語集』(本朝部)のデータモデルを先のような四段階のシーケンスの連鎖と考えた。その上で、私家版データベースの説明をする。次いで、データベースをもとに確認的因子分析の手法によって各段階の因子構造を検証した。それぞれ一〇個前後の因子が抽出され、ことに結末の因子構造から「往生譚」など物語のテーマを分類する。そして次に、発端の状態から始めて四段階の因子を因果的に連結するパスモデルを仮定し、同じくデータベースを用いてモデルを検証する。手法は共分散構造分析を使う。先に述べた高僧たちの弘法譚などはそのもっとも単純なモデルである。こうして、仏法編と世俗編のそれぞれで、七個ほどの因果系列の類型が抽出できることを述べる。合わせて、物語の因果性とは何かに触れる。

本書の第Ⅱ部仏法の物語と第Ⅲ部世俗の物語では、それぞれ七つに分類した物語類型をパス図で示しながらこれをもとに説話を読んでいく。ステレオタイプの説話はデータベースと因果モデルの具体的な例示になる。また、逆説的ながら、類型の枠組みを溢れ出す豊かな作品をも紹介することになるだろう。その一部は、もう類型にはとらわれずにコラム「物語」として翻訳して、各章の末尾に並べた。仏法と世俗の間に、中休みとして、当時の日本で最もポピュラーだった仏教経典を紹介する一文、「法華経という政治文書」を置いた。

第Ⅰ部　『今昔物語集』の物語類型

第一章　『今昔物語集』という書物

概要

平安時代後期の説話集『今昔物語集』は大きく天竺、震旦、および本朝に分けて説話が集められている。欠話（表題だけで本文を欠くもの、本文が中途で途切れているもの）がありその数え方にもよるが、全体で一千を越える説話数である。このうち本書が対象とするのは本朝説話である。本朝の説話は仏法編（巻第十一から二〇まで）と世俗編（巻第二二から三十まで）に二分されているが、以下に説明する私のデータベースでは合わせて六七三話（仏法編三八六、世俗編二八七話）になる。中途欠の話も筋の展開が明らかなものは採用した。また、聖徳太子伝にある重複（巻十一・1と21話）はそれぞれ別のテーマで独立に数えた。説話の長さは概して短い。

本書が編纂されたのは院政の時代、一二世紀の前半だという。内容上、動乱の始まる保元の乱（一一五六年）とそれ以降を題材にした話は見られない。編纂者は南都（奈良）興福寺周辺の関係者という以外には分からない。原本は長い間日の目を見ず、世に現れるのは室町時代一五世紀になってからである。

次に原文テキストの文体を瞥見してもらうために、本朝冒頭（巻十一・1話）の聖徳太子伝の初めと終わりだけを例示する。

「今昔、本朝ニ聖徳太子ト申聖御（オハシ）ケリ、用明天皇ト申ケル天皇ノ、始テ親王ニ御ケル時、突部（アナホベ）

ノ真人ノ娘ノ腹ニ生セ給ヘル御子ナリ」。
「此ノ朝ニ佛法ノ傳ハル事ハ、太子ノ御世ヨリ弘メ給ヘル也。不然ハ、誰カハ佛法名字ヲモ聞カム。心有ラム人ハ、必、報ジ可奉シトナム語リ傳ヘタルト也」。

見られるとおり、説話は「今昔」に始まり「語リ傳ヘタルト也」をもって閉じられている。ほぼ全説話がこの形式である。文章は漢文でも平仮名でもなく、漢字片仮名混じりの書式で、歴史上『今昔物語集』はその走りになるという。説話冒頭に登場人物（通常は物語の主人公）が紹介され、話の舞台や時代が明記されることもある。また、主人公の身分が具体的に述べられる。主人公の属性（デモグラフィー）と呼んでおこう。後に詳述するが、『今昔物語集』データベースには、説話ごとに（記載があれば）時代と地域、説話冒頭に紹介される主人公と（必要なら副主人公も）その属性を記入する。さらに、恣意的な尺度ながら説話の長さと描写度、そして物語性をメモとして評価しておく。これらのデータを用いて『今昔物語集』概要紹介をもう少し進める。

本朝仏法編・世俗編を通して、時代は奈良朝とそれ以前が九〇話、平安前期と後期がそれぞれ一二六と一七六話、不明が二八〇話である。ここで平安後期とは大雑把に藤原道長以降、前期はそれ以前とした。傾向としては道長以降の摂関期と院政期が過半を占める。この傾向は世俗部で強い。舞台は律令制による五畿七道の地域で区分すれば畿内四三二話、以下、西海二四、山陽二七、山陰一五、南海一八、東海三〇、北陸二三、東山六三、国外八、不明二九話といったところである。全国にくまなく分布している。本集に登場しない国は石見、筑後、豊後、対馬それに壱岐に限られるという。畿内の内、山城（平安京）が二九〇話と圧倒的だ。

主人公たち

『今昔物語集』のデータベースでは説話の主人公を指定して、その活動を結末まで追うことになる。多彩な登場人物の物語では誰を主人公とするかに選択の余地がある。動物や鬼や霊鬼は極力主人公とはしない。これらにたいする人びとの応答行動が物語となるからだ。また、有名な道成寺物語がある。旅の若い僧に宿の女将が愛欲の炎を燃やし、大蛇に変身して遂に男を焼き殺す。無理心中の物語だ。といえば主人公は女将になるが、この話は仏法編に編入されており後日譚では死んだ僧が主役である。選択の余地が大いにあるが、断然女のほうを主人公としたい。

主人公の属性の記載には恣意性が混入するが、大まかな傾向を仏法編と世俗編に分けて示せば以下のようになる。数字は説話数である。

仏法編　３８６話

性別：男３２５、女49、不明11（仏像と異類）

年齢：成人３６９、童5、不明11

身分：聖職：高僧50、寺僧86、僧69、神官2、仏と仏像4

　貴族：王族11、貴族21

　官人：32

　武士：13

　平民：庶民74、従者10、盗人４

異類：7
不明：3

世俗編　287話
性別：男240、女42、異類5
年齢：成人279、童3
身分：聖職：高僧5、寺僧16、僧10、神官1
貴族：王族7、貴族43
官人：62
博士：3
芸能：陰陽師6、医師5、相撲5、占い師1
武士：35
平民：庶民59、従者13、盗人11
異類：5

一見して、主人公は広い階層に広がっている。仏法編では当然主人公の多くが僧侶であるが（六割）、世俗編ではその名の通り比重がぐっと下がる（一割）。僧のありようは多様だ。大雑把に次の基準で分けてみた。『今昔物語集』では、空海や最澄など開祖に当たる僧は「聖」と呼ばれ、隠遁僧や放浪の僧などがむしろ「聖人」といわれる。ここでは、開祖はもとより僧綱や座主・別当などを「高僧」、いずれかの寺に所属すると記されているが伝未詳の僧を「寺僧」、どこの誰とも経歴がわからない聖人を「僧」（尼僧と沙弥を含む）としてみた。世俗編に「高僧」が登場することはめったにない。貴族の規定もあいまいだが、ここではおおむね五位以下は官人とした。受領は地方役人も含めてこちらに入れた。世俗編では、芸能を職とする者たち陰陽師や相撲人が登場する。この時代の武士（兵）もこれに含めれば、このクラスの主人公は多彩かつ頻度も高い。平民は以上のどれにも属さない者とした。一般の女性も「平民」に含めた。「異類」は動物や鬼や天狗である。

近年の『今昔物語集』研究では登場人物たちの多彩な生態に関心が集まっているようだ。これに比べて以上の階層区分はあくまで目安であるのはいうまでもない。なお、以上の主人公の属性分類は以下の統計モデルの分析には直接の関わりはない。

仏法編と世俗編

『今昔物語集』本朝は仏法編と世俗編（部ともいう）に分けられている。内容にもとづいた区分であるのはいうまでもないが、それだけではない。編者は全体を仏法史として構成することを強く意識しており、曲がりなりにも本朝仏法編まではその意図が貫らぬかれたといわれている。だが、世俗編に至ってこれが「破綻」した。説話の分類と配列が混然としたものになっている。それでいて、作品として断然面白いものがこちらに集まっているのは誰もが認めるだろう。

もうひとつ、両編を画然と区別する指標に「夢告」がある。登場人物たちの夢に化仏や護法僧などが現れて行動を指示したり秘密を明かしたりする。いずれも物語の展開にとって重要な契機となるのが夢告である。夢告は仏法編では一二一話に現れるが、世俗編になるとわずかに四話のみである。主人公の前世とか、西方浄土への往生の確認とか、超自然的な事柄をそのままに事実として扱うことを『今昔物語集』の編者は避けようとしている。経験主義というか律義というべきか。夢見という「事実」を引き合いに出すことを欠かさない。仏像が声を発して訴えるといった話を除けば、化仏と人間との直接対話などは許されていないのである。夢告が仏法編に多いのはこのためである。これにたいして、世俗編の説話はすべて即物的だ。魑魅魍魎もモノとして存在すると信じられている。夢告によって正体を明かす必要などない。話に夢がないのだ。

こうしたわけで、以下、データベースにもとづく統計モデルの検討も、伝統的な区分に従ってまずは仏法編と世俗編を分けて行う。結果として、両者に同様な物語類型がいくつか抽出されるが、因果系列はそれぞれでまるで違うことが明らかになるだろう。

テキスト

データベースに使用した『今昔物語集』本文のテキストは、岩波書店日本古典文学大系の全五冊（一九五九〜六三年）を使用し、その校注に助けられた。たまたま、出版当時から私の蔵書にあったからである。山田孝雄・山田忠雄・山田英雄・山田俊雄によるこの本の校注のうち、出典についてはその後の研究により一新されたといわれる。新しい巻本が各種出ている。そのため、本書で引用あるいは例示するような説話については、日本古典文学全集（馬淵和夫・国東文隆・稲垣泰一校注訳、一九九九〜二〇〇二年、小学館）によってチェックするようにした。

本書の分析対象は『今昔物語集』巻十一から三一までの本朝説話に限定する。さしあたってなじみのある話を、ということだがそれだけでもない。天竺と震旦の説話は仏法史という構成に強く制約されている。釈尊とその弟子たちなどの伝記やよく知らた挿話に物語が拘束される。自由な翻案など許されない。そのためもあろう、物語に奔放さがない。言ってしまえば、面白い話が少ないと思う。

『今昔物語集』の原文の引用はすべて片仮名を平仮名にし、使用されている漢字も適宜送り仮名を加え現代風に改めてある。先に引用した文例でいえば次のように引用するだろう。「今は昔、本朝に聖徳太子と申す聖おはしけり。用明天皇と申しける天皇の、初めて親王におはしける時、突部の真人の娘の腹に生ませ給へる御子なり」。「この朝に仏法の伝はることは、太子の御世より弘め給へるなり。しからずは、誰かは仏法の名字をも聞かむ。心有らん人は、必ず、報じ奉るべしとなむ語り傳へたるとや」。

第二章　発端、出来事、行為、それから結末

物語論から

説話とは発端から結末に至る物語である。『今昔物語集』では知られている通り、すべての説話が「今は昔……」で始まり「……となむ語り傳へたるとや」で閉じられる。終始の枠組は崩しようもなく明確である。この発端と結末とに固く挟まれて、短い物語が展開する。

ところで、物語とは何か。物語では複数の文章（あるいは語り）からなる要素が時間的に継起する。時間的なこの展開をシーケンス（要素連続）と呼ぶ。要素の時間的継起は因果関係にあり､先の事件が引き続く出来事を引き起こす。後に述べるが、ヒューム的にいえば事象の「恒常的連接」である。そして、物語は事件簿や年代記とは違うのだから、出来事のシーケンス展開を引き起こすのは物語の主人公（たち）の行為である。物語論の嚆矢となった旧ソ連のウラジーミル・プロップが、物語における「行為の並外れた活動性」を強調している。「語り手あるいは歌い手と聞き手が関心をもっているのは行為のみで、それ以外に何もない」（『魔法昔話の研究』斉藤君子訳、講談社学芸文庫、二八三頁）。

だが、行為の時間的継起というだけでは足りない。物語は全体として意味を持ち、意味作用が終始シーケンスを秩序立てている。これがテーマである。そして、テーマは物語の結末から規定される。ブランショが『きたるべき書物』で書いている、—「物語とはある地点に向かう運動である。物語の魅力はこの地点から引きだすほかはない。したがって、そこにゆき着く以

前には「始まる」ことさえありえない。けれども、この地点が現実的で力強く魅力的になる空間を提供するのもまた物語であり、その予見できない運動だけである」（ジャン＝ミシェル・アダン『物語論』、末松壽・佐藤正年訳、白水社文庫クセジュ、二〇〇四年、一五頁）。

以上に摘要したのは一頃流行した物語論のほんの入り口である。私は『今昔物語集』のデータベース作成に際して物語論を念頭に置いているが、その細部にはこだわらない。説話をコード化してデータベースに蓄積するというのも、これを使って物語のシーケンスの組織構造を抽出するためである。それゆえ、物語のシーケンスをあらかじ複数の段階（ステージ）に区分して、説話ごと段階ごとにキーワードを選びデータベースに登録することにしたい。

『今昔物語集』の説話のシーケンスを次の四段階に命名区分する。1．発端：発端における物語の主人公（主体）の状態、2．出来事：主人公が引き起こす（あるいは遭遇する）事件、3．行為：事件にたいする主人公たちの応答行為（パフォーマンス）とそれがもたらす反応（リアクション）、そして最後に4．結末：主人公のパフォーマンスの成否とその評価。これら四段階ごとにキーワードを選ぶわけだが、まずはこの段階区分について説明が必要だろう。実例にそって述べるのが分かりやすい。次に上げる例は仏法編から短い話を任意に選んでみた（巻第一三・22　筑前の国の僧蓮照、身を諸々の虫に食ましめたること）。法華経霊験譚に属する物語の一つである。主人公蓮照は熱心な法華経持経者であり、熱心のあまり山に籠って、わざわざ虻の群れが我が身を咬みそこに卵を産みつけるのを放置して、ひたすら耐えて読誦を続ける。虫害にたいするこの応答行為が何をもたらすか、これが物語の展開になる。短いものなので、以下原文を追いながら四段階を見ていただきたい。

なお、以下で個々の物語表記、「巻第一三第二二」を（巻一三・22）のように略記する。
また、原文テキストでは法華経は「法花経」と表記されるが、本書の引用ではすべて前者に書き換えた。

主人公の「発端の状態」

（1）発端：聖人・慈悲

今は昔、筑前の国に蓮照と云ふ僧有りけり。若くより法華経を受け習ふ、昼夜に読誦して他の思ひなし。また、道心深くして人を哀れぶ心弘し。裸なる人を見ては、我が衣を脱ぎて与へて寒きことを嘆かず、飢えたる人を見ては、我が食を去て施して、食を求むることを願はず。また、諸々の虫を哀れみて多くの蚤・虱を集めて我が身に付けて飼ふ。また、蚊・虻を掃はず、蜂・蛭の食らひ付くを厭はずして、身の肉を食はしむ。

「今は昔」に続いて、物語の主人公が導入され、その時代と舞台や属性などの紹介がなされる。「筑前に蓮照と云ふ僧有りけり」がこれに当たる。この例では時代の示唆はない。また僧には固有名が付けられているが、伝未詳、つまり世に知られ記録に残されるような聖人や高僧ではない。地方の無名僧というべき持経者である。高僧でも特定の寺の住職でもなく、データベースではたんに「僧」と分類した。

主人公たちの属性と区別すべきなのが、物語の発端におけるその状態である。「若くより法華経を受け習ふ、昼夜に読誦して他の思ひなし」というのは、法華経霊験譚というべき説話群の常套的叙述である。さらに続いて、この物語は主人公蓮照の慈悲深さが指摘される。「道心深くして人を哀れぶ心弘し」。これもまた常套句と見ていい。しかしこの話に特徴的なのは、蓮照の徹底的な殺生禁断の振る舞いである。「諸々の虫を哀れみて多くの蚤・虱を集めて我が身に付けて飼ふ。また、蚊・虻を掃わず、蜂・蛭の食らひ付くを厭はずして、身の肉を食はしむ」、と語られている。これはまた我が身を捨てて耐え忍ぶ菩薩行でもあったろう。

物語論にならっていえば、信仰であれ経済状態であれ、ここ発端では主人公が置かれている状態の過剰あるいは欠如が（しばしば誇張されて）表現される。殺生を避けるために虻に食われても放置する。ここでは信心が過剰な振る舞いとなって表わされている。別の言い方をすれば、作善修行をしてもしても、なお仏法に献身する満足が充足しない。この欲望充足の欠如感がまた、主人公をさらなる信心行為に駆り立てるだろう。

他の説話では、主人公が極端な貧老病苦に悩まされている。これなどは端的な欠如の状態である。また、主人公には悪人がおり、女性や半俗の僧尼がおり、それぞれに不足と過剰の状態にあるだろう。この過剰あるいは欠如こそが、主人公を捉えている時代の「欲望」を具体的に表現する。例話のように「虫も殺さぬ」振る舞いに狂的なまでに固執する者が現れ出るだろうが、これも宗教パラノイア時代の欲望である。

それゆえ、主人公の「発端の状態」は、説話を通じて時代の人びとの欲望を透視するキーの一つになるだろう。この段階をデータベースにコード化することは落せない。ここに引いた話では、「聖人」「無名僧」「求法」「持経」そして「不殺生」「修行」「作善」「慈悲心」などがあげられるだろう。ここでは「聖人」と「慈悲」の二語を選んで「発端」のコードとしている（発端：聖人・慈悲と記す）。コード化については後に項を改めて述べよう。

主人公が引き起こす（遭遇する）「出来事」

（2）出来事：出会・異類、または被害・異類難

しかるに、蓮照聖人、わざと虻・蜂多かる山に入りて、我が肉・血を施さむとするに、裸にして動かずして独り山の中に臥したり。すなはち、虻・蜂多く集まり来て、身に付くこと限りなし。身を食む間、痛み堪え難しといへども、これを厭ふ心なし。しかる間、身に虻の子を多く産み入れつ。

この物語の「発端の状態」が重要なのは、発端における欲望の過剰ないし欠如が、まさしく主人公の行為を駆動する点にある。欠如であればそれを埋める価値の追求へ、過剰であってもなお一層の価値を求めることへと、主人公は駆り立てられる。心的な因果関係を秘めて、かくして主人公は出来事を引き起こす（あるいは身に蒙る）。主人公の過剰な殺生禁断と布施・忍辱の欲望を指摘した後に、この説話はただちにこう述べる。「しかるに、蓮照聖人、わざと虻・蜂多かる山に入りて、我が肉・血を施さんとするに、裸にして動かずして独り山の中に臥したり」。殺生禁断と修行という宗教的欲望に突き動かされて、主人公蓮照は我が身を傷付ける試練に耐えるために、「わざと」虻などが群がる山に入る。そして山に入れば、一人行い澄ます主人公に虻が襲いかかる。主人公は意図した通りなすがままだから、虻は皮膚を咬むだけでなく咬み傷に卵を産みつけた。蓮照は痛みに耐えて、これを放置する。山での虻の群れとの出会いと両者の関係の形成、これが物語を駆動する事件「出来事」となる。

そして、虻の群（異類）を副主人公と見れば、欲望充足のターゲットを発見してこれを侵害することが、副主人公にとっては出来事になる。欲望のままに動く、心ない虫類が副主人公の

存在様態である。その欲望が、山に入ってきた主人公に誘われて、肉を食い卵を産み付ける本能的な行動を惹起した。副主人公の振る舞いが、逆に蓮照に試練をもたらしたのである。両者の出会いとこれによる「問題」の出来であり、首尾よい問題解決が副主人公との関係において主人公に課せられる。ここでは主人公の出来事のシーケンスのコードとして二語、「出会」と「異類」を選んである。異類(虻の群)に出会うということだ。あるいは、虫害を被るという点で、「被害」と「異類難」を出来事のコードとするほうがより適切であったかもしれない。その場合には、副主人公の行為が、「加害」と「襲撃」になろう。

一般に、主人公の起こした行動が他者との関係に入り、他者を巻き込むことがある。他者のうちの主要なものを副主人公と名付ける。副主人公は人間とは限らない。動物あるいは羅刹(鬼)、そして化仏(仏の仮の姿、化体)であるかもしれない。また両者はもともと親子・師弟あるいは敵味方であり、この関係が新展開する。あるいはまた、もともと無関係にあった両者が、主人公が起こした行動の故に遭遇邂逅する。味方あるいは敵とのこうした関係が主人公に試練をもたらし、主人公はこの試練を克服しなければならない。試練の大きさと、試練の克服あるいは失敗の予感が、物語の緊張を高めていく。

ただし、『今昔物語集』の説話では、物語の主体(主人公)にたいしてとりたてて対抗主体(副主人公)が登場しない作品は多い。シーケンスは単線的だ。説話が概して短く類型的だというのもこのことである。また逆に、シーケンスが複雑になる作品で、誰を主人公と認定するかは物語の「結末」から決定される。例に上げた話は法華経霊験という結末だから、主人公は持経者蓮照の他にいない。このケースでは筋書きからして主人公は自明だが、シーケンスが複線的になる物語では、「結末」の意味付けに反して主人公を選定すべき場合もある。こうした事情についてはまた触れることがあるだろう。

もうひとつ、この段階で注意しておきたい。以上の説明では「発端」における主人公の欲望の過剰（欠如）が「出来事」を出来させるかに述べた。蓮照の場合はこの説明が当てはまるだろう。だが一般的には、それこそたまたま、出来事が主人公に降りかかる場合は多い。旅の途上で盗賊に襲われる。当時の旅が危険いっぱいだったという事情以外に、発端と事件につながりはない。後に示すことだが、発端から出来事への因果連関が（その後の展開と比べて）概して低いのもこのせいである。「発端」は次の「出来事」の主人公たちの状態を、たんなる「属性」としてでなく、物語の時間を考慮に入れて規定することとしておこう。

出来事に応答する主人公の「行為」

（3）行為：読誦・護法・加護

山より出で、後、その跡大きに腫れて、痛み悩むこと限りなし。人有りて、教へて云く、「これを早く療治すべし。また、その所を焼くべし、または薬を塗らば、蚯の子死にて、すなはち、癒えなむ」と。

聖人の云く、「更に治すべからず。これを治せば多くの蚯の子死ぬべし。然れば、ただこの病をもって死なむに、苦しぶところにあらず。死ぬること遂に遁れぬ道なり。何ぞ、蚯の子を殺さむ」と云て、治せずして、痛きことを忍びて、偏に法華経を誦（じゅ）するに、聖人の夢に「貴く気高き僧来りて、聖人を讃て云く、『貴きかなや、聖人、慈悲の心弘くして、有情を哀むで殺さず』と云て、手をもってこの傷を撫で給ふ」と見て、夢覚めぬ。

さて、虻に出会って虻に身を食われる（食わせる）出来事が起こったが、これにたいする主人公の応答が行為である。蓮照は山から戻る。山で虻に食われた傷は悪化して、見かねた隣人は傷の治療を勧めた。だが、蓮照はひたすら「痛きことを忍びて、偏に法華経を誦する」ばかりだった。読誦は法華経が命じる法師（弘法の徒）第一の勤めである。偏に読誦することによって菩薩行を貫徹することを宣言する。どうせ死は逃れ難いのだから、これで死んだって構わないとまで言いつのった。これが出来事に応答して蓮照が示したパフォーマンスであった。そして、読誦に集中する夢うつつの中に「貴く気高き僧」が現れて、蓮照の行為を称賛した。傷に手を触れることすらしてくださったのである。夢告によりパフォーマンスは是認されたのである。僧は護法の者、すなわち法華経受持者を密かに見守り守護する仏の援護を現わしている。夢の中ながら、蓮照の読誦行為は護法によるタッチ（加護）を受けたというのである。いわゆるロイヤルタッチに相当する恩恵である。「行為」の後に記したコード「読誦」・「護法」・「加護」は、以上のシーケンスのコード化である。ここ「行為」ではコードとして三語を選ぶ。

なお、ここ「行為」の冒頭の一句、「山より出でて後」は出典の『法華験記』（巻下88話）にはないという。この一句を欠けば、山中から帰還するという物語の舞台の展開が表面化せず、なし崩しに推移してしまう。「山より出でて後」が場面展開を明示しており、山中の虻の被害という受け身の出来事から、その決然たる受容へと物語のメリハリを作りだしている。こうした接続句（詞）を加えてシーケンスの断絶と連鎖を際立たすことは、『今昔物語集』に特有の工夫である。特にこの例では、出来事から行為の独自性を切り取る上で、「山より出でて後」

が果たす効果は大きい。

一般に、出来事を受けた主人公（たち）の応答行為が物語のシーケンスの中核をなす。これが重層的になり意外性が増すごとに説話の物語性（力動性と文学性）が高くなる。『今昔物語集』の中で人気の高い説話がこれに当たる。長さも長くなるが、その大部分を行為の展開が占めることになる。加えて、生彩のある「描写」が物語性に寄与する。ただし一般に、昔話は筋の運びだけで描写を欠くといわれる（アダン前掲書、六二頁）。描写を詳しくすればシーケンス展開の速度が遅延する。物語はその「結末」から遡及して意味づけられるのだから、「行為」の部分が自己目的化して遅延してはまずい。早く切り上げて結末の「教訓」に到達しなければならない。それが話者の意図であると同時に、説話の聴衆の初めからの期待だからだ。この矛盾がうまく均衡するとき、物語は冗長に流れず通り一片に終わらずに、物語性を高めることになるだろう。私は後に実例をコラム「物語」としていくつか提示するつもりでいる。

例話では虻たちを副主人公と考えても、両者の行為連関はあっさりした展開であり長さも短い。描写もほぼ切り詰められている。山に臥した蓮照のもとにそれこそ雲霞のごとく押し寄せる虻の群を詳しく描けば、物語の生彩は増しただろう。とはいえ、蓮照の菩薩行を理解できない俗人の忠告、そしてこれとは反対に護法僧の是認がたたみ込まれており、シーケンスは三つの要素的文章がリニアでなく重層している。それに何より、この物語の「結末」がいい。そこから遡って見れば、虻の産みつけた卵を蓮照が保護した行為の意味がシーケンスに膨らみをもたらしていると了解できる（後述）。

反対に、『今昔物語集』では行為が単線からなる類型的な物語が大部分を占めている。たとえば、主人公(僧)が命の終り近きを悟って死去の日時をあらかじめ周囲に宣告する。命終の「告知」という出来事である。告知の実現（往生本懐）を結末に予期しながら、主人公は念仏を唱え、弥陀の来迎を前にして乱れることなく臨終を迎える。これが「臨終作法」という行為となる。往生予告から臨終まで、弟子たちが念仏を和して臨終の作法を荘厳するが、とはいえこの弟子たちが副主人公ではないし、両者の絡み合いが物語の新展開をもたらすこともない。この類型が往生譚の大部分を占めている。

そして、この段階で注意したいが、本書の統計モデルによる読解はこれら大部分の紋切り型説話から、いくつかの類型を抽出することなのである。統計は当然のように作品論と衝突する。衝突の結果を何とか和らげる工夫ができたらと思っている。

物語の「結末」と教訓的意味

（4）結末：霊威・治癒

その後、身に痛む所なくして、傷たちまちに開けて、その中より百千の虻の子出でて、飛びて散りぬ。しかれば、癒えて、痛き所なし。聖人、いよいよ道心を起こして、法華経を誦すること永く退(やま)ずして失せにけりとなむ語り傳へたるとや。

さて実際、主人公の側では虻に食われた傷がたちまち癒える。殺生禁断の慈悲と法華経誦経の功徳として、霊験が確かに現れたことを聞き手は知るであろう。対応して、副主人公の虻が植えつけた卵が孵り、虻の子が一斉に主人公の傷口から飛び立っていく。新しい生命の誕生である。蓮照の行為はただに生類を殺さずという善行には尽きない。欲望のままに生のサイクルを繰り返す虻の営み、その再生を解き放ったのである。傷口から「百千の虻の子出でて、飛びて散りぬ」という光景は印象的である。この印象があってこそ、蓮照の（言ってみれば宗教的に紋切り型の）慈悲行が、はるかに豊かで生気に満ちた虻たちの誕生と解放の光景によって荘厳されたと受け取られる。

説話の結末はもちろん、蓮照は「いよいよ道心を起こして」と、宗教的教訓をもって閉じられている。この宗教的意味がひるがえって全編のシーケンスを繋ぐ働きをしているのはいうまでもない。説話の意図がそこにあり、聴衆は初めからこの意図を予期しており期待が実現する展開を追ってきたのである。だがそれでもなお、虻の子が飛び散るという生命の欲望の解放は過剰であり、道心の教訓を越えてほとばしり出る。それがまた、蓮照の道心の貴さを高める。これが聴衆の集合的な記憶を刺激し再生させる契機になったに違いない。「結末」のコードは二語を選ぶ。

一般に物語の「結末」は、出来事の試練に直面した主人公の行動の解決（あるいは解決の失敗）を物語る。生老病死から生じる問題の救済、闘争がもたらす名誉や損失、信心の強化あるいは放棄などである。これを物語の発端における主人公たちの欲望に関係付ければ、欲望に突き動かされた行動が求める価値の実現、あるいは喪失である。このようにして、物語の結末ははるかにその発端に呼応する。物語は「結末から発して発端へさかのぼりつつ秩序立てられる」（アダン前掲書、一〇八頁）と言われるゆえんである。

物語の終わり方

『今昔物語集』では話の結句「……となむ語り傳へたるとや」の直前に、この説話にたいする聞き手、つまり公衆による反応の言葉（感想や称賛）と、さらに話者が教えたい教訓が加えられることが多い。この部分が説話の一般的な結語である。物語はここから遡ってあらためてここに帰るように構成される。聞き手は、「今は昔」と語り始められるのを聞いて、自分たちの集団的心性を喚起させられる。この心性を背景として話の筋書きを追って行き、最後に再び自分たちの無意識の心性を言葉に出して確認する。それが末尾に記される公衆の反応と物語の教訓である。それゆえこの部分は、たんに物語の一般的な意味を再確認するだけでなく、時代の集合的な心性、「人々の心」の（類型的な）表現として重視しなければならない。事実、話がここへと収斂するようにして、物語の筋書きが運ばれる。

例に上げた説話では、聞き手の反応はそれとしては記述されていない。いま似たような話から例を取れば、「これを聞く人、皆、首をかたぶけて貴びけり」（巻一三・1）が典型である。仏法編では「貴ぶ」が圧倒的に多い公衆の反応であるが、世俗編になると、奇異なり、稀有なり、恐ろし、さらに褒める、謗るなどが多くなる。

そして最後に、話者が公衆に期待する教訓であるが、例話では次のように話が締めくくられている。「聖人、いよいよ道心を起こして、法華経を誦すること永く退ずして失せにけりとなむ語り傳へたるとや」。このひとつ前の話（21話）では、「実に、法華の力、明王の験新たなり」とある。こういった調子である。いずれも、説話に法華経の霊験を確認するとともに、さらに怠らず終生読誦を続けるべきことを勧めている。説話の類型分類では、これらは法華経霊験譚としてまとめられるであろう。もともと、『今昔物語集』仏法編は法華霊験譚、往生譚などとテーマ別にまとめられており、各説話の公衆の反応も話末の教訓もおおむね重なる類型、すなわち——譚と名付けるテーマが抽出できると思う。『今昔物語集』の説話群から類型を抽出する際にも、結末の意味づけを分類基準として重視すべきであろう。

もっとも世俗編になると、話末のコメント（教訓）は本文にたいして文字通り取って付けたような処世訓となる。霊鬼による被害をおどろおどろしく展開した後に、「見知らぬ所に宿してはいけない」というような落ちが付く。仏法編に宗教的教訓を付けてきた編者がここでは戸惑っている。あるいは仏伝としての体系的な編纂方針が、ここ世俗編に至って「破綻した」証左と見ることができるかもしれない。説話の分類配列も仏法編のように整然とはなっていない。しかしそれでも、類型の分類では結末の意味付けから振り返って見ることを欠かすべきではない。その結果として、芸能譚、武芸譚、霊鬼譚などと編者の分類意図におおむね重なる類型、すなわち——譚と名付けるテーマが抽出できると思う。そして、説話を四つのシーケンスの展開として因果モデルにより分析するのは、法華教霊験譚など編者のあらかじめの分類を確認するだけではない。この結末へとたどり着く物語の因果連鎖の類型を抽出するところに、モデル分析の特徴がある。この点は第四章で詳述する。

なお、説話の結末と教訓そして聴衆の反応が、物語の筋書き（シーケンスの連鎖と因果的な秩序立て）と時代の意味論的構造に呼応していることは、因果系列を抽出した後に具体的に指摘するつもりである。

第三章　データベースとその構造

データモデル

物語の四段階区分は説話のデータベース（以下ＤＢ）を作る際の指針（データモデル）になる。シーケンスのつながりを考慮しながら、四段階ごとに主人公たちの行動を特定するのである。それにはシーケンスを特徴づけるキーワードを選ぶ。『昔話の形態学』（一九二八年）を書いたプロップによれば、これは登場人物の行為を特定する「機能」ということになろう。プロップはロシアの魔法昔話百話を分析して気づいたという。たとえば、主人公が何かを探索に出るとする。その際、彼は魔法の馬、鷲の背、空飛ぶ絨毯、空飛ぶ船、悪魔の背中などに乗ってそこまで飛んで行く。事例はまったくのところ多様だが、「これらの多様性の裏に論理的に解明可能な、何らかの共通性」を見出すことができる。すなわちこの例では、それは「渡り」という行為である。登場人物の機能とは行為のこの不変要素のことだという。そして、物語はこれら機能の配列（構成）によって構造化さている。逆にいえば、多様な物語が全く同一の機能の配列により構成されていることが見い出せたという。「わたしにとってひじょうに重要だったことは、民衆がいかなる順序で機能を配列しているかを究明することだった。配列は常に一つであることが判明した」（前掲『魔法昔話の研究』、四〇‐四五頁）。

機能を表す言葉は登場人物が誰であっても構わないように、類型化され一般的なものでなければならない。プロップは魔法昔話では機能は三一種に限られるとした。ちなみに、ジャン＝

ミシェル・アダンの『物語論』によれば以下のようだ。物語の展開順にほぼ沿って、まず別離、禁止、違反、問いかけ、情報、欺き、契約。次いで物語が始まり、加害、欠如、召喚、出発、試練と対決、援助。そして場面が転換して、移動、闘い、標付け、勝利、修復、帰途、迫害、救出。そして主人公の帰還、欺瞞、難題、認知、露見、開示、処罰、結婚。これら機能の決まった配列を見出すことが物語論になる。

『今昔物語集』のＤＢで私は機能という考え方を参照したが、もとより分析対象が違うのだから言葉まではこだわらない。それに、もう少し登場人物の具体性に近づけた言葉を使いたい。たとえば、主人公の罪業行為を特定するのに（三宝）「毀損」を使う。それに、ＤＢの簡素化と分析のしやすさを目指して、段階ごとに言葉の数はできるだけ少なくしたい。以下、最少限に絞って、各段階のシーケンスを特定するキーワードを「行為」に関して三個、他は二個に制限した。行為はことにシーケンスが錯綜するので、キーワードの数を増やした。キーワードはテキストから採取できるものであり、後のモデル分析で潜在因子（構成概念）の推定に使うものだから、これを観測変数と呼ぶ（以下たんに変数という）。ただし、観測変数に選んだ言葉はテキストの用語そのものにはこだわらない。

先に例示した僧蓮照と虻の説話では、主人公を蓮照としてすでに示しておいたように、変数は以下のようである。発端：聖人・慈悲、出来事：出会・異類、行為：読誦・護法・加護、そして結末：霊威・治癒。言いかえれば、慈悲深い持経僧である聖人が異類（虻）と出会い、読誦して（虻による被害に耐え）夢に護法の加護を受けた。その結果、法華経の霊威が現れて（虻の被害としての）傷は治癒された。見られる通り、主人公たちが誰であるか、その関係性が具体的に何であるかなどは変数からは消えている。逆に、結果から遡って、持経の功徳として霊験を得たという筋書きを浮き彫りにしている。そしてこの手の類型の説話集団から、後に次のような物語の因果系列を統計的に抽出するのである。入山回国→一期一会→法華精進→法華霊験。

副主人公のデータ

一方、例話の副主人公に当たる虻の群については、基本は主人公の機能の裏返しになる。出来事は同じく出会・聖人、あるいは対立・仏法である。行為は加害・侵害・利益、結末は福徳・富となる。当然これには宗教色はなく、むしろ世俗編で採用したものになる。この観点でいえば、蓮照の「行為」はむしろ被害・異類難・共存になろう。このため、副主人公の機能変数を主人公と同じフォーマットで記載しても、独自の情報はもたらさないことが多い。むしろ、両者の関係の展開が大切である。そこで、複数の登場人物とその関係の展開が書き込まれている説話では、副主人公を特定してDBにその属性と発端の状態を主人公と同様に記載したうえで、両者の関係の展開を三段階に分けそれぞれ二つの変数により特定した。蓮照の話では副主人公の属性は異類、発端の状態は虻。そして関係性の展開は1：遭遇・襲撃、2：加害・被害、そして3：再生・共栄とした。しかしいずれにしろ、物語の類型では、対決・敵対から勝利・敗北へというように、主体と対抗主体の関係は表裏であり能動と受動になることが多い。受動と能動を使い分ければ主人公の行動から対抗者の振る舞いが予測できる。それだけではない。物語の主体と対抗主体の関係とその展開までを考慮に入れるとすれば、DBの構造をはるかに複雑にしなければならないだろう。このためもあり、以下のDBの統計的分析には副主人公のデータは使用しないことを断っておきたい。

シーケンス各段階の観測変数

さてこうして、物語の各段階で選んだキーワード（変数）を説話ごと表ソフト・エクセルの該当欄（列、コラム）に記入していく。行の順番はテキストの順とする。同一段階の変数は変数1、変数2、行為では加えて変数3と呼び、それぞれ別々の列に書き入れる。全変数でエクセルの9列を占める。副主人公が特定できる説話では、すでに述べたように主と副との関係性とその三段階の展開をこれも変数として記載した。この作業を繰り返して、本朝仏法編三八六話と世俗編二八七話、合計六七三話につき物語展開に関するデータベースを作る。合わせて、話末の公衆の評価と教訓があればそれぞれ要約して記載した（貴ぶ、恐ろし、など）。さらに、仏法編では各説話で主題として言及される経典教派（法華経、真言など）も記載しておく。物語に登場する夢告についてもメモしておく。話末のコメント、経典、あるいは夢告については別に扱うこともあるので、以下、主人公のシーケンス変数に絞ってデータベースの説明を続けよう。

結果の記載に入る前に、断っておくべきことがいくつかある。まずは、変数選定に恣意性は避けられない。テキストにある言葉やその言い換えを変数として記載するのだが、テキスト本文が自動的にかつ必然的に変数を差し出すわけでないのは言うまでもない。それでも、先にも指摘したが説話の類型性そのものが助けになる。例えば、結末が霊験譚として括れるような物語では、まず霊験を特定する結末変数を選んで、この結末に帰結する筋書きを表現できるキーワードを段階ごとに特定する。霊験譚などいくつかの類型をあらかじめある程度予期した上でのデータベース設計である。それでも、筋書きを型にはめるのに恣意性は避けられない。加えて、説話は個々に別物であり、少数の変数には括れないこともある。DBの関心はしかし、個々のデータの個別的な正確さにはない。個々の雑音をかいくぐって抽出できるパターンに関心がある。データの観点ではこれは偏差の問題であり、偏差があればこそ統計的な推定が可能になる。統計的推定結果から、逆にDBのデータを見直す試行錯誤も避けられない。

変数分布

さて、統計的分析に使用したデータベースについて、シーケンスを特定する変数の頻度分布（ヒストグラム）を仏法編と世俗編ごとに表1、2にまとめた。物語の段階ごとに、変数1と2に分けて（行為については変数3も）変数名とその頻度（説話数）を示す。むろん変数名は多岐にわたるが、表1、2では頻度5未満の変数は省略した。変則的であるが、表1、2の変数分布はシーケンスの因子名（次の表3と4）ごとに並べてある。後に行う変数の因子分析の結果を先取りして、便宜上各段階の因子の分類と命名ごとに区分しているだけで他意はない。

表の説明をする。例として仏法編の「結末」を見てみよう（表1）。ここでは結末のシーケンスが九つに因子分類されており（後述）、それぞれに「発願成就」などの命名がなされている。加えて、結末変数は物語類型を決めるものだから、類型（テーマ）の呼称が「弘法譚」のごとくに先頭に記入されている。いま、この弘法譚の結末因子「発願成就」を見れば、変数1に「達成」と記載されており、DB上にこの変数を持つ説話が五〇例ある。「達成」の五〇例という数は仏法編三八七話中（発願の）「達成」で終わる説話が全部で五〇ということである。以下、変数2では造寺仏二四、開基一〇、および法会九話がある。他の類型分類に重複する変数（たとえば変数2の「往生」など）は括弧で示した。変数1と2はそれぞれのコラムに並んでいるから、同一シーケンス内では変数は相互に排他的になる。

表1と2を見ながらこの段階で断っておくべきは、変数1の特異性である。多くの場合、DBでは変数1はそのシーケンスを総括する性格を持っている。「達成」はすなわちシーケンスの概念「発願成就」とほぼ同義である。これにたいして、変数2は変数1を修飾する。達成に関していえば、寺仏の建立や法会の開催を達成したのであり、宗派の開基となって弘法を達成したのである。かように、変数2は変数1の行為の対象や目的、あるいは内容を特定し、逆に変数1はこれらを統括する。変数1はだから種類が少なく、分類ごとに変数2に比べて頻度が高い。分類のためのDBならともかく、後の統計モデルから見ればこのデータの取りかたは変則的だ。観測変数は同格でランダムに並んでいる必要がある。しかし、多数の説話群を二三の変数で特定するという制約のために、あえて変数1を総括的な性格のものとした。この点は統計モデルの個所でもう少し丁寧に説明するのがいいだろう。

表1　変数分布　仏法編

ヒストグラム　N＝378　N＞4　（　）は重複

属性

王族14、官人35、貴族21、高僧44、寺僧87、僧71、武士9、従者11、庶民74、天狗9

発端　因子　変数1　変数2

（1）仏法修学：仏道83　持経47・般若6・学問7・兼学8

（2）俗界信心：道心34　政治15・出家7・観音20

（3）入山回国：聖人60　（持経47）・入山37・放浪9

（4）僧形半俗：沙弥20　破戒7・地蔵15

（5）女人信心：女性45　念仏18・（観音20）・貪欲10

（6）路上途上：旅移動33　外国11・地方15

（7）貧窮病苦：貧老病8　（観音20）

（8）生業信心：生業12　殺生19・（地蔵15）

（9）悪行強欲：悪行43　（殺生19）・（貪欲10）

（10）情愛関係：親愛10　夫婦5

出来事　因子　変数1　変数2

（1）仏法相伝：伝授7　仏法23

（2）発心作善：	発願31	造寺仏11・法会15
（3）濁世超脱：	出離18	籠居22
（4）霊夢告知：	夢告16	後世往生8・聴従5
（5）往生予告：	告知38	精進34・（法会15）・（籠居22）・結縁9
（6）閻魔連行：	拉致22	冥土22
（7）一期一会：	出会51	霊異19・同法14・異類7・女8
（8）競合対立：	対立30	（同法14）・（仏法23）・異類25
（9）難儀直面：	難事62	困難15・災難18・病苦9・困窮9・事故6
（10）危難直面：	被害37	襲撃6・捕縛8・強盗10・異類難8
（11）物心煩悩：	執着18	財物11
（12）離別離縁：	別離8	縁者7

行為　因子	変数1	変数2	変数3
（1）仏法伝道：	帰朝6	弘法7	霊験16
（2）無常回心：	発心18		懺悔21・供養7
（3）救済祈願：	祈願65	化身仏79・仏神17・夢告9	加護97・犠牲7・贈与7・聴従6
（4）法華精進：	読誦57	護法18・滅罪5	結縁11・（正念53）・荘厳7
（5）臨終作法：	念仏34	来迎45	正念53・入滅11
（6）滅罪嘆願：	嘆願14	（化身仏79）	弁護33

（7）抜苦祈願：霊依頼11　法華供養13　霊験16
（8）因縁開示：祈請12　前世夢告14　礼拝39
（9）霊界遭遇：発見37　霊地6・持経仙7・（仏神17）　（結縁11）・（供養7）・礼拝16
（10）本性露呈：露見12　正体8　外道6・畜道5
（11）仏法敵対：悪業25　攻撃7・虐待7　三宝毀損17・（懺悔21）

結末	テーマ	因子	変数1	変数2
（1）	弘法譚	発願成就：	達成50	造寺仏24・開基10・法会9
（2）	霊験譚	法華霊験：	霊威70	顕現21・（救難40）・往生18
（3）	出家譚	出離出家：	得度10・世捨7	機縁9・（往生18）
（4）	往生譚	往生本懐：	往生49・女人12・破戒8	承認38・夢告14・瑞相11
（5）	蘇生譚	冥土往還：	蘇生23	供養13・出家6・（往生18）
（6）	転生譚	輪廻転生：	転生13	天界8
（7）	利益譚	救命救難：	利生61	救命30・救難40
		財産良縁：	福徳24	富16・結婚5・治癒9
（8）	悪報譚	悪因悪果：	仏罰18・現報62	死亡17・懺悔7・逃亡5・（供養13）

表2　変数分布　世俗編

ヒストグラム　N＝287　N＞4　（）は重複

属性

官人57、庶民56、貴族42、王族9、武士34、従者16、僧11、高僧6、寺僧14

異類12、盗人11、陰陽師6、医師5、相撲人4、相人2、神官1、博士1

発端　因子	変数1	変数2
（1）芸能文芸：	諸芸41	医占15・芸工7・漢文8・和歌10
（2）武道力業：	武芸32	兵16・相撲9
（3）文化交流：	交際30	廷臣29・歌人12・知人9
（4）政治関係：	臣従29	(廷臣29)・国人15
（5）情愛関係：	親愛55	親族18・男女16・夫婦15
（6）庶民住民：	住人16	在京22
（7）路上途上：	旅移動52	京12・地方36
（8）罪業生業：	悪行14	盗賊12
（9）畜類家畜：	動物11	畜類8

出来事　因子	変数1	変数2
（1）舞台登場：	臨場46	競合13・社交20・離別8

（2）競合敵対：	対立21	同族7・武力7	
（3）危難直面：	被害37	異類難6・襲撃13・強盗18	
（4）難儀直面：	難事32	災難15・困難14・病苦5	
（5）罪業実行：	悪事18	盗み9・不義11	
（6）一期一会：	邂逅41	女29・男17・縁者10・同輩6	
（7）霊異出現：	遭遇53	怪異25・人形19・異類31	
（8）離別離縁：	別離15	（縁者10・女29・男17）	

行為　因子	変数1	変数2	変数3
（1）芸能披歴：	演技65	文芸6・技芸33・和歌28	称賛28・惜別10・治癒5・報復13
（2）敵対闘争：	対決79	敵7・同輩12・狐9・蛇13・盗人18・霊鬼28	撃退47・互角5・敗退13
（3）霊鬼被災：	受難22	鬼10・（盗人18・狐9・蛇13）	来襲13
（4）苦境逆転：	発見32	異人8・因縁7・宝物8・霊鬼19	活用5・暴露9・来訪5
（5）本性露呈：	露見43	醜態17・正体13・不実24	不作法11・返報30
（6）工夫策略：	謀略11	瞞着7・不実10	成果9
（7）復縁交流：	再会9	交流8	風流9

結末　テーマ　因子	変数1	変数2
（1）芸能譚　芸能称賛：	達成69	芸道30・医占9・繁栄23・評判20

芸能失格：失墜9　（芸道30）・嘲笑17

（2）武芸譚　武芸称賛：勝利52　武道19・勇気18・仇敵5・報恩5

武芸敗退：敗北16　被殺30・追放8・（武道19）

（3）滑稽譚　作法饕餮：滑稽28　愚行19・（嘲笑17）

（4）利益譚　救命救難：避難17　救難12・救命8

財産良縁：福徳27　富18・結婚9

（5）愛恋譚　愛恋暗転：悲恋9　愛別8

（6）悪報譚　罪業処罰：懲罰41　（被殺30）・非難9・（追放8）

（7）霊鬼譚　霊界威力：霊力21　恐怖11・（被殺30）

説話シーケンスの因子構造

次に、DBの四段階ごとに、変数1と2（行為では3も）をダミー変数に変換する。つまりDBを0と1に数値化する。ある説話（標本）の変数1に「達成」があれば達成のコラムを1、なければ達成を0とする。これをすべての変数について行い、すべての変数のコラムに0か1が記入される。その上で、頻度5未満の変数のコラムは削除する。この段階で消される変数が大部分を占める。こうして、各段階で、頻度5以上の変数をコラム（列）とし説話を行とした一覧表が得られる。標本数が説話数になる。このダミー変数の表を使えば、変数間の相関行列が得られる。変数1、2、3それぞれは独立だから負の相関になる。他方、特定の変数

1、2、3の間には正の相関が表示される。逆に、変数2と3は変数1との相関を通じて相互に相関する。ただし、今回のように変数の数を絞っても、相関行列は一般に大きくなり、眺めただけでは相関のパターンの別まではなかなか分からない。

ダミー変換された変数表から各段階での相関構造を抽出する手法に主成分分析がある。これは相関が高い複数の変数を主成分として括り、かつ相互に独立の主成分を列挙してくれる。これを使えば、どの変数1と変数2（あるいは3）とが同一の主成分を構成するかの見当が付けられる。たとえば、すでに先に例示したが、結末変数のうちでは変数1「達成」と変数2の「造寺仏」「法会」「開基」が相互に相関して主成分の一つを構成することが分かる。これにたいして、変数1「霊威」と変数2「顕現」「救難」「往生」は別の独立な主成分を構成する、といった結果である。そして実際、「結末」に関していえば、仏法編が相互に独立の九成分からなり、同様に世俗編が八成分からなることが推定できる。以上はエクセル統計を使用した。

主成分分析は相関構造を見渡すのに便利だが、結果は確定的でない。発願成就と名付けるべき主成分が、主として達成・造寺仏・法会・開基からなるとしても、他のすべての変数が多少ともこの成分に関係する。いま例示した「達成」など四変数は、そのうちで顕著な主成分寄与率（因子負荷量）があるものを選んだにすぎない。そこで、主成分分析によって見当を付けた上で、これを確認的因子分析に持ち込んで、シーケンス変数の全体としての因子構造を確定する。結果を表3（仏法編）と4（世俗編）に示した。

確認的因子分析について、例え話を使って簡単な説明をする。「群盲象を撫でる」というたとえがある。象という未知の生物を目の不自由な者たちが触覚だけで観察する。ある者は鼻が長いといい、別の者は鼻に加えて尻尾がかわいいと報告する。これらが直接には見られない象というものに関する「観測変数」であり、多くの観察者による多数の観測変数は相互に相関しつつ一つのイメージ「象」を浮き彫りにするはずである。これが観測変数から作られる「構成概念」すなわち因子であり、直接に観測はできないから潜在変数と呼ばれる。概念には名前が必要であり、これを「象」と呼ぶことにする。逆にいえば、象とは鼻の長いもの、尻尾のかわいいもの等々であり、象そのものを観察者は直接に目で観察することはできないが、未知の存在を触知できたらしく、この観念に名前を付けたい。これが通常の因子分析である。そして、確認的因子分析では逆にあらかじめ「象」という観念の存在を仮定する。観念自体は観測できないが、特定の変数群がその現象として観測できるというモデルを作る。その上で、観測変数をデータとしてモデルのデータ適合度（説明力）を検証する。象という未知の生物の存在を仮定して、特定の観測変数群の観測結果から象という観念を形象する。統計分析では「象」という構成概念を潜在変数という。

表３　確認的因子分析　仏法編

因子負荷量×１００　（　）：モデル計算に不使用

発端	因子	変数1	変数2
（1）	仏法修学：	仏道66	持経47・般若20・学問39・兼学21
（2）	俗界信心：	同心72	政治69・出家22・観音14
（3）	入山回国：	聖人72	持経28・入山61・放浪36
（4）	僧形半俗：	沙弥65	破戒62・地蔵21
（5）	女人信心：	女性59	念仏44・観音33・貪欲21
（6）	路上途上：	旅移動89	外国62・地方73
（7）	貧窮病苦：	貧老病54	観音54
（8）	生業信心：	生業47	地蔵42・殺生27
（9）	悪行強欲：	悪行93	殺生25・貪欲54
（10）	情愛関係：	親愛83	夫婦83

＊＊カイ二乗739，自由度302　カイ二乗／自由度2.44，GFI 0.936　b制約：悪行0.9

出来事	因子	変数1	変数2
（1）	仏法相伝：	伝授78	仏法70
（2）	発心作善：	発願78	造寺仏66・法会50

（3）濁世超脱：　出離84　籠居84
（4）霊夢告知：　夢告91　後世往生76・聴従60
（5）往生予告：　告知90　精進46・法会11・（籠居）・結縁45
（6）閻魔連行：　拉致97　冥土97
（7）一期一会：　出会76　霊異76・（同法）・（異類）・（女）
（8）競合対立：　対立69　同法29・仏法62・異類25
（9）難儀直面：　難事79　困難57・災難63・（病苦）・（困窮）・（事故）
（10）危難直面：　被害82　（襲撃）・捕縛54・強盗54・異類難54
（11）物心煩悩：　執着88　財物88
（12）離別離縁：　別離96　縁者96

＊＊カイ二乗610、自由度341、カイ二乗／自由度1.79、GFI 0.956　b制約：命終告知0.9

行為　因子　変数1　変数2　変数3
（1）仏法伝道：　帰朝87　弘法87　（霊験）
（2）無常回心：　発心46　懺悔46　（供養）
（3）救済祈願：　祈願62　化身仏48・仏神38・夢告32　（加護）・（犠牲）
（4）法華精進：　読誦50　護法90・（滅罪）　結縁35・（正念）・（荘厳）
（5）臨終作法：　念仏75　来迎75　正念86・（入滅）
（6）滅罪嘆願：　嘆願83　化身仏43　弁護73

（7）抜苦祈願：霊依頼95　法華供養95　（霊験）
（8）因縁開示：祈請12　前世夢告14　礼拝39
（9）霊界遭遇：発見69　霊地55・持経仙50・（仏神）　（結縁）・（供養）・（礼拝）
（10）本性露呈：露見93　（正体）　外道75・畜道68
（11）仏法敵対：悪業99　（攻撃）・虐待43　三宝毀損63
＊＊カイ二乗978、自由度373、カイ二乗／自由度2.62、GFI 0.883　b制約：悪業0.8、護法0.9

結末	テーマ	因子	変数1	変数2
（1）	弘法譚	発願成就：	達成87	造寺仏68・開基48・法会45
（2）	霊験譚	法華霊験：	霊威75	救難38・顕現67・（往生）
（3）	出家譚	出家出離：	得度48・世捨74	機縁83・（往生）
（4）	往生譚	往生本懐：	往生75・女人41・破戒33	承認72・夢告43・瑞相39
（5）	蘇生譚	冥土往還：	蘇生78	供養63・出家52・（往生）
（6）	転生譚	輪廻転生：	転生88	天界88
（7）	利益譚	救命救難：	避難86	救命74・救難52
		財産良縁：	福徳91	富82・結婚48・（治癒）
（8）	悪報譚	悪因悪果：	仏罰56・現報62	死亡70・懺悔24・逃亡39・（供養）

＊＊カイ二乗1001、自由度415、カイ二乗／自由度2.41、GFI 0.933

表4　確認的因子分析　世俗編

因子負荷量×100

発端　因子	変数1	変数2
(1)芸能文芸：	諸芸88	医占65・芸工43・漢文47・和歌52
(2)武道力業：	武芸88	兵77・相撲57
(3)文化交流：	交際99	廷臣47・歌人39・知人19
(4)政治関係：	臣従73	廷臣59・国人60
(5)情愛関係：	親愛87	親族61・男女57・夫婦55
(6)庶民住民：	住人92	在京92
(7)路上途上：	旅移動99	京37・地方69
(8)罪業生業：	悪行88	盗賊89・国人05
(9)畜類家畜：	動物92	畜類92

＊＊カイ二乗1306、自由度304、カイ二乗／自由度4.29、GFI 0.873

出来事　因子	変数1	変数2
(1)舞台登場：	臨場89	競合55・社交69・離別43
(2)競合敵対：	対立86	同族64・武力64
(3)危難直面：	被害91	異類難42・襲撃62・強盗65

（4）難儀直面：　難事91　災難61・困難69・病苦40

（5）罪業実行：　悪事93　盗み74・不義66

（6）一期一会：　邂逅82　女51・男60・縁者13・同輩26

（7）霊異出現：　遭遇89　怪異72・人形58・異類31

（8）離別離縁：　別離71　縁者42・女51・男25

＊＊カイ二乗718、自由度327、カイ二乗／自由度2.19、GFI 0.939

行為　因子　変数1　変数2　（変数3を除く）

（1）芸能披歴：　演技88　技芸66・和歌65・文芸30

（2）敵対闘争：　対決79　敵32・狐25・同輩42・盗人40・蛇他39・霊鬼32

（3）霊鬼被災：　受難73　鬼60・盗人40・狐23

（4）苦境逆転：　発見91　異人51・因縁39・宝物51・霊鬼20

（5）本性露呈：　露見86　醜態60・正体59・不実29

（6）工夫策略：　謀略89　瞞着88・不実20

（7）復縁交流：　再会83　交流83

＊＊カイ二乗438、自由度243、カイ二乗／自由度1.97、GFI 0.947

結末　テーマ　因子　変数1　変数2

（1）芸能譚　芸能称賛：　達成83　芸道58・医占32・繁栄19・評判50

芸能失格：失墜60　芸道49・嘲笑32

(2) 武芸譚　武芸称賛：勝利83　武道51・勇気66・仇敵33・報恩17

武芸敗退：敗北65　被殺59・追放13・武道15

(3) 滑稽譚　作法顰蹙：滑稽88　愚行59・嘲笑71

(4) 利益譚　救命救難：避難85　救難71・救命57

財産良縁：福徳89　富73・結婚62

(5) 愛恋譚　愛恋暗転：悲恋97　愛別97

(6) 悪報譚　罪業処罰：懲罰86　被殺46・非難60・追放49

(7) 霊鬼譚　霊界威力：霊力84　恐怖75・被殺41

＊＊カイ二乗1412、自由度349、カイ二乗／自由度4.04、GFI 0.896

意味と表象

表3からまた例として仏法編弘法譚の因子名発願成就の項を見よう。これが推測すべき構成概念の名前である。仏法編の弘法譚を内容とする説話群は、結末として何が言いたいのか。それが「発願成就」だと仮定したのである。発願成就は説話のいわば背後にある「意味」であり、直接には寺や仏像の建立など、主人公の行動がこの意味の一端を表現している。ただし、説話の結末は通常雄弁にこの「意味」を押し付けようとするから、「発願成就」という名称は通常すぐに思い付くことができよう。主成分分析が示唆した「達成」などの変数群から、一つの構成概念つまり潜在変数を抽出できる。そして主成分分析はこの弘法譚以外にこの段階を構成する一〇前後の因子の存在を示している。問題はこの因子構成のモデルを統計的に検証することにある。先の群盲と象の例を拡張して、一〇種類の動物群を群盲が観察した結果をもとに、動物の種類を分類する操作がこれに当る。

まず、仏法編の因子構成を見る。表3にはシーケンスの各段階で潜在変数の名称と、その観測変数へのパス係数が示されている。ただし、パス係数は100倍した値である。たとえば、因子構成のうちから結末の「発願成就」について結果を図示すれば図1－1のごとくなる。通常、潜在変数は楕円でくるり観測変数は四角とする。潜在変数から観測変数へ引かれた矢印をパスといい、矢印に付した数字がパス係数である。概念「発願成就」が観測変数として観察されるのだから、矢印は概念から観測へ向かっている。潜在変数が一個の観測変数そのものに同じなら、パス係数は1、観測が無関係ならその変数のパス係数は0、見当外れならマイナスになる。通常、パス係数は1と0の間に分布して、概念がそれぞれの変数によって観測される度合いを示している。表４の世俗編についても同様である。

図１−１　因子構成の例示（結末：発願成就）

パス係数は100倍（以下同様）

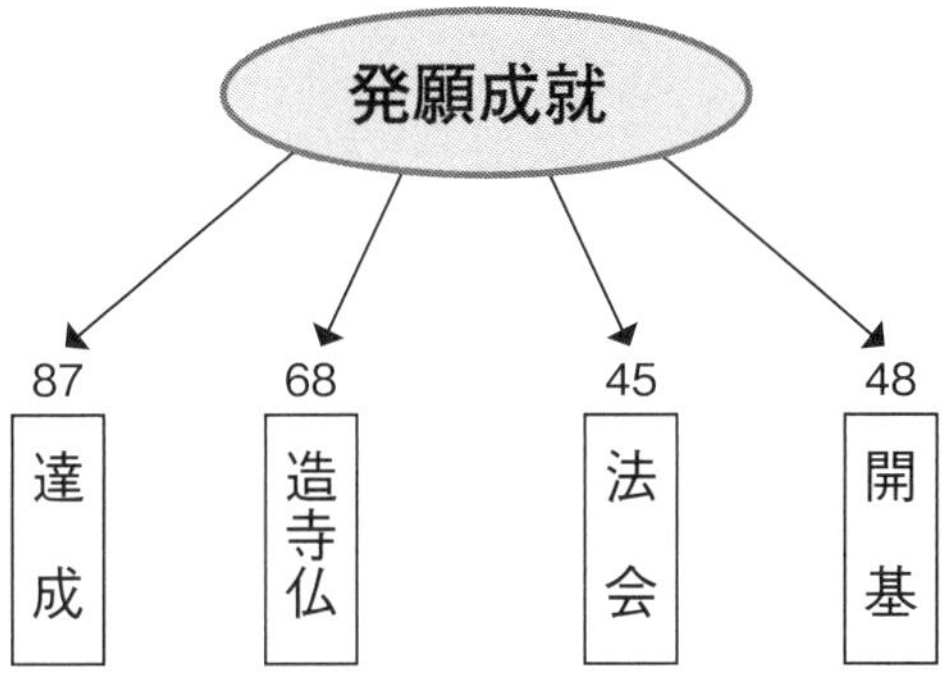

図１‐１によれば、「発願成就」は変数達成、造寺仏、法会、および開基にそれぞれ0.87、0.68、0.45、および0.48のパスを示している。これら三変数以外にも「発願成就」と関係する観測変数は（主成分分析が示す通り）多数存在するが、それらを無視して主要な四つだけを観測変数とするのが図１‐１に仮定したモデルである。同様に他の因子を含めて各シーケンスごとにデータ全体の因子構成モデルを仮定する（表３、４）。したがって、次はこのモデルの妥当性、つまりデータ適合度を検証しなければならない。仏法編と世俗編ごとにデータベース各段階の全データを用い、各段階で因子数10個程度の確認的因子分析を行う。結果が表３と４である。因子相互に相関はないものとした。通常この手の統計モデルで用いるデータ適合度の指標として、カイ二乗／自由度とＧＦＩ（Goodness of Fit Index）を各段階の因子構成の最後に示した。見られる通り、どの段階でもＧＦＩはおおむね0.9以上であり、この手のモデルでは適合度はほぼ満足のいくものとしていいだろう。（世俗編「行為」では変数３は用いていない。）

統計ソフトは小島隆矢・山本将史『Excelで学ぶ共分散構造分析とグラフィカルモデリング』(オーム社、二〇一三年)の付録ソフト(エクセルGM)を使用した。(註1)

説話の構成と分類

表3と4を全体として眺めてみる。表3の「結末」を見ると、仏法編は全体で九個の因子構成で終わっていることが分かる。物語の結末はその主題(テーマ)となるものだから、『今昔物語集』仏法編は八つの主題(テーマ)から構成されているといっていいだろう。主題はそれぞれ独立である。今この主題を表3のごとくに弘法譚、霊験譚、……と名付けておく。仏法編のテキストは全部で九巻からなりかなりの程度主題の分類配列がなされている。たとえば、巻一五の全五四話はすべて往生譚であることは自明である。ただ、往生譚なら他の巻にも散在する。それだけでなく、すべての巻(あるいはその一部)がすっきりと「何々譚」として、初めから分類できるようになってはいない。ことに最後の巻一九と二〇ともなれば、一種雑編といえるほどに複数のテーマが混在している。これにたいして、データベースをもとにしたモデルは弘法譚など八つの独立のテーマを抽出している。因子の九という数は仏法編全九巻と直接の関係はない。偶然の数の一致である。テーマの独立性からして、たとえば蘇生譚や転生譚のように、物語の定型性が極めて高い(通り一遍の筋立ての)少数の説話群も独自のものとして扱う(ただし、観測変数の数がいずれも五未満であればこの限りではない)。それぞれのテーマがテキストのどのようなキーワードから構成されているか。最低限度でこの構成を示すとともに、抽出された八つのテーマは『今昔物語集』仏法編のテキスト内容に即した分類基準となる。

表４の世俗編の場合も同様である。全部で七つのテーマが抽出されており、芸能譚、武芸譚、滑稽譚、……などと名付けた。仏法編に比べて世俗編テキストの説話編成はより雑然としている。全体に散在している説話も含めて、七つのテーマを分類基準にできるということである。表３と４を比較すれば、物語のテーマが同一のものは、利益譚と悪報譚くらいのものである。両編の区別は維持せざるをえないだろう。

次に、発端、出来事、そして行為へと続く各段階の因子構成は、これらを通じて結末の各テーマへとつながっていく物語の筋立ての候補を抽出している。表３と４に示したように、物語のいずれの段階でも、潜在変数の因子数は一〇個前後に収まるようである。潜在変数の名前はその観測変数群から推し測って付けた。「行為」の潜在変数は主人公のパフォーマンスである。「仏法伝道」とか「敵対闘争」である。仏法・世俗に共通する概念はここ「行為」でほとんど見当たらない。一方、「出来事」は主人公にとって多かれ少なかれ偶発的な事件である。「一期一会」、「競合敵対」、「難儀直面」、「危難直面」、そして「離別離縁」と、両編に共通の潜在変数が比較的多い。そして「発端」の状態では、仏法編は信心であり、世俗編には少なくとも明示的にはこの状態はない。代わって、社交や政治関係が抽出されている。表３と４の因子構成については、後の物語類型各論で観測変数も含めて具体的に見ることにしている。これらの結果は仏法と世俗の各編ごとに全説話をベースに抽出された全体の因子構成であることを、今一度注意しておきたい。

さて、今回のモデル分析の最終目的は以上の因子構成ではない。各段階の潜在変数をつないで、発端から結末に至る物語の展開を類型化し分類することである。これをまって初めて、発端から結末まで各段階の各因子の名前付けもまた可能になり、かつ意味を持ってこよう。

註1　共分散構造分析ができる本格的な統計ソフトにＳＰＳＳなどがあるが、私人が使うにはまだ高価だ。これに代えて、今回の統計モデル分析は小島・山本の「エクセルＧＭ」を使うことができて幸いだった。ただし、このソフトでは一つのモデルで扱える変数の数（観測変数と潜在変数の合計）が40個までである。これを越える場合は適宜観測変数を縮約して用いた。潜在変数の分散の初期値はすべて1とした。表3と4に表示した「b制約0.9」などは、ソフトでパス係数の初期値をこの値に制約したことを示す。また、同一コラムの変数の間には相関係数rを仮定した。すべて負相関になるが結果に相関係数を記載するのは省略した。

第四章　物語の因果構造

結末へと至る物語の構造

これまで、『今昔物語集』のそれぞれの説話につき、時間的展開を追って物語を四つの段階に区分した。その上で、仏法編と世俗編それぞれで各段階の語り（シーケンス）の類型を一〇個前後の因子構造からなるものとした（表3、4）。そこで次は、これらの因子を四段階に渡って繋げて、物語展開の類型を抽出することが目的になる。言うまでもなく、この因子間の繋がりは厖大な数が可能である。これらのうちから、結末因子の各々に到る太めの因果の糸を推測するのである。このために、各段階の因子から相関が高いはずの因子を選んでその間にパスを設定する。その際に、結末因子を基準として、手前の諸段階の因子はパスを通じて結末因子に収斂していくという因果系列を想定する。発端因子→出来事因子→行為因子→結末因子という線形の因果連関である。出来事から結末へなど、段階を飛び越したパスは設定しない。その上で、この因果モデルのデータ適合度を基準にしながら、試行錯誤を繰り返して、因果関係を確定していく。弘法譚の結末因子「発願成就」を例に取れば、結末への展開の一つとして以下のような直線的な因果系列を想定検証することができるだろう。各段階の因子名については表3を見られたい。

発端「路上途上」↓出来事「仏法相伝」↓行為「仏法伝道」↓結末「発願成就」

空海など日本仏教の開祖となった人物が仏法を求めて唐に渡り、仏法の伝授を受けて帰朝し、本土に仏法を広める。寺を建て仏像を造り、数々の霊験を示して弘法の発願を達成した。こうした説話群をデータとした物語類型である。以上は単線的な系列であり、発願成就に至る系列はほかにもある（図2 - 5）。少し複雑に分岐した系列を想定しなければならないケースが大部分であるが、ここでは説明の便のためにもっとも単純で分かりやすい系列を例にとる。

この場合、「結末」でなく物語を始動させる「原因」を基準に因果系列を想定するなら、系列は「出来事」から発して「行為」を経由し、いくつかの「結末」（原因にたいする結果）をもたらすものとなる。「発端」と「出来事」の間は多少とも偶発的な関係であるから別に扱う。系列のこの想定は可能だ。とはいえ、これまでにも繰り返してきたように、物語は「結末から発して発端に遡りつつ秩序立てられる」。同じことは『今昔物語集』の編者が説話に込めた意味でもあった。「極楽往生疑ひなし」というように、説話群は結末を基準に往生譚として分類され、聴衆の評価と編者の教訓がこの線で付加されている。この意図をできるだけ尊重したい。もちろん、ことに世俗編になると分類は乱れてくるし話末教訓はとんちんかんになるが、この場合にも全体に散在する説話から「結末」を重視して類型を抽出することができる。表3と4の「結末」に物語類型として「往生譚」、「武芸譚」などと記したのも、以上の意図を集約している。系列は結末因子に収束すると仮定するから、結末以前の発端、出来事、および行為の因子には、異なる系列に共に関与するものが出てくる。この場合は系列は分岐する。発端因子はことにそうである。「路上途上」（旅移動）で遭遇する「出来事」は仏法相伝だけでなく様々だ。

以上に想定した因果系列は線形であり、かつ物語の展開は時間順序に沿うと考えている。実際、『今昔物語集』の説話には倒置法はごくまれにしか使われていない。輪廻転生譚の一部（巻一三・42〜巻一四・8）である。ここでは、主人公は現に畜道に堕ちている。その苦悩を告白して法華経の霊験にすがり、悪道輪廻の由来を教えてもらう。多くは前世での執着が原因であることが明かされる。これらの説話をデータベースに記載する際には、しかし、物語の順序を変更して、執着とそれによる畜道堕落から始動する主人公の時間に話を置き直している。線形の因果系列と同様、こうしたモデル化は説話の物語性を壊すことがあるが、その事情は後に各論で具体的に述べたい。

なお、前章で引用したが、プロップは主人公の「機能」の配列の順序（物語構造）は魔法民話では常に一つであるとした。民衆がそのような順序で機能を配列したからだ、と。このひそみに倣って言えば、機能でなく機能群から抽出される因子（潜在変数）とその配列順序が、『今昔物語集』の説話では秩序立っていると仮定する。

因果モデルの仮定と検証

前節で概略を述べた結末因子「発願成就」を例として、因果構造モデルとその検証を説明する。図1‐2に四つの潜在変数とその間のパス、および各因子の観測変数を示した（数値は100倍）。ただし、この系列は開祖の伝記であり結末の変数2から造寺仏と法会は除き、開基のみを残して処理している。因子間の矢印に付した数字は因果係数とも呼ばれる。出来事の潜在変数「仏法相伝」が「仏法伝道」という行為をもたらすという因果連関が0.91である。両者が同義なら因果係数は1、無関係ならゼロまたはマイナスの値となる。唐で仏法を伝授さ

図1－2　因果モデルの例示（弘法譚）

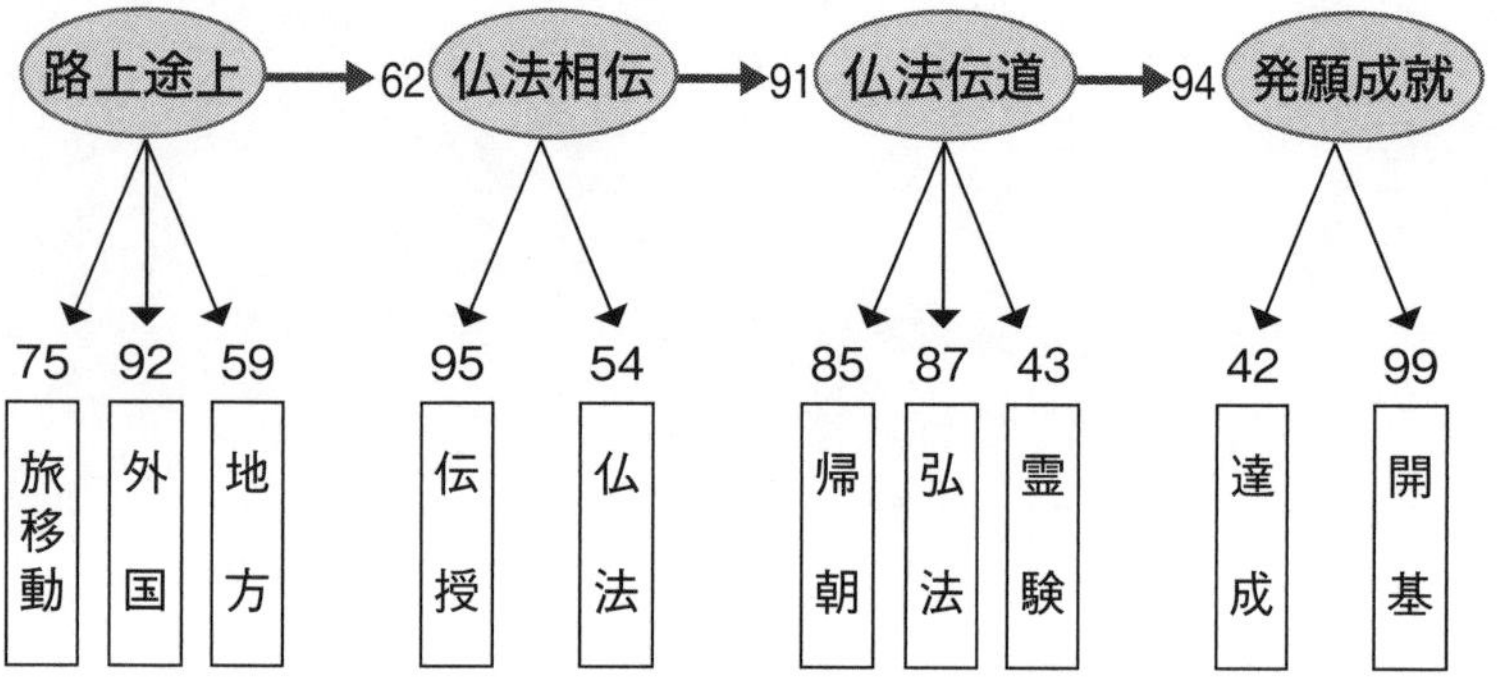

カイ二乗：366、自由度 31、カイ二乗／自由度：11.8、GFI:0.871

れ本朝で弘法して仏法開基の発願を成就したという類型だから、出来事以降の因果係数は共に高い。これにたいして、発端（路上途上）は唐への渡航と帰還を記載している。路上途上はもちろん他の系列の発端ともなっているから、ここから出来事（仏法相伝）への因果は高くない。それでも他の物語系列に比べれば高い方に属する。

各段階の因子からはそれぞれの観測変数へ向けてパス（矢印）が引かれ、パス係数が記入されている。この関係は前章で説明した。ただし、これらパス係数は表3と4に記載の数値とは当然同じではない。例えば、路上途上では変数「外国」（この場合は唐）の寄与が高くなる。結末では「開基」が高い。こういう形で観測変数による潜在変数の構成は因果系列を反映している。パス係数がごくわずか、あるいはマイナスになれば、これを除外してモデルを再計算することがある。

図1－2の結果は次の手順で計算したものである。まず、四段階の潜在変数に関わる観測変数の

列をデータベースＤＢ（その数値化した表）から抜き出してすべて列方向に合体する。標本数Ｎは仏法編と世俗編で説話数（三七六と二八七）である。この表から観測変数の相関行列が得られる。以上はエクセル統計でできる。次に、因子構造の場合と同じく統計ソフト「エクセルＳＥＭ」に相関行列をコピーして、図１‐２のごとくに仮定したモデルを検証する。満足の得られる解に達すれば、因果係数・各因子ごとの観測変数の寄与率の数値とともに、検証結果が与えられる。これが共分散構造分析と呼ばれる手法である（後述）。なお、観測変数へのパス係数と因果係数の数値自体は、モデルを変更しても大きく変わるものではないが、それでも目安と受け止めた方がいい。以下の議論でもそれら数値を論拠にして議論することはまずしない。

図１‐２の下部にカイ二乗、自由度、両者の比、およびＧＦＩを記した。ＧＦＩ＝0.87である。因果の階層を四段階経由するモデルだから、因子構造モデルに比べてモデルのデータ適合度は低下する。それでも、仏法編と世俗編の各系列を通じてＧＦＩ＝0.8前後の結果が得られている。（註2）

今回のモデルでは、主人公に出来する「出来事」が物語を始動するものと考えている。発端から出来事に至る因果の程度はこれに比べれば低いはずである。発端を除いたモデルではシーケンスのステップが減ることとも相まって、一般にモデルのテータ適合度は上がる。にもかかわらず、今回は発端からの関係性をも含めたモデルを示した。説話類型の全体を見渡すにはその方が分かりやすい。物語の因果律を検証することが目的ではないからだ。なお、ここで便利に使っている因果とか因果モデルとかが何を指しているか、後に項を改めて説明するつもりだ。いまのところでは、結末を「結果」とした物語の展開の恒常的な時間順序、その四段階区分のことと見なしておいていい。因果モデルの分析はそこから物語の類型を抽出し、『今昔物語集』の説話群をそれなりの根拠をもって分類し紹介することを目指しているからだ。

物語類型の要約

しかしそれにしても、例に上げた発願成就の系列は単純だ。わざわざ因果分析をするまでもない。本朝仏法編冒頭の巻十一・1〜12話のつまらない要約でしかない。これらの説話群は聖徳太子伝を初めとする本朝仏法黎明期の高僧の略伝からなっている。雑多なエピソードを詰め込んだ長めの説話である。いずれもよく知られた話からなっている。高僧伝としても中途半端、説話としての物語性も低い。要するに面白味に欠ける。本朝弘法という開祖たちの発願成就を、入唐以降の経緯として類型化した結果が図1‐2であるというにすぎない。共分散構造分析の手順を説明するために、ここではもっとも理解が単純なモデルを選んだのである。

他の物語類型の因果モデルはもう少し複雑になる。それぞれの物語系列については、次のII部とIII部で因果モデル図とともに例を上げながら詳述する。ここでは、表3と4の結末で命名した物語類型（弘法譚など）の因果系列を、あらかじめ短く要約しておきたい（表5）。結末と物語の命名は『今昔物語集』編者の分類と重なることも多いが（ことに仏法編で）、この命名に至る因果の道筋を統計的に類型化して詳述することがII部以降の趣旨になる。

表5　『今昔物語集』（本朝）の物語類型（要約）

仏法編

（1）弘法譚：弘法・造寺造仏・法会を発願し自力・他力により発願を成就する。
（2）霊験譚：困難を乗り越え仏にすがって仏法が霊験を現すさまを目の当たりにする。
（3）出家譚：出会いと別離を契機に無常の世を捨てて出家する。
（4）往生譚：聖・半俗・女人が往生を予告し臨終正念にして本懐を遂げる。
（5）蘇生譚：死して冥途に連行されたが地蔵の化身に嘆願してよみがえる。
（6）転生譚：煩悩により畜道に堕ちた者が縁者の法華経供養により転生する。
（7）利益譚：聖俗の者が危難・困難に直面し観音に祈願して救命・福徳の利益を得る。
（8）悪報譚：煩悩や三宝毀損の罪が露見して現世と来世で悪因悪果をこうむる。

世俗編

（1）芸能譚：文芸・技芸の者が社交の場で芸を披歴して称賛されあるいは面目を失う。
（2）武芸譚：武芸の者や動物が敵と対決闘争して勝利を得るあるいは敗退する。
（3）滑稽譚：聖俗の者が不作法な振る舞いを露呈して顰蹙をかい嘲笑される。
（4）利益譚：危難・困難に直面して工夫策略あるいは発見により救命・福徳の利益を得る。
（5）愛恋譚：親愛の男女が離別の憂き目に遭うが再会して明暗を分つ。
（6）悪報譚：悪業の者の悪事が露見して殺され追放されあるいは世の非難を浴びる。
（7）霊鬼譚：魑魅魍魎に直面して闘い勇気を称賛されあるいは霊力の前に恐怖する。

共分散構造分析という手法

順序が前後したが、説話群から物語の因果類型を抽出する際に使用した共分散構造分析という統計手法について、簡単な説明が必要だろう。本書が利用しているソフト「エクセルSEM」の応用事例を見よう。いま「望ましい住環境」に関して住民にアンケート調査をする。質問項目は13でそれぞれ4段階で評価する。有効回答者数は1,120名だった。調査結果の確認的因子分析の結果を一部だけ紹介する。それによれば、「趣味の合う交流」ができるなど3項目を観測変数とする潜在変数と、同じく「活発な地域コミュニティー」があるなど3項目の観測変数と潜在変数が抽出された。そこで、それぞれの潜在変数（構成概念）を「手作りの交流」と「地域コミュニティー」と命名した。確認的因子分析の結果から、次のモデルを想定した。「手作りの交流」を重視した暮らしをしたいことが「地域コミュニティー」の豊かな地域に住みたいことの「原因」となっている。「手作りの交流」→「地域コミュニティー」である。観測変数の相関行列をもとにして、このモデルを検証する。得られたモデルを（図1‐2のようなグラフに表示する。

見られるとおり、マーケティングのプレゼンテーションに使いたくなるようなモデルである。ただし、ここで「原因」とは何であり、二つの概念間の「因果関係」をどう理解するかと問えば、問題はややこしくなる。「ガラス窓を叩いたから割れた」というような物理的経験の因果律とは別のことである。「どんな住環境が望ましいか」という心理学における因果連関だと、一応の説明はできるだろう。

では、物語の因果系列と因果分析とは何なのか。これを考える前にもうひとつ、経験則のレベルで共分散構造分析の事例を引き合いに出しておこう。脳卒中（脳血管障害）という疾病がある。現在でも（精神障害を除けば）入院受療率が最も高い病気である。脳の中枢神経系の損傷により、手足に運動麻痺や感覚障害などの多彩な運動障害が残ることがある。脳卒中の後遺障害であり、（運動機能における）「神経症候」と呼ぶ。神経症候が残れば、これは本人の動作遂行能力に種々の低下をもたらすだろう。ここで「神経症候」と「動作能力」との間に原因↓結果の関係を見るのは、経験的に自然なことだろう。実際、運動障害にたいするリハビリテーション医学の基礎の一つになっているモデルである。では、この因果連関にはどの程度の決定力があるのだろうか。

これは私がずっと以前に扱ったことだが、そのうちの一部を例示する。リハビリテーション病院で脳卒中の入院患者のデータベースを設計する。そこに各患者につき神経症候（上肢の運動麻痺など）の有無を11項目にわたって記載する。他方で、患者の歩行などの動作能力に関して、いくつかの尺度（バッテリー）を用いて数値的に測定した結果を記録する。こうして蓄積されたデータを観測変数として用いれば、神経症候と動作能力それぞれを構成する潜在変数（前者で三つ、後者で一つを）抽出できる。その上で神経症候の三個の潜在変数↓動作能力の潜在変数という因果モデルを設定して、検証することができる。多数の観測変数の相関行列を眺めるよりは、よほど見通しがいい。患者764人を対象とした分析結果を見ると、この因果関係の決定係数（R二乗値）は概して低く（0.5程度）、GFIは0.75程度である。もとより因果が「必然的」だなどとは到底言えない。というより、だからこそ因果を確率的に捉えることが意味を持ってくる。神経症候といった神経学的要因以外の関与を探求する道も開けてくる。し

かしそれでも、この場合の因果関係は先の心理学に比べればより即物的、経験的に理解がいくことだろう。（註3）

物語とは因果についての信憑である

『今昔物語集』における因果といえば、誰しも仏教的な因果応報の物語を思い浮かべるだろう。森羅万象を因果の道理により説明する。庭の紅梅の美しさに愛執した娘が死後に蛇に生まれる（巻一三・43）。現世で煩悩の度が過ぎれば、たとえ風流心であっても、後世に悪果をもたらすという教訓である。法華経の三行がどうしても憶えられない持経者がいた（巻一四・13）。夢告によって前世が法華経の経巻に巣くう衣魚（しみ）だったことが教えられる。経の中にいたが故に現世では人の身に生まれることができたのだが、前世で食い破った経の個所だけが憶えられないのだ。また、寺で女を犯した経師がいたが、男女とも即座に酷い死を迎える（巻一四・26）。ここでは現世の罪業（女犯と三宝毀損）が現世で即懲罰を受ける。現報という。以上は原因と結果の解釈が悪因→悪果として明確である。そして、仏法はこの連鎖を断ち切る方法をも教える。悪因悪報の因果だけではない。現に人の身を受けているそのことが前世の功徳の故なのだという。

物語の筋立てにある因果性といえば、以上の因果応報はあからさまなものだが、これ以外にも『今昔物語集』には因果に関係する言葉がそこら中に出てくる。宿世、宿報、罪業、悪業など。けれども、物語の因果性とは仏教的な因果応報に限られるのかといえばそうではない。ここで、因果関係に関するヒュームの説を想起してみる。人はこれまで、別々の二つのタイプの事象（出来事）が常に規則的に前後して生起するという経験をしてきた。「恒常的連接」という。

このとき、その二つの事象の一方が生じるなら他方が生じるだろうと、人は信じるようになる。そのように心が決定されてしまう。これが因果律の正体だとヒュームは言った。要するに心の習慣であり、人はその習慣に縛られている。ヒューム説が西洋の因果律の形而上学に破壊的影響を与えたことは想像に難くない。だが、いまはそのことではない。二つのタイプの事象が恒常的に連接しているとき、人はこれを原因と結果の関係だと理解する。関係は物理的に必然とまではいえないが、蓋然性があると解釈されるとき、これは確率的な因果関係といわれる。因果関係とは恒常的な連鎖事象の、恒常的であるが故に定型的な解釈のひとつ、すなわち物語だということだ。連接が時間的順序で生起していれば、事象の原因と結果を弁別することがこの物語的解釈に含まれる。因果が確率的になればそれだけに、解釈の物語性が増す。

もとより、因果関係は物語だといっても、物語には物理学的必然性からたんなる思い込み、形而上学に至るまで幅がある。区別の詮索はここでは問題外だ。なぜなら、説話とはまさしく物語なのだから。説話における因果関係とは統計的な因果性である。『今昔物語集』にはいくつかのタイプの定型的説話が多数含まれている。それぞれの定型では、物語のシーケンスがおおむね時間的順序で「連接」している。その定型的物語がまた数が多い。つまり連接は「恒常的連接」の趣を強めている。本書は物語を結末に至る四つのシーケンスに区分して、それぞれの連接の類型を統計的に抽出しようとしている。事例（標本）が多数に上り連接の類型が強固であれば、それはつまり説話における物語的解釈のタイプということになる。説話展開が時間に沿っていればこそ、結末は因果の「結果」であり、その「原因」は出来事とこれにたいする主人公の行為だと解釈される。

つまるところ、『今昔物語集』の説話はすべて因果物語である。『今昔物語集』のデータモデルとその共分散構造分析とは、因果物語の類型（話型）を統計的に抽出することである。

時代の物語性

僧侶が自分の死を周囲に予告し、時いたって弥陀の来迎があり正念で臨終をまっとうした。周りの人びとは「極楽往生間違いなし」とこの死を荘厳する。こうした事例が現に多数現れて、極楽往生本懐に至るべき「臨終の作法」として解釈される。この解釈が、逆に人びとを往生の物語へと脅迫する。こうしてたくさんの「往生譚」が、手を変え品を変えて繰り返し語り聞かされるようになった。そうした物語が信じられる時代だった。仏法に関わることだけではない。内裏のど真ん中で女官が見知らぬ男とたまたま言葉を交わした。だが、二人は姿を消し、後には女の手足だけが残されていた。「これは鬼の、人の形となりてこの女を食らひてけるなり」と人びとは怖れたという（巻二七・8）。都のうちにも魑魅魍魎の跋扈する時代だった。悲惨な死に方をする人びとが多かった。その中で「これは鬼のせいだ」とする解釈もまた蓄積されていく。魑魅魍魎の霊威が人に及ぶという物語類型が生まれる。「霊鬼譚」である。『今昔物語集』本朝編が集めたのはこうした物語である。

時代はだから物語的な時代だった。この意味で、『今昔物語集』は全体として時代の物語である。そこには強固に解釈された因果の物語が詰まっている。あまりに通り一遍の話が続いてうんざりさせられる。だが、それが時代の人びとの心性の一端であるとすれば、物語の定型性自体が注目されねばならないだろう。

『今昔物語集』の説話はシーケンスの因果的連接をなしている。逆にいえば、この構造的な特徴があればこそ、説話のデータモデルを構想できデータを用いた因果分析ができる。統計モデルによる分析は『今昔物語集』の説話群だから可能だというべきかもしれない。試みにたとえば、『宇治拾遺物語』の語り口と対比してみる。この物語と『今昔物語集』とは同じ話を多く採録しており、今は不明の共通の資料をもとにしてそれぞれ作話されているらしい。このうち三河の守大江定基の出家譚の冒頭の部分を『宇治拾遺物語』五九から引く。

参川(みかわ)入道、いまだ俗にて有ける折、もとの妻をば去りつつ、わかくかたちよき女に思つきて、それを妻にして、三川へ率てくだりける程に、その女、久しくわづらひて、よかりけるかたちもおとろへて、うせにけるを、かなしさのあまりに、とかくもせで、よるもひるも、かたらひふして、口を吸ひたりけるに、あさましき香の、口より出きたりけるにぞ、うとむ心いできて、なくなく葬りてける。

死んだ妻が悲しくて埋葬もせず、変わり果てたその妻の口を吸うという有名な話である。それが切れ目のない一文でだらだらと書き流してある。次いで「それより、世うき物にこそありけれと、思ひなりけるに、……」と続くように、定基の出家次第が時間順に記される。もとより、この話を公衆に向けて語り聞かせるときには、文章の潤色がなされたに違いない。それでも、これを記した作者は物語にメリハリを付けようとした気配が感じられない。語りのためのメモみたいな文章である。

『今昔物語集』の作者の流儀はこれとは違う。巻一九・2の同じ話は次のように始まる（発端以下に記す「親愛・夫婦」はこの説話のDBキーワードである。以下同様）。

（1）発端：親愛・夫婦

今は昔、円融院の天皇の御代に、参河の守大江の定基といふ人あり。（以下簡単な経歴紹介文、略）

しかる間、本より棲みける妻の上に、若く盛りにして形端正なりける女に思ひ付きて、極めて去りがたく思ひてありけるを、本の妻ながちにこれを嫉妬して、たちまちに夫妻の契を忘れてあひ離れにけり。

しかれば、定基、この女を妻として過ぐる間に、相具して任国に下りにけり。

（2）出来事：別離・縁者

しかる間、この女、国にして身に重き病を受けて、久しく悩み患いけるに、定基、心を尽して嘆き悲しむで様々の祈祷を致すといへども、その病の癒えることなくして、日来を経るに随ひて、女の美麗なりし形も衰えもて行く。定基、これを見るに、悲しみの心たとへん方なし。しかるに、女遂に病重くなりて死にぬ。

（3）行為：発心・懺悔

その後、定基悲しび心に堪へずして、久しく葬送することなくして、抱きて臥したりけるに、日来を経るに、口を吸ひけるに、女の口よりあさましき臭き香の出で来たりけるに、疎む心出で来て、泣く泣く葬してけり。その後定基、「世はうきものなり」と思ひ取りて、たちまちに道心を起こしてけり。

こちらの方が描写が細かく長さも長くなっているのは明白だが、それだけではない。仮に発端、出来事、行為（途中まで）と三段階に区切ったが、段階の区別が明瞭である。各段階は、

「しかれば」「しかる間」とか「その後」とかの接続詞で区切って、シーケンス展開を際立たせている。作者はシーケンスの「連接」に注意を払わずにはいられないのである。もとより、話が「論理的に」展開されたからとて、作品の水準が高くなりはしない。だが、ここは物語の場である。メリハリをもって語りを次の場面に受け渡すこと、起承転結のリズムが、物語の面白さの基盤でなければなるまい。文章が長くなりその分話の速度を遅延させるのだが、しかし逆に話を急いで、事実を時間的に羅列しても物語にはならない。『今昔物語集』の成功した物語には、速度とリズムのバランスと緊張とが感じ取れるのだと思う。統計的分析が抽出しようとする因果類型とは起承転結のこのリズムである。

註2　ソフト「エクセルSEM」は因子数と観測変数の合計が40個以下に制限されている。これを越えるやや複雑な因果系列では、この限度内に収めるべく適宜観測変数を縮減した。潜在変数の分散の初期値はすべての場合に1とした。また、パス係数が1を越える、あるいは適正解に収束しないなど、モデル計算が不成功の場合はモデルを変えるなど試行錯誤を繰り返す。また、モデルの微調整は主として潜在変数から観測変数へのパスの初期値（b）を1以下（多くは0.9）に制約することで行った。図1‐2以下の結果記載にb制約とあるのは制約した変数とその初期値である。確認的因子分析の場合と同様に、各段階で観測変数2など同一の列にある変数間にはすべて相関（r）を設定した。これらは排他的だから負の相関が得られるが、因果系列図では記載を省略した。また、同一の段階で複数の潜在変数が関与する（系列が分岐する）場合、世俗編の少数例ながら因子間に相関を仮定した（相関係数は負になる）。仏法編ではどの系列でも因子間相関は仮定していない。

註3　中村隆一・長崎浩・天草万里編『新版　脳卒中の機能評価と予後予測』（医歯薬出版、二〇一一年、一一〇頁）

第II部　仏法の物語

第五章　臨終の作法

死は公共の出来事

　情死は別にするとしても、死は本来私一人の死であり他者と共有はできない。けれども、人間社会における私の死は他者との関係において初めて死となりうるのであって、死は公共のものである。一人山に入り人知れず死んだとしても、この者の死もどこかで縁者の思い出のうちに残る。往生とは本来、私一人が死後に浄土に生まれることだが、民衆の宗教パラノイア時代には死の公共性を端的に表す出来事となった。

　平安時代、とりわけその後期、摂関から院政期にかけて極楽往生の願望が王族貴族から庶民にまで浸透する。天台仏教が広めた浄土教の影響である。紫式部の述懐にこうある。「ただ阿弥陀仏にたゆみなく経をならひ侍らむ。世の厭わしきことはすべて露ばかり心もとどまらずなりにて侍れば、聖にならむに懈怠すべうも侍らず」（紫式部日記）。世の中への執心は捨てたのだからすぐにも出家すべきだ。しかし出家したとしても、こんなに心たゆたう状態では来迎の雲に乗り本懐を遂げることができるだろうか。紫式部の心は揺れている。

　『今昔物語集』もまた世相を反映して往生本懐の物語を多く収録している。巻一五のすべて五四話に加えて仏法編のあちこちに散りばめられており、データベース（DB）によれば往生で終わる物語は仏法編全三八六話中七七話と頻度が最も高い。往生とは後世に浄土に生まれることであり、兜率天往生の例二話を除いて浄土はすべて極楽である。ところが、これは『今昔物語集』編者の〝合理主義〟に従っていうことだが、死は現に事実だが死後に極楽に生まれたかどうかは余人には知りがたい。死人に口なしである。だから、往生とは余人つまり公共の認定事項であるほかない。他人の死という出来事に縁者たちと社会とが公共の意味を与える。これが浄土信仰であり、浄土信仰がまた死すべき人間の死生観を公共化する。この死生観にもとづいて、往生はまた臨終の作法となる。

『今昔物語集』の往生譚でも、死は衆人環視の中の死である。それゆえ死は往生の験（しるし）を示さねばならないし、これを弟子や縁者たちが認証して往生となる。「極楽に往生せること疑ひなし」、「必ず極楽に往生せる人なり」と、臨終に臨んで人びとは悲しみ貴ぶのである。物語の結末でこのように往生が認定される。そうでない場合でも、近親者の夢に本人が現れてこれから西に向かうと告げる。夢告による往生確認である。その他、死とともに紫雲や音楽や芳香などの瑞相が現れて、言外に往生間違いなしと告げ知らせる。死が孤独死である少数例でも、奇瑞現象が人びとに死と死の意味を告げ知らせた。ＤＢでは往生の公共性に注目して、「結末」では（公衆による）承認・夢告・瑞相という変数により往生認定の態様を記載している。

物語の結末についてもうひとつ、女人往生と破戒往生がある。これは専修念仏の勃興以降に特に強調されたことだが、念仏往生が穢れた女人や悪行破戒の徒にまで解禁される。『今昔物語集』でも特筆されているようだ。ＤＢでは往生一般と区別してこれらを独自の結末変数として記載した。むろん、女人往生も破戒往生もそれぞれが往生の公共的承認を伴うものである。こうして、往生譚の因果系列の終端、結末因子は往生本懐、女人往生、そして破戒往生の三因子とし、それぞれの公共性を承認・夢告・瑞相として記載した（表３）。

図2－1　往生譚

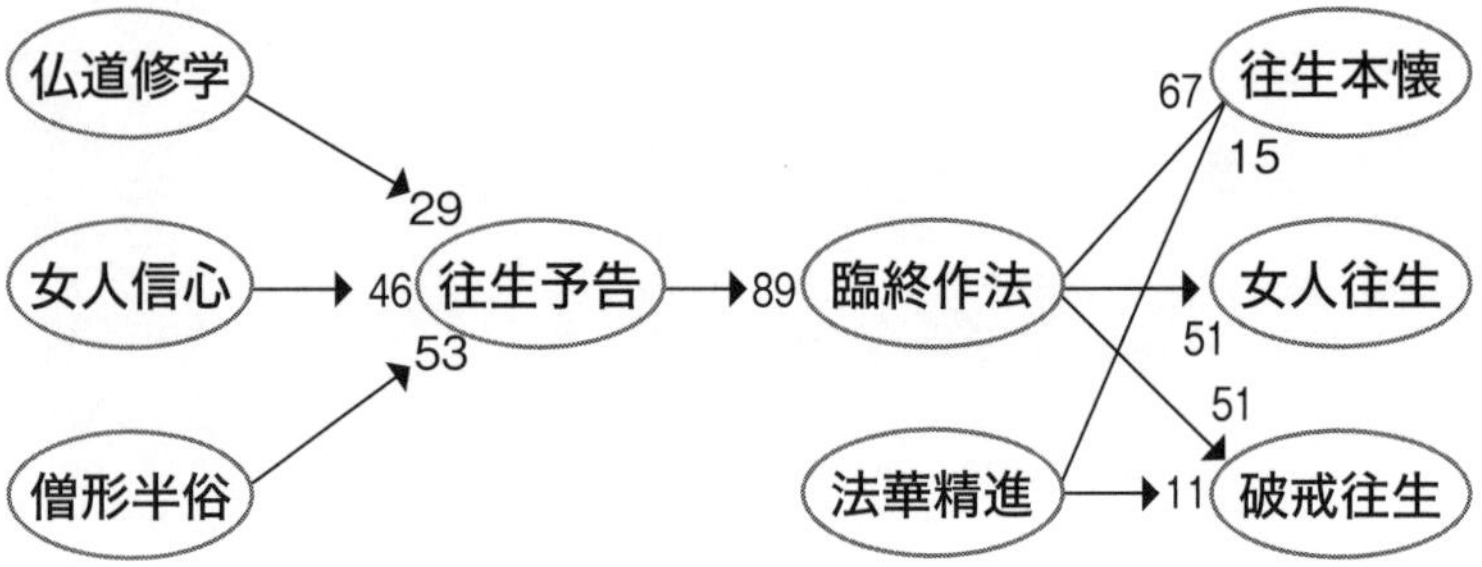

発　端：仏道修学（仏道34・持経40・般若14・学問59・兼学80）、
　　　　女人信心（女30・念仏87）、僧形半俗（沙弥45・地蔵13・破戒88）
出来事：往生予告（告知80・精進祈願64・結縁46・法会05）
行　為：臨終作法（念仏67・来迎81・正念85・入滅33）、法華精進（読誦93・護法47・
　　　　滅罪15・結縁22・正念16・荘厳33）
結　末：往生本懐（往生100・承認52・夢告16・瑞相12）、女人往生（女人88・承認33
　　　　・瑞相41）、破戒往生（破戒65・承認13・瑞相17・夢告67）
カイ二乗：2230、自由度：342、カイ二乗／自由度：6.52、ＧＦＩ：0.736

　往生結末の三因子に至る往生譚の因子間の因果系列モデルを図2‐1に示した。モデルのデータ適合度は往生譚ではGFI 0.736である。各段階の因子（潜在変数）の観測変数とパス係数をも図2‐1の下部に記しておいた。例えば、図2‐1の出来事因子「往生予告」はDB上の変数として観測され、観測変数（表3）とそれへの重み（パス係数×100）が図2‐1に次のごとくに注記されている。告知80・精進祈願64・結縁46・法会05。他の因子についても同様である。図2‐1とこれ以降の因果系列図では因子間の因果関係のみをグラフ化しているが、各因子から観測変数へのパス(矢印）を使って第I部第四章図1‐2で例示したような因果分析のグラフ表示を作ることができる。観測変数を通じた因子の意味づけについては、以下で例解する。

ところで、ここで言わずもがなの断りをひとつ、あらかじめ記しておきたい。時代はおびただしい「無名の死者」であふれていた。飢饉や災害ともなれば死体は都大路にまでただ投げ出されてあった。死は公共のものといっても、そこでは死が同時に個別のものであることが抹殺される。たんに集団の死である。そして、これらの死は物語にならない。『今昔物語集』の往生譚も、当然のことながらこれら巷の死を取り上げたりはしない。

往生予告

さて、死はこのように本人でなく社会が共有する死であるが、むろんこれだけでは往生の物語にはならない。死に方にたいする本人の過剰な欲望が、死を往生の物語に仕立て上げる。往生への物語を始動させる「出来事」は老いや病や無常観が普通のことであろう。だが、『今昔物語集』ではこれが圧倒的に「予告」なのである。死期が近づいたことを悟るだけでなく、来るべき命終の時期を本人が近親者などに告知する。本人の死はこれによって否応なく衆人環視のもとに置かれざるをえない。予告はこの事態に自分の臨終を追い込む宣言であり、これをもって臨終へと向かう物語がスタートする。予告のいわば実現（実証）過程として、物語がにわかに進行する。例を上げる。この談話のDB上の変数を各因子ごとに（　）内に列挙する（以下同様)。

比叡山の定心院の供僧春素、往生せること（巻一五・9）

（1）発端：仏法修学（仏道・念仏）

春素（伝不祥）は幼くして山に上り出家した。法文を学び心直く身は清くして、戒を犯すところがなかった。常に『摩訶止観』を開いて生死の無常を観じ、また、日夜に弥陀の念仏を唱えて極楽往生を願っていた。

（2）出来事：往生予告（告知・精進祈願）

ようやく歳も老いて七十四歳になり、弟子を呼んで告げた。「今、弥陀のお迎えが来て、明年三、四月が極楽往生の時、速やかに飲食を断てとお示しになった」と。

（3）行為：臨終作法（念仏・来迎・正念）

年が明けて既に四月となった。春素がまた弟子に告げる。「先の弥陀のお迎えがまたここに来て、我が眼の前にまします。この娑婆を去る時はすでに近い」。こうして弟子とともに念仏を唱えた。正午に至り春素は西に向かい端坐して、掌を合わせて失せた。

（4）結末：往生本懐（往生・承認）

弟子が確認する。「我が師、身に病なくして、『弥陀如来の使来たれり』と云て、たちまちに失せ給ひぬ。疑ひなく、極楽に往生せる人なり」。そして、いよいよ念仏を唱えて泣く泣く礼拝恭敬した。山内でこれを聞いて貴ばない者はなかった。

「これを思ふに、実に、弥陀如来の使の来るべきと告げし期違はずして、いささかに煩ふことなくして失せたること疑ふべきにあらず」。

なお付言すれば、最後の（4）結末に当たる文言は出典である『日本往生極楽記』15にはないという。第Ⅰ部四章で指摘したように、物語のシーケンス展開のメリハリ、ここでは結末を特記して取り出すことができるのも、『今昔物語集』ならではのことである。この例と同様、もとの極楽記では一般に主人公が「失せにけり」で話が終わるだけである。

さて、往生予告のありかたは様々である。この例のように命終の時は近いと告げる。老年や病を背景に本人が阿弥陀仏のお迎えを夢に見る、あるいは幻視する。弟子たちは悲しみながらも、そのままこれを信じて死を荘厳する準備に取り掛かる。あるいはもっとはっきり、「我、必ず、今日死なむとす」（第13話）、「我、明日の未の時に死なむとす。汝等、諸共に只今より明日の未の時まで、念仏を唱へて音を断つことなかれ」（第14話）、「我、明日の暁に、極楽に往生せんとす」（第20話）と宣告することもある。宣告して臨終の作法を荘厳するのだった。下野国の薬師寺の堂童子（雑用係）が「我、必ず、月の二十四日（地蔵供養の日）をもって往生すべし」と宣言したが、これを聞く人びとはあるいは褒め、あるいは謗り嘲笑したという（巻一七・30）。これが昂じれば、命終の日時を前もって公衆に予告し、死に時をこれに合わせるために滑稽劇すれすれのドタバタを演じるという話にもなるが（第24話）、この物語については後に項を改めて述べる。

往生は弟子近親者と共有するだけではない。山深く道に迷った僧が一夜の宿を求めて屠殺を生業とする法師に出会う。この破戒の法師は、自分の命終の時を知らせるから結縁供養してほしいと僧に依頼した。約束をもうすっかり忘れたころに夢告があって、僧は再訪して確認しこれを弔う（第27話）。確実な往生を期するこのような欲望が昂じてくれば、予行演習をするような者も現れる。極楽往生を願う人は世に多いといえども、丹後の国の聖人は「あながちになん願ひける」というほどだった（第23話）。そこで、聖人は毎年大晦日の払暁に弥陀来迎を知らせる消息文をもたらすよう寺童子に申し付けた。童子は言い付けどおり、暁に聖人の籠る柴の戸を叩く。「極楽の阿弥陀仏の御使いなり」と童子が告げる。これを聞いて聖人は泣く泣く文を受け取り、伏しまろび涙を流す。これを何年も繰り返したので、「使とする童子も習ひて、よく馴れてぞこのことをしける」と、物語の編者が皮肉交じりに注釈している。しかしこのおかげだろう、後に聖人は迎講を催してそのさなかに予告通りに往生をとげた。こうなれば、往生は他力と説く法然などは後に眉をひそめたかもしれない。

往生物語の出来事因子「往生予告」は、命終告知とこれへの対応（精進祈願、法会、結縁）が変数となる。

浄土からのお迎え

さて、こうして命終を周知したのだから、続いて往生を確かにするための作法に入る。ここからはおおむね『往生要集』の「臨終の行儀」に従っているようだ。当然念仏であり、弟子に囲まれて唱和し臨終を荘厳する。一人持仏堂に籠って念仏を唱えることもある。念仏だけとは限らない。顕密兼学で法華経の読誦も行われる。後者だけが言及されている物語もある。そして、ここに様々な来迎の標が現れる。

来迎の標は何か。まずは本人あるいは弟子などの夢見に、弥陀の来迎そのものが幻視される。この例は以下のごとくだが、実はその数は多くはない。先に例に上げた比叡山の供僧春素の場合、臨終が迫って弟子に語る。「今、阿弥陀如来、我を迎へ給はんとして、その使に貴き僧一人・

天童一人、ここに来たれり、共に白き衣を着たり。その衣の上に絵あり。花を重ねたるがごとし」(巻一五・9)。極楽往生を願って迎講を始めた丹後の聖人(氏名不詳)の証言では、「仏は漸く寄り来り給ふに、観音は紫金の台を捧げ、勢至は蓋を差し、樂天の菩薩は一の鶏婁(鼓)を前として微妙の音楽を唱へて仏に従ひて来る」(同23)。貴族の息子から出家した比叡山の直覚云わく、「我、目を閉ずれば、眼の前にほのかに極楽の功徳荘厳の相を現ず」(同31)。命日を予告して不断念仏を始めた尼僧がいう、「ただ今、西方より微妙の宝をもって飾れる輿(みこし)、飛び来りて我が眼前にあり。ただし、ここ、濁穢なるによりて、仏菩薩は返り去り給ひぬ」(同37)。

臨終の本人の弁としては以上である。それにしても、来迎の絵柄は類型の枠を出ず、それも概してつつましいものである。当時の阿弥陀来迎図に描かれた賑やかなお迎えからほど遠い。源信が『往生要集』の「欣求浄土」の章で描いた浄土を願う十種の楽、その最初の「聖衆来迎の楽」ですら次のようににぎにぎしい。「阿弥陀如来、本願を以ての故に、もろもろの菩薩、百千の比丘衆とともに、大光明を放ち、皓然として目前に存します。時に大悲観世音、百福荘厳の手を申べ、宝蓮の台を捧げて行者の前に至り給ひ、大勢至菩薩は無量の聖衆とともに、同時に讃嘆して手を授け、引接(いんじょう)し給ふ。この時、行者、目のあたり自らこれを見て心中に歓喜し、心身安楽なること禅定に入るが如し。当(まさ)に知るべし、草庵に目を瞑づる間は便(すなは)ちこれ蓮台に跏(あなうら)を結ぶ程(とき)なり。即ち阿弥陀仏の後に従ひ、菩薩衆の中にありて、一念の頃に、西方極楽世界に生まるることを得るなり」。

『今昔物語集』の語り手も、来迎についての本人の証言を重くみている様子はない。源信のようには気合が入ってはいない。以上はいわば主観的な来迎の幻想だからだ。これに比べて、『今昔物語集』の往生譚で圧倒的に多いのは、音楽、光、紫雲、香などが立ち込める瑞相の出現である。瑞相は本人の主観の場合もあるが、多くは縁者の証言として記載されている。本人の言に比べていわば客観的である。『今昔物語集』の編者は客観的な証言のほうを求めている気配は明らかである。

まず、現実に誰の目にも明らかな現象がある。たとえば、「その時に、戌の時ばかりより亥の時ばかりに至るまで、大いなる光出で来て、遍くその山の内を照らす。闇の夜なりといへどもあらはに竹の木の枝葉明らかに見えけり。これを見る人、皆、「稀有なり」と思いて、何の故といふことを知らず」(第32話)。実はこの時、本人が「終り貴くして入滅」したのであり、「極楽往生しける瑞相なり」と、縁者から由縁が告げられる。あるいは、臨終に立ち会った者の次のような証言がある(同28)。殺生を生業として山奥に住む夫婦が、持仏堂に籠って念仏を唱えながら入滅する。立ち会った旅の僧によれば、室内は光り輝き、えもいわず馥郁たる香りが満ちた。空には微妙な音楽が鳴り、音は次第に西へと去って行った。少数例ながら、臨終に蓮の花が咲くこともあった。病臥に臥せる老女がにわかに起き上がり、その手に一枝の蓮華を持っていた(51話)。かねて願っていた通りに、庭に蓮華が咲くころに往生した一人の媼の場合、往生とともに池の蓮の花々が一斉に西に靡いたという(52話)。源信は「聖衆来迎の楽」に続けて「蓮華初開の楽」を上げ、往生して極楽に生まれれば蓮華が初めて花開く楽に会うことができるとした。来迎の蓮華は極楽に生まれたことの現証と受け取られたことであろう。

またこれ以外に、客観的といえるかどうか、極楽往生の来迎あるいは標が他者の夢に現れる場合も多い。比叡山の真覚の入滅の夜に同房の僧三人が見た夢、「数多のやんごとなき僧ども、龍頭の船に乗りて来りて、真覚入道をこの船に乗せて迎へて去りぬ」。三人が同時に同じ夢を見た以上、入道は「必ず極楽に往生せる人なり」という話末のコメントが加えられている(31話)。

DBでは以上の来迎の諸様態（本人の幻視や幻聴、本人あるいは他人における夢告、瑞相）はひとまとめにして、たんに「来迎」と記載している。

臨終の作法

さて、逝く人の高声念仏に弟子たちが和し、来迎の標が現れて臨終を荘厳する。このように送りかつ迎えられて、いよいよ命終の時が来る。身に病があろうが無かろうが、心乱れ見苦しくあってはならない。これが「出来事」因子に応じる「行為」、即ち命終正念の作法である。例を上げれば、昼夜に法華経を読誦し念仏を唱えていた尼僧の臨終は、次のように記されている（巻一五・40）。「釈妙、遂に老ひに臨みて命終はらんとする時に、仏に向かひ奉りて、五色の糸を仏の御手に懸けて、それを取りて、心を至して念仏を唱へて、心違はずして失せにけり」。他の話でも臨終の場面はこのバリエーションである。逆に、反面教師としてであれ、臨終の見苦しさを描く例はひとつもない。

以上のようにして、因果物語は往生予告から臨終作法（念仏・来迎・正念）へと展開して、すでに述べたような結末、往生の公共的承認と顕彰へとつながげられる。念仏でなく法華経読誦だけがなされる場合もある。図２‐１に示した因果モデルでは、告知から念仏に至る経路は結末で女人と破戒の場合を含めて往生の三因子に到達する。読誦の結果も破戒往生へ至る経路を示している。とはいえ総じて、往生の物語は単線的で類型的、長さも短いものが多い。図２‐

1で出来事から行為へ、行為から結末へと因果係数がいずれも高いのも、話の定型を反映している。実際にも、臨終の作法は庶民までがよく知るところとなっていたのだろう。出典は日本往生極楽記からが多い。

女人、そして破戒僧

ここで主人公の「発端の状態」についても付記しておきたい。図2-1の因果系列にあるように、主人公は「仏法修学」(仏道)の状態にあり、日頃から念仏を唱え極楽往生を願っている。念仏の延長上に往生の予告がある、これは自然な話である。むろん、法華経の読誦や真言陀羅尼を唱えることが念仏と共存している場合も多い。当時は天台の浄土教だったから、仏道のメインは持経になる。昼間は法華経(持経)、夜は念仏というパターンである。この場合はDBの変数には念仏は表だって登場しない。

僧職にあるもの以外に特記すべきは、女人と沙弥である。沙弥とは法師とも呼ばれ、風体は僧でも私度僧であり、放浪の聖でありまた乞食僧である。妻帯し時には殺生肉食する破戒僧だ。たとえば、京の北山の奥に隠れ住む法師が牛馬の肉を煮て、夫婦して食っている。その臭いの臭いこと。屠殺された牛の肉である。しかし、たまたま迷い込んだ旅の僧が観察するに、この破戒法師は食後に身を清め裏の庵に籠って念仏している。ご覧のとおり自分は浅ましく拙い身にあるが、死ぬ時は必ず告げるから供養をお願いしたいと、旅の僧と堅く結縁した。僧がその証人となった。これを聞いて人は知るのである、「食に依りては往生の妨げにならず、ただ念仏に依りて極楽には参るなりけり」と(巻一五・27)。

次に女性である。男と違って尼の格好をすればすでに尼である。女人が物語の主人公である頻度が、他に比べて往生譚では高い。彼女たちの往生の物語の結構も、男性の場合と何も変わらない。たとえば、官人（右大弁藤原佐世）の若い妻がいた。幼いころから道心深く、嫁いでからも念仏を欠かさない。若い時に信心などするものでないと親に忠告されても、勤めを止めなかった。そんな女人が二十五歳、産後の肥立ち悪く亡くなってしまった。臨終に微妙な音楽が空に聞こえて、聞く人びとは「この女の極楽往生の相だ」と悲しみ貴んだ。「出家せずとも、女なりといへども、かく往生するなり」（同49話）。また、ある女人の往生に関連して、結語に次のようにいう。「心に任せて罪を作れらん人は、往生、極めて有難きことなれども、ただ、最後に実の心を致して念仏を唱ふべきなり」（巻一五・48）。先の餌取り法師の往生まで含めて、法然によるとされる悪人・女人往生説が、すでに信じられていたようである。

なお、巻一五以外に散在する往生譚には、往生予告に始まる臨終の劇とは違う構造のものがある。主として法華経の霊験として貴い往生が語られている。この系列を示すのが図2-1の「法華精進」（読誦）から「往生本懐」に至る因果である。読誦とは持経者が臨終に法華経を唱えることであり、もう一方の「臨終作法」（念仏）という行為と並ぶ位置にある。そして、正念にして命終を迎えることは念仏にも読誦にも共通する。

極楽往生を演出する

さて、以上のようにして、高僧から庶民まで、また聖人から破戒法師と女人まで、『今昔物語集』における往生譚の主人公の臨終の作法として、「往生予告」→「臨終作法」（念仏と読誦）→「往生本懐」という因果連関が抽出される。聴衆は初めに主人公の往生予告を聞いただけで、往生本懐の物語が始まることを予期することになる。試みに行為因子を飛び越えて、出来事「命終告知」から結末「往生本懐」への直接の因果係数を計算すれば0.86になり、モデルの適合度GFIも0.887に向上する。民話の物語論が指摘するように、聴衆にとって物語は「結末から始まる」のである。

とはいえ、他の場所でも指摘してきたように、往生譚でも出来事を結末につなげる主人公の「行為」のパフォーマンスこそが、物語の物語性（作品としての出来上がり）の鍵になる。次に一例を上げるが、往生が公衆にとっても一大イベント（露骨にいえば見世物）となる。物語性という点で随一の作品である。注釈を交えながら紹介する。

鎮西に千日講を行へる聖人、往生せること（巻一五・24）

（1）発端：入山回国（聖人・狂信）

今は昔、鎮西、筑前の国に観音寺と云ふ寺あり。その傍らに極楽寺といふ寺あり。その寺に人を勧めて千日講を行ふ聖人ありけり。

観音寺は奈良時代から日本三戒壇の一つが設けられた大寺である。ただ、その傍らにあるという極楽寺は、山城にあった藤原氏の定額寺と同名だが、由緒は分からない。主人公の名前も経歴も分からない。聖人とは『今昔物語集』では後の聖と区別が付かないことが多い。おそらく、極楽往生の願い極まった、地方の無名の聖法師だったのではあるまいか。その聖人が人びとに勧進して千日講を催すことになった。

（2）出来事：往生予告（告知・法会）

すでに講を始めて行ふ間、その聖人ありて、人に普く云ひけるよう、「我は、この講の果つらん日、必ず死なむとするなり」と。これを聞く人、皆、このことを信ぜずして笑ひ嘲りけり。

物語は一挙に往生予告に入る。おのれの死の日時までを普く周知したのであり、以降、往生遂行と公衆との掛け合いが物語になることを予感させる。

（3）行為：臨終作法（念仏・仏事・正念）

しかる間、やうやく、月日過ぎて、この講の果てむこと、今六日ばかりになりぬるほどに、聖人の「講果てらん日死なむずるぞ」と云ひけるを聞きたる者共は、「聖人は、今、六日ぞ世にましまさむずる」など嗚呼（おこ）に云ひ過ぐるに、講の果て、今、三日になりにけり。

千日講は進行して、往生予告の日まであと幾日もない。公衆が嗚呼にいう、つまり馬鹿話の種にして「あと六日は生きるらしいぞ」などとからかい騒いでいる。念仏に集中して臨終を荘厳するはずの主人公のパフォーマンスなど、文字通りそっちのけである。むしろ公衆こそが、この物語の隠れた主人公なのである。

人々ありて、「聖人の世にかくおはせんこと、今明日ばかりか、よく見たてまつらむ。恋しくおはしなむ」など云ひて、笑ふほどに、聖人、にはかに、身に病あり。これを見聞く人、しばしば「虚態（そらわざ）をするぞ」など云ひ合いたるほどに、「わざと心地悪気なる気色なるは」。その時にぞ、人、「この聖人の講の果ての日、まことに死にたらむに、しからば、きはめて貴かるべきことかな」と云い合いたり。しかる間、「聖人の病は虚病ぞ」と笑ひ嘲りし者共、常のことなれば様悪しきまで聖人を拝み見騒げり。

見物人の騒ぎは止まるところを知らない。いよいよ今日明日限りのお命だ、よくよく拝見しようぞ。それにしても、さぞかし臨終が待ち遠しいことでしょうに（小学館版校注によれば、聖人がいなくなれば我らとてさぞや恋しく思うだろうに）、などとはやし立てる。待ち遠しいのはどちらの方か。聖人の体調悪化が伝わるや、やれあれは仮病だ芝居だと笑いののしり合う始末。だが、病はどうやら本物らしいと分かると、周りの態度が豹変する。まことに往生は予告どおりだ貴いことだと、見苦しいまでに騒ぎ立て礼拝するようになる。これも「常のこと」、大衆の変わらぬビヘイビアである。

しかるに、すでに講の終る日になりて、道俗・男女、数知らず参り集まりたり。聖人の云く、「この堂にては、我、終り取るべき様なかめり」とて、川原なるところに人に負はれて渡るとて、その講師に告げて云く、「我、講の果てらむに会うべしといへども、人きはめて多く集まりて物騒しきによりて、心乱れぬべし。しかれば、静かなるところに行きぬ、この講、よく御心に入れて勤め給ふべし。我は、講の果てらむ時にぞ命終はるべき」と云ひおき、去りぬ。

自らの往生予告が作り出したあまりの騒がしさ、ここでは心乱れて臨終正念はおぼつかない。予告どおりに講の結願の場で果てることも難しかろう。さすがの聖人も臨終の場を堂から河原の中州に移すべく、弟子に担がれて河を渡る。

その後に、講を始めて、「聖人の今日を極めにかねてより知れる、貴きことなり」など講師哀れに説くほどに、聖人、弟子を遣せて、「講は終りぬるか」と問わしむるに、「ただ今終りなんとす」と云ひ返しつ。また、弟子来りて云く、「速やかに六種廻向し給へ」と。

しかれば、講師、いふに従ひて廻向しつ。

千日講の場所から中州に往生の場を移したのはいいが、こうなると両者のタイミングを合わせるのが大変だ。一方では、講師が今日の往生の貴さを盛んに聴衆に説いている。他方で聖人の側は、講の終わりは何時だ何時だと、あたふたと問い合わせに往復する。

（4）結末：往生本懐（往生・実演）

その時に、聖人、香炉に火を焚きて捧げて、弟子共と共に弥陀の念仏を唱へて、西に向かひて失せにけり。その時に、多くの人、これを見て、泣く泣く貴び悲しぶこと限りなし。

こうして最後に六道廻向に同期を取って、香を焚き高声念仏に包まれ、聖人は西に向かって失せた。六道廻向とは本尊に六種の供物を捧げる供養である。予告往生はかくて実現され、立派な正念命終であった。さしもの野次馬衆もしゅんとなって、泣く泣く貴びつつ聖人をお送りしたことであろう。イベントは終わったのである。

ところが、この物語には後日談が短く付加されている。「しかるに、また、法師、出で来て」、千日講を始めて先の聖人の如くに失せた。能登の国より来た人だという。いやいや、これだけでは終わらない。「しかるに、また、尼出で来て」、千日講を始めた。「先の二人の僧のごとくに、講の果てる日、命終りたりとは未だ聞こえず」と、物語は最後にいささかの皮肉を込めて指摘している。

熊谷直実の予告往生

『今昔物語集』が編まれてから百年近くの後、熊谷直実が予告往生を遂げた。一人等千の武勇で後世まで名を残した熊谷直実である。もともと、戦に出るに従者は旗持ち一人といった弱小御家人である。それでも、御家人平等を建前にして従来の有力武士団を解体せんとする幕府のたくらみが背後にあったからか、直実は将軍頼朝から取り立てられていた。ところが、頼朝御前での領地の境相論の場で、俄かに席を蹴って逐電してしまった。そして自ら髻を切ってそのまま西に走った。これは吾妻鏡の記述だが、実際にはこれ以前、建久二年（一一九一年）には隠居出家して蓮生（れんせい）を名乗っていたのだという。二年後に法然の弟子となる。元久元年には鳥羽で上品上生往生を発願した。往生であれば何でも可というのでなく、往生九段階の最高位を願ったのである。極楽に行き再び人間界に戻って衆生を導くために、資格が高い浄土往生が欲しいと本人が言っている。一般に専修念仏では死んで浄土に生まれること（往還の往）、その他力本願ばかりに注目が集まるから、この現世でいかに自力の善根を積むべきか指針に欠ける。これを補うのが、次の生に浄土から娑婆に戻り（往還の還）、それにふさわしい行者として衆生を導くのだとされる。現世での修善を疎かにしてはならない、人はそれぞれ前世で仏なのだからということになろう。

ともかくも、熊谷直実は上品上生の往生を発願した。その確かな標が欲しいと願った。願いがかなえられないとしたら、「弥陀の本願も皆破れて妄語の罪となる」。願文でこう述べているから、ほとんど仏にたいする脅迫文である。法然も心配して、仏道には魔事が多いものだから「よくよくご用心」と手紙を書いた。ともかくも、直情径行というか東国武士気質というのか、言動がとかく極端に走る男だったようである。しかし、鳥羽での発願のかいあって来迎の瑞夢を見たという。

さて、法然上人絵伝巻二七によれば、京から国に戻った熊谷直実は建永元年八月、明年二月八日に往生すべしと、武蔵の国は村岡の市に札を立てた。群集する者幾千万という騒ぎとなった。その日、未明に沐浴して、衆人注視のうちで礼盤に上り高声念仏す。ところがどうしたわけか、「今日の往生を延引せり」と途中で作法を止めてしまった。そして、「来九月四日、必ず本意を遂べし。その日来臨あるべし」と告げた。蝟集していた群集は嘲り、妻子眷族は面目なさを嘆いた。けれども、再度予告の九月当日、すでに巳の刻になり、弥陀来迎の絵図をかけて、端坐合唱、高声念仏。息絶えるとき口から光を発し、紫雲、音楽、瑞香、大地振動。奇瑞連綿として五日の卯時に至り、紫雲西から来て一時ばかり家の上に留まってから西へと帰っていった。まことに、上品上生の往生疑いなしであった。

熊谷直実のこの予告往生には、死の床にある九条兼実が異常な関心を示して法然に情報を求めている。蓮生法師入滅と同年の四月五日、兼実は死去している。法然は当時讃岐に流刑の身であったが、「ゆめゆめ御念仏怠らず、決定往生の由を存ぜさせたまふべく候」（しっかり往生せよ）と直実へ手紙を送った。「まことにありがたく、あさましく（驚異に）おぼへ候」とも。以上、高橋修『熊谷直実』（吉川弘文館、二〇一四年）を参照した。

『今昔物語集』はかの鎮西の聖人の物語、これは熊谷直実の時代にまで受け継がれていたようである。

物語（1）

古寺の裏の林で正念往生した乞食僧

（1）今は昔、比叡山東塔に長増という僧がいた。幼くして出家、名祐律師を師として顕密を学んだ。心深く智恵は広く、仏道をことごとく極めた。こうして長い間長増は山にいたが、道心を起こして考えた。我が師の名祐は極楽往生された、自分もどうしたら極楽往生できるだろうか。他の僧に問いかけもしてみた。

そしてある時、長増は房を出て厠へ行ったまま、しばらく戻ってこなかった。弟子たちが不審に思って行ってみたがいない。「他の房に知人を訪ねたのではないか」と弟子たちは考えたが、「それにしては厠から戻って手を洗い、数珠や袈裟を取って出かけるはずなのにおかしい」。そう思って方々訊ねるがいない。法文や持仏が房に置いたままいなくなったのも妙だ。どちらにおられようとこれらを始末しておいでになるのに、まるでにわかに死んでしまったみたいに姿が見えない。弟子たちは泣き惑ったがとうとうその日は見つからなかった。その後も一向に現れない。長増なき房には弟子たちが移り住み、所持品の法文などは清尋供奉という同学の弟子がみな処理し受け継いだ。こうして数十年がたったが、ついに行方知れずに終わった。

この間に、清尋供奉も年六十になり、縁あって伊予の守藤原知章の祈祷師として共に任国に下った。その地に僧房を新築し修法会を催させ、国人を宿直にさし向け、食事奉仕人を定めるなど、守は清尋に深く帰依していた。国の人びともこれにならっていた。清尋は口やかましく使用人を追い立てて、蠅一匹飛ばぬように僧房辺りを清めさせた。縁先には果物や御菜などを所狭しと並べて置いている。

（2）そんなある日のこと、切懸塀の外から、老いぼれた法師がずかずかと僧房内に入って来る。法師は縁の破れた真黒な田笠をかぶり、蓑は破れて腰にまで垂れかかり、いつ洗ったかも知れぬ襤褸単衣を重ね着し、藁靴は片方だけ、竹の杖をついている。これを見咎めて、宿直の国人たちが追い払おうと怒鳴っている。「この門付のかたい（乞食）よ、お坊様の御前へ参ってはならぬぞ」と。

清尋も何者かとふすまから顔を出して見れば、何と汚い姿の乞食である。その乞食が近くに寄ってきて笠を取る。何と、昔山の厠で失踪した我が師の長増供奉ではないか。清尋は驚いて堂をまろび下りた。国人たちが杖を振るって乞食を追ってきたが、この有様を見て、ある者はびっくり立ちすくみ他の者たちは慌てて退いた。御坊がこんな門付け乞食の前に走り下ってご対面だと、大騒ぎになった。

（3）清尋が駆け下りて来るのを見て、長増は「はよ登り給へ」と声をかけて、共に縁に上って蓑笠を取りふすまの内に這い入った。清尋は長増の前にまろび伏して、共に泣きに泣いた。これは一体どうしたことで、こんなお姿をなさっておいでなのですかと清尋が問う。長増は語った。「比叡の山の厠でふと心の静もりをおぼえて、こう思った。この世の無常を観じて偏に後世を祈るべきではないか。身を捨てて仏法の縁薄い所におもむき、門付け乞食をしながら露命をつないで、偏に念仏を唱えて極楽往生を遂げよう。こう決心して房には戻らずに下駄をつっかけたまま山を下り、その日のうちに山崎に出た。そこから船で伊予に下り、以降伊予と讃岐の両国で乞食をして過ごしてきた。国の人びとには般若心経すら知らない法師だと言われている。ただただ、日に一度人の家の門に立って乞食をする、それで門乞食という名が付いた。御坊が当地におられると知り対面したいのは山々だったけれど、そうすれば人に知られてもう乞食の用が立たなくなる。会いには行くまいと返す返す思うのだが、昔の睦まじい仲を忘れ難く、心弱くなってこうしてお目にかかったのです。だがら、すぐにお暇して、私の来歴など知りもしない世間に戻るつもりです」。こう言って長増は走り去ろうとする。せめて今宵ばかりはと清尋は留めるのだったが、止めても益なきことと答えて長増は去って行った。その後、尋ね当てようとしてみたのだが、やはりこの国を去って姿をくらましてしまったようだ。

こうして三年ほどがたち、守の任期明けとともに清尋も国を去った。すると、かの門乞食がまた伊予に現れた。だがこの度は、国人は門乞食がおわしましたと、長増を極めて貴いものとして敬うのだった。

(4) そして程なくして、乞食は古寺の裏の林に入り、西向きに端坐合唱して、眠るがごとくに死んだ。国の人びとは乞食を見つけて悲しみ貴んで様々に法事を執り行った。さらに、讃岐、阿波、土佐の国にまでこのことを申し伝えて、以降五六年に至るまでこの乞食のために法事を修した。

もともと仏法つゆ知らずの国々であったが、かように乞食のために功徳を修したために、人びとは変わった。「かのお人は、この国を導くために仏が乞食に化身して現れたお方なのだ」といって悲しみ貴ぶまでになったそうだ。

(巻一五・15 比叡山の僧長増、往生せること)

第六章　信心がもたらす現世利益

現世利益の因果構造

『今昔物語集』仏法編のうちここで取り上げるのは、「結末」が救命救難と財産良縁の物語である。合せて利益譚と名付けた。いわゆる信仰の現世利益であるが、それがどんな因果の物語として当時の民衆の心性に受け取られていただろうか。

まず、この物語の因果系列を図２‐２に示す。結末は救命救難と財産良縁という二つの因子（構成概念）にまとめられている。このうち救命救難とは危難に直面して命が助かる利益、あるいは難儀に直面してこれを克服するという結末である。また、財産良縁とは文字通り富の獲得や幸せな結婚であり、さらには病の治癒である。いずれもまさに庶民にとっての現世利益そのものである。そして、この現世利益は危難・難儀に臨んでの「救済祈願」によってもたらされる。現世利益はむろん信仰の御利益であるから、救済の祈願は観音や地蔵など仏菩薩とその化身にすがることである。データベース（ＤＢ）では祈願の対象を化身仏と仏神に分けている。化身仏とは現に仏菩薩の化身がお助けに登場すること、他方仏神は超越的な仏菩薩のことである。『今昔物語集』では神様は例外的である。加えて、変数２には祈願に応えた化仏の「夢告」も取り入れた。変数３には祈願のもたらした「加護」と仏神の身代わり（「犠牲」）を記載した（表２）。このように救済祈願は文字通り困った時の神頼みであるが、これと対照的なのは世俗編の同じく救命救難・財産良縁の物語である。そこでは利得をもたらすのはもはや表だって信

図２－２　利益譚（仏法編）

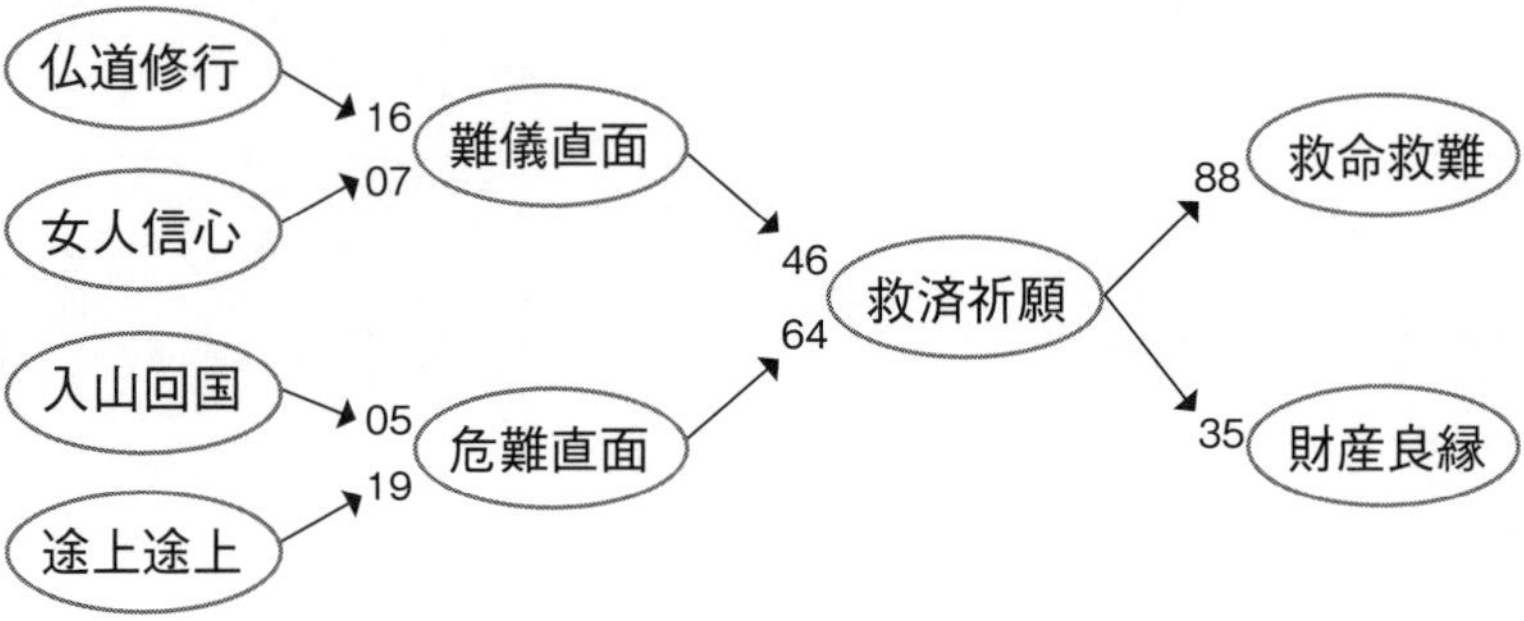

発　端：仏道修学（仏道57・持経44・学問39）、女人信心（女性56・念仏47・貪欲15）、入山回国（聖人72・入山61・放浪37）、路上途上（旅移動99・外国56・地方65）

出来事：難儀直面（難事98・困難43・災難48・困窮34）、危難直面（被害97・襲撃39・捕縛45・異類難45）

行　為：救済祈願（祈願63・化仏43・仏神09・夢告19）

結　末：救命救難（利生88・救命72・救難49）、財産良縁（福徳97・富77・結婚45・治癒18）

カイ二乗：1152、自由度：409、カイ二乗／自由度：2.81、ＧＦＩ：0.841

心ではなく、主人公たちの工夫努力によるのである。他力と自力の物語がここにはっきりと分かれている。

この時代は現代にもましてリスク社会だった。いや、直接に危険が身に降りかかるのは日常茶飯事だった。それゆえ、信仰の現世利益といってもたんに日常生活でのことではない。図２-２の因果系列で物語を始動させる「出来事」はまさしく主人公が直面する危機であり、これは難儀直面と危難直面という二つの因子にまとめている。危機は多岐にわたっているが、因子を構成する主な観測変数は前者が難事、困難、災難、病苦、困窮であり、後者は被害、襲撃、捕縛、異類難だ。いずれも主人公に降りかかり直面せざるをえない事件であり、能動的に引き起こしたことではない。異類難とは動物などに襲われる難のことである。そして、まさしくこの出来事に直面して、物語の主人公は救済を仏菩薩に祈願するというパフォーマンスに訴える。文字通り困ったときの神（仏）頼みである。

こうして、危機→祈願→現世利益という物語の因果構造が浮かび上がってくる。図2‐2にはまた危機に遭遇したときの主人公の状態（発端の状態）として四因子を抽出している。僧職にある者、由緒のある寺の住職といえる人たちがいる。これが「仏法修学」であり法華経の持経者、顕密の兼学、学問僧などがこれに属する。加えて、山岳籠居あるいは回国放浪の聖も危難に直面する（入山回国の状態）。信仰形態はこれも主に法華経持経である。他方で、信心厚い女たちの受難がある。彼女たちは念仏信心が多い。そして、彼ら彼女らは旅をする。DBでは唐に渡り仏教を学んできた高僧たちの旅、すなわち外国の旅を記載している。また、国内の旅は地方を舞台にしている。当時の旅が危険いっぱいだったことは言うまでもない。

なお、往生譚などと違って、『今昔物語集』の編別分類に「現世利益譚」に当たるものはない。この説話は全編に散在している（世俗編でも同様）。あるいは、以下に示すように仏法霊験譚の一部をなしている。

地蔵菩薩に助命を請う

類型的な例をあげて以上の因果系列をたどってみよう。まずは危難直面から救命救難に至る系列である。

地蔵菩薩、小さき僧の形に変じて矢を受けたること（巻一七・3）

（1）発端：生業信心（生業・地蔵）

今は昔、近江の国依智郡の賀野村に、検非違使左衛門尉の平諸道の氏寺があり、そこに地蔵菩薩像が安置されていた。その諸道の父親は極めて猛き者で日ごとに合戦に明け暮れていた。

（2）出来事：危難直面（被害・襲撃）

さて、ある時、諸道の父親は随兵あまたを引き連れて敵を責めたが、矢を打ちつくしてしまい、すべきようもない窮地に追い込まれてしまった。

（3）行為：救済祈願（祈願・化身仏・犠牲）

そこで、父親は心のうちで「我が氏寺の三宝、地蔵菩薩、我を助け給え」と念じた。すると、戦場に不意に小さな僧が出てきて矢を拾い集めて男に渡した。見れば、僧の背には矢が打たれている。その後、僧は見えなくなったが、おかげで父親は敵を殺し、戦に勝利した。

（4）結末：救命救難（利生・救命）

戦の後、男はかの小さい僧の行方を捜したが見つからない。あれだけの矢傷を受けたのだからすでに死んでいるのかもしれない。しかるに、氏寺に詣でて地蔵菩薩を仰ぎみれば、その背に矢が一筋刺さっていた。何と、この地蔵菩薩が我を助けるために変化して下さったのだ。思うに哀れに悲しく、男は泣き泣き礼拝した。近在の人びとも、泣き悲しんで貴ばずということがなかった。

これを思うに、まことと、「地蔵菩薩、利生方便のために悪人の中に交りて、念じ奉れる人の故に毒の矢を身に受け給ふこと、すでにかくの如し。いはんや、後世のこと、心を致して念じ奉らば、疑ひなきことなり」。

以上、この国人武士は合戦に敗退するその瞬間に、地蔵菩薩に祈願して地蔵の化身に助けられた。地蔵は衆生救済の方便として自ら悪人に立ち混じって、身代わりに矢を受けたのである。合戦に明け暮れる悪党の罪人ですら、救われる。それというのも、兵や庶民の生活では、生業の殺生や罪業と信心とが何の苦もなく同居していたからだ。ここで地蔵菩薩とは、釈迦入滅から弥勒の下生までの長い仏菩薩の空白期に衆生を救済する仏である。崇拝が盛んになるのは平安時代も後期になってからだという。

観音に金銭を請う

次に見るのは難儀直面（貧窮）から財産良縁（富）へ至る物語である。

貧しき女清水観音に仕りて、御帳を給はること（巻一六・30）

（1）発端：女人信心（女・観音）

京に極めて貧しい女がいた。清水に長年参詣しているが一向に験が現れず、ますます貧しくなるばかりだった。

（2）出来事：難儀直面（難事・困窮）

さらに、年来仕えていた仕事も失って、身を寄せるあてもない有様となった。そこでまた清水に参って、泣く泣く恨み言を申した。

（3）行為：救済祈願（祈願・観音・夢告）

「たとえ前世の宿報拙き身とはいえ、ただ少しばかりでも足しになる物をお恵み下さいませ」。観音に縋りつき嘆願しつつ、いつの間にか寝入ってしまった。夢のお告げがいう。観音様とてかくまで責められて可愛いそうにお思いだが、お前に与える物もないことを嘆いておられるのだ。せめてこれを受けよと。夢覚めて見れば仏前の御帳の帷（垂れ絹）が畳んで置いてあった。女はしかしこれでは足しにならないと、これを受け取らずにさらに懇願した。そしてまた夢のお告げがあり帷が与えられ、同じことが三度繰り返された。女は三度突き返すのはさすがに無礼だと、帷を頂いてこれを着物に縫って着た。

（4）結末：財産良縁（福徳・富）

その後、この着物を着ていれば、会う人ごとに思いもかけぬ物を恵んでくれた。物言えばかなえられないことがなかった。こうして、女はたつきに恵まれ、いい夫も得られて安楽に暮した。「これ偏に観音の御助けなり」と知り、いよいよ参拝に励むのだった。

貧者の救済はまず何よりも財（便り）でなければならない。観音に祈願すればこれが与えられる。だが、例話にある貧女は、祈願懇願どころかほとんど財を強要している。観音を責めている。仏前の垂れ絹では足しにならないと。これは女の懇願の執拗さを示すとともに、観音の慈悲を素直に信じることができない者への諌めでもあったろう。なお、法華経が説く危難や難儀と観音菩薩によるその救済については後に述べる。

物語類型と作品の物語性

『今昔物語集』の説話の類型は発端から結末までの四段階に分けて読むことができる。四段階のうち、出来事に臨んでの主人公の行為（パフォーマンス）の展開が、説話の物語性を決めるポイントになる。救命救難の物語でいえば、例に挙げたように困った時の神頼み、観音我を助け給えと祈願すれば直ちに化身が現れて危機から救い出して下さる。これが類型になればなるほど、物語は通り一遍のものになってしまうし、説話の長さもごく短い。波瀾万丈、奇想天外の展開が欠けている。ところが、ＤＢから因果系列を抽出する統計処理では、当然のことながら主人公のパフォーマンスの波乱万丈までデータ（変数）に取りまとめることはできない。ＤＢでは行為に関わる変数だけは三変数を収録しているけれども、それで間に合うはずもないから、因果系列はあくまで類型を抽出するにすぎないものとなる。波乱万丈の解明はこれとは別の、作品論の領域とせざるをえない。別のいい方をすれば、『今昔物語集』本朝編で最もよくできた作品をそれとして扱うことはできず、話の骨格を類型化することしかできない。個々の作品について物語論的な詳細分析は別途なされるしかないだろう。

例をあげてこの事情を説明しておきたい。次の話は丁寧に書かれているが、大筋で観音による救済物語の類型に入る。ただ、「行為」の部分に類型とは別の展開が挟み込まれており、これが作品の物語性を幾分なりと高めている。もっと物語性の高い、長さも長い説話例を見出すことは容易だが（物語（２）を参照）、以下の話は「中編」の物語といったところである。大幅に要約して示す。

隠形の男、六角堂の観音の助けによりて身を顕せること（巻一六・32）

（1）発端：俗界信心（道心・観音）

今は昔、いずれの程とも知れない時に、京に青侍の若いのがいた。常に六角堂へ参詣して懇ろにお勤めをしていた。

（2）出来事：危難直面（被害・異類難）

そのころ、一二月の晦日の夜更け、一条堀川を西へ男はただ一人帰宅の途に就いた。すると、西から鬼の一群が松明を手にやって来るではないか。男は橋の下に隠れたが捕えられて、鬼たちの前に引き据えられる。しかしなぜか許された。ただ、四五人の鬼どもが男の身体に唾を吐きかけてから、鬼たちの行列は去っていった。男は安堵して帰宅するのだが、妻子は男の姿を認めず声も聞かない。何と、隠形（透明人間）にされてしまったのだ。本人は他人を見ることも声を聞くこともできるのに、他人には自分の存在が分からない。

（3）行為：救済祈願（祈願・夢告・聴従）

困り果てた男は六角堂に戻り、観音我を助け給え、日頃の御奉仕の験に元の姿に戻し給えと祈願した。すると、ある夜の夢に貴そうな僧が現れて、翌朝の行動を指示したのだった。「最初に出会った者の指示に従え」と。男は言われた通りに行動した

以下、中略（後述）

（4）結末：救命救難（避難・救難）

許されて家に戻った男は事の次第を詳しく妻に物語った。妻は奇異な話に思いながらも男の帰還を喜んだのだった。「観音の御利益にはかかる稀有のことなんありける」。

以上、救命救難の物語類型に（3）行為の省略部分が別の物語として入れ子状に挿入されている。つまり、祈願と加護救済とが単純にその場で直結しない。代わって、観音化身の夢告に従って行動する主人公の奇想天外、それが結局、鬼の難による透明人間からの回復帰還のもうひとつの物語になっている。簡単に入れ子の物語を示そう。

夜が明けて男が六角堂を出ると、恐ろしげな牛飼童と行き合う。これに付き従って大きな邸宅に入った。邸内はごった返していたが、二人は見とがめられることもなくずんずん奥へと行く。そこには宅の姫君が病に臥せっていた。牛飼いは透明男に小槌を持たせて、姫の頭や腰を打たせた。姫君は七転八倒、両親はこれを限りかと泣き合った。そこにやんごとなき祈祷僧が招き入れられ般若心経を誦した。男はこれを聞いて貴く思うまいことか、身の毛もよだつ思いにぞくっと震えていた。僧は不動明王の陀羅尼を唱える。すると、男の着物ににわかに火がついて燃え上がり、男は叫び声を上げた。その瞬間に、男は見える身体に戻った。同時に、姫君の病もかき拭うように消え去った。

以上二重の筋書きが、結末（4）で観音利生として括られるのである。けれども、DBでは入れ子構造を取り込むことはできておらず、（3）の入れ子の部分は省略して（4）の結末に繋げざるをえない。第一次的な「直線的」因果系列の抽出なのである。

法華経の説く衆生救済

さて、法華経巻八、観世音菩薩普門品二五（鳩摩羅什漢訳の編成）は大略以下のように説いている。

1.「衆生ありて諸の苦悩を受けむに、この観世音菩薩を聞きて一心に名(みな)を称へば、即時にその音声を観じて皆、解脱(まぬが)ることを得せしめむ」。ここに衆生が直面する苦悩とはいわゆる七難、すなわち火と水と羅刹、さらに刀杖、悪鬼、枷鎖、そして怨賊である。難に臨んでただ一心に御名を唱えるだけで、観音はたたちに応答して難を免れさせて下さるという。

2.さらに、観世音菩薩を崇め奉るならば、三毒すなわち淫欲、怒り、痴愚の心を逃れることができる。

3.加えて、観音が下さる福徳には限りがない。例えば、子宝に恵まれるであろう。

4.観音は救うべき衆生のことをよく知っており、それぞれの事情に応じた姿をしてこの娑婆世界に現れ出て、それにふさわしいやりかたで巧みに法を説く。童男女の姿をして救うことができる場合には、そのような姿で身を現す。漢訳ではこのようにまで説かれている。利生方便である。

5.観音は衆生の恐れを取り除くがゆえに、施無畏者と呼ばれる。

以上に見られるとおり、観音菩薩は僧籍にある者ばかりか一切衆生を救う。そこに差別は一切ない。とりわけ、衆生が落ち入りあるいは直面するあらゆる苦悩から連れ出そうと、観音は誓願している。狭く七難ばかりか、生老病死の苦を免れさせる。そればかりか、子宝など福徳には限りがない。そして、これらの功徳は日夜の法華経持経の蓄積がなくとも、苦難に際してただ一度その御名を唱えるだけで叶えられるのだ。まさに観音の大慈悲心による大盤振る舞いである。観音信仰は庶民には入りやすかったであろう。以上に要約した法華経観世音菩薩普門品は分離独立して、観音経として用いられるようになるのもむべなるかなである。

観音経によれば、一切衆生の苦悩を救済する観音の大悲による利益利生は、次の三つに分類できる。第一に危難からの救命救難であり、危難に臨んでただ一心に御名を唱えるだけで、観音はただちに応答して難を免れさせて下さる。第二には子宝などの福利、すなわち富、結婚、治癒などをもたらして下さる。当然、衆生の日常が直面する難事（困難・災難・病苦・困窮）が前提になってのことである。そして第三に、観音にすがれば三毒すなわち淫欲、怒り、痴愚の心の病（執着心、愛執）を逃れて、仏教の理想とする安楽平安を得ることができる。

本章が扱う『今昔物語集』の利益利生の因果物語は、まさしく観音経が説く通りの現世的救済の筋書きを語るものにほかならない。すでに、困窮、刀杖難と悪鬼（異類難）からの救済物語の類型を見たとおりである。

「なお、法華教の本体については、後に「中休み　法華教という政治文書」の章で詳述する。

物語の多彩と類型

『今昔物語集』のDBでは、結末が救命救難と財産良縁に終わる物語は各々六一話と二三話、合わせて本朝仏法編全三八六話のうち八四話と多い。このタイプの因果物語は仏法編全巻に分布しているが、何といっても巻一六と巻一七に集中的に集められている。巻一六はすべて観世音菩薩、巻一七では地蔵観音が救済主として登場するからだ。観音と地蔵の他には普賢(三話)、文殊（三話）、虚空蔵（一話）、弥勒（二話）の各菩薩、毘沙門天（三話）・吉祥天（四話）・執金剛（一話）が主題になっている。いずれも、観音などの加護によって現世利益が得られる。逆に、不信心者が仏罰を蒙るという反面教師の話も含まれている。

現世利益物語の主人公のデモグラフィーを見ると、特徴的なのはその属性の多彩さである。他の仏法編では主人公が圧倒的に僧籍に属するのと対照的である。観音地蔵信仰とその現世利益の仏説が、とりわけ広く庶民に浸透していたことをうかがわせる。ちなみに、DBから主人公の属性を大別すれば、貴族官人14、僧職38、武士郎等4、そして平民39（庶民32、従者6、盗人1）と、平民が僧と拮抗している。

次に、現世利益の物語因果に沿って、全八七話につき発端から結末へとDBの変数分布をたどって見る（頻度5話以上）。

発端　聖人10・仏道8・道心7　観音17・持経9、地蔵5・入山6　女15（信仰対象はほとんど観音）
旅移動14　地方7・外国3　生業8（信仰対象は観音と地蔵）
出来事　被害31　捕縛8・強盗8・襲撃5・異類難5　難事30　困窮9・災難7・事故5　出会14　女6
行為　祈願49　化身仏44・仏神6・観音4　加護56・犠牲7　発見7　夢告7　聴従4・贈与6
結末　避難61　救命29・救難24　福徳23　富15・結婚5・治癒5

以上の変数分布について、因果系列モデルと関連させながら簡単に説明を加える。物語の発端、主人公の状態は聖職と庶民でありそれぞれが観音や地蔵を信心している。あるいは法華経の持経者である。庶民に女人が多いことはこの物語の特徴である。彼らはあるいは旅の途上にある。とりわけ、ここで聖人としたのは回国の聖、あるいは俗世を出離して山に籠る隠遁僧であり、その移動の途上で事件に会うことになる。

出来事としては被害と難事とが拮抗している。仏菩薩による救済が衆生の様々な難儀にたいして発動されることが分かる。「被害」は暴力的な侵害のことである。具体例としては捕縛される、襲撃される、盗賊の難に会う、動物や鬼など異類に襲われるのが主たる被害である。また「難事」とは困難、災難、病苦、困窮からなるが、ことに困窮が重要である。法華経は衆生の蒙る七難を挙げているが、以上の被害と難事のうちにはそのほとんどが含まれている。具体的には、戦乱、鬼など異類による襲撃、盗難、病や貧困の苦難、処罰を受ける刀杖難、その他に、火難、水難、王難、生き埋め、遺棄などがある。衆生の蒙る危難はまことに多岐にわたっていた。なお、「出会」の例が一四話と多いが、これは女主人公の現世利益物語である。彼女らは男や女との偶然の出会いから富を掴み、なかんずく幸せな結婚に至る。この系列については別に述べよう。

難儀と危難に遭遇して物語の主人公たちが見せるパフォーマンスが行為である。仏法編では、これは圧倒的に観音・地蔵など仏にたいする「祈願」である。水銀鉱山の事故で生き埋めにあった鉱夫の祈願―「願くは、地蔵仏、大悲の誓を以て、我を助けて命を生け給へ」(巻一七・13)。第Ⅲ部に見るように、危難と対決し闘争して勝利するという世俗編の物語とは対照的だ。祈願すれば直ちに観音あるいは地蔵その他の神仏が化身となって主人公の前に（あるいは夢に）現れる。これが祈願に続く「化身仏」としてまとめられている。そして化身は祈願に応えて加護を与え、危難の身代わりとなって信仰者を助けて下さる。法華経が説く通り、観音は救うべき衆生のことをよく知っており、それぞれの事情に応じた姿をしてこの娑婆世界に現れ出て、それにふさわしいやりかたで巧みに法を説き衆生を難から救済するのである。なお、行為の変数

2として化身仏以外に仏神と観音があるが、この場合はいずれにしても化身は現れず、ここでは仏神も観音も遠い祈願の対象である。

さて、大略このような展開をたどって、物語はおしなべて利生利益の結末へと収斂して閉じられる。そして、「観音の御利益にはかかる稀有のことなんありける」と、最後の落ちが付けられる。すでに例示した通りである。『今昔物語集』の大部分の物語が定型を踏んでいることが、以上の現世利益物語にも示されている。そして、危難↓祈願↓救済という因果系列がこの定型の一つを浮上させているのである。

観音を責めて銭を得る

現世利益物語にはズバリ銭を頂く話がある。観音の現世利益もここに極まるといえよう。それに、語り手はこれに何のこだわりも見せず、さばさばとしたものである。有名な藁しべ長者の物語（巻一六・28）などがそうだが、ここでは同じく長谷観音祈願でも別の例をあげよう。

観音の助けに依りて借りし寺の銭自からに償へること（巻一六・27）

（1）発端：仏道修学（仏道・理財）　大寺の有力な僧、財を動かす

今は昔、奈良の京の大安寺に弁宗といふ僧住みけり。天性弁へ(わきま)ありて、自ら人に知られたるをもってことして、多くの檀越ありて、広く衆望を得たりけり。

（2）出来事：難儀直面（難事・困窮）　借財の返済を責められる

しかるに、阿倍の天皇の御代に、この弁宗、その寺の大修陀羅供の（法会の供養料としての）銭三十貫を借り使ひて、久しく返し納ることなし。しかれば、維那（寺務役）の僧、常に

これを責むと云えども、弁宗、身貧しくして、返し納むるに力なし。維那の僧は、日を経て、いよいよ責むること堪へ難し。

（3）行為：救済祈願（祈願・化身仏・加護）　長谷観音に銭を無心する

これによりて、弁宗、長谷に参りて、十一面観音に向かひ奉りて、観音の御手に縄をかけて、これを引きて申して言はさく、「我、大安寺の大修陀羅供の銭三十貫を借り使ひて、維那、これを懲（はた）り責むるに、身貧しくして返し納むるに便りなし。願くは、観音、我に銭の財を施し給へ」と云ひて、御名を念じ奉りて、後、維那、責むるに、弁宗、答へて云く、「汝、暫く待て、我菩薩に（祈願）して返し納むべし。敢て久しかるべからず」と。

（4）結末：財産良縁（福徳・富）　化身から銭を給う

その時に、船の親王と云ふ人、かの山に参りて、法事を調へて行ふ間、この弁宗、観音の御手に縄をかけて引きて、「速やかに我に銭を施し給へ」と責め申すを親王聞きて、「こはいかなることぞ」と問ふに、弁宗、その故を答ふ。親王、これを聞きて、たちまちに哀びの心を起こして、弁宗に銭を給ふ。

弁宗、これを得て、「これ、観音の給ふなり」と思ひて、礼拝して帰り去りぬ。すなはち、かの修陀羅供の銭を償いて返し納めつ。「これひとえに、弁宗が真の心を致せるによりて、観音の助け給ふなり」と知りて、いよいよ信を起こしけり。

これを聞く人、観音の霊験を貴びけりとなむ語り傳へたるとや。

この物語に登場する大安寺の弁宗はたんに信仰三昧の僧ではなく、寺務のいわばやり手であった。有力な檀家を持ち広く衆望を得ていた（1）。大修陀羅供などを主催して、この大がかりな法会に檀家から財を集めることもその一環だったのだろう。財は銭として運用され、大寺院の運営の重要な手段になっていたという。そして、このやり手が、やり手であったがために大がかりに運用して失敗したのだろう、集めた大金を遣い込んでしまった。寺の事務方の役職（維那）にやいのやいのと返済を責め立てられ、切羽詰まったところに追い込まれる（2）。

そこで、困った時は神頼みである。弁宗は長谷の観音の前で、「願わくは我に銭の財を施し給え」と祈願する（3）。「責め申す」と書かれているくらいだから、嘆願と云うよりほとんど強要である。庶民の身勝手に思えるが、銭金の虫のいい要求にも、観音は助けの手を延べるものと観念されていた。実際、たまたま居合わせた船親王（奈良朝、元明女帝の高官）が、弁宗の嘆願を目に留めて慈悲心を起こし、銭を賜った。あっさり書かれているが、祈願に応えた「化身仏」の出現であり、これが物語の「転」となった。危機に臨んだ主人公のパフォーマンスが、思わぬ転機を作り、これが物語を帰結に導く。すなわち、失ったカネの穴埋めができて、これはひとえに「実の心を致せる」祈願の結果と得心させられた（4）。この話を聞いた公衆も、「観音の霊験を貴ぶ」という評価を下すことになる。

銭だけではない

このような物語の展開形式は、観音霊験譚のほとんどにおいてそれこそ手を変え品を変えて反復されるのを読むことができる。因果モデルにおける因子「救済祈願」から「財産良縁」へのインパクトは、「救命救難」に比べれば低いものの（0.88 にたいして 0.35）、物質的な現世利益の賜物は無視できない帰結となっている。銭だけではない。別に危険に遭遇せずとも、福を得ることは衆生の日常生活の最大関心であり、それだけに仏にすがる気持ちが高まる。高めるようにと説話が庶民を扇動してもいるのである。日常生活の物語だから主人公には女性も多い。先のヒストグラムを見ると女主人公は一五例あり、他の主題に比べて比率は際立って高い。それに、なぜか女が登場すると、『今昔物語集』の説話はとたんに生彩を帯びてくる。すでに作品論として、多くの論者たちが例示しているのもこれだ。因果モデルはむろん作品論は扱えないが、それでも筆の休みに、こうした女たちの物語の一端を紹介する誘惑に勝つのはなかなか難しい。それは別立ての物語（2）に譲るとして、ここでは女主人公が困窮を脱して幸福を掴む物語を一つ要約しておく。

殖槻寺の観音、貧しき女を助け給へること。（巻一六・8）

（1）発端：女人信心（女・観音）

今は昔、大和国の敷下郡の殖槻（うえつき）寺に、霊験名高い観音像があった。この地の郡司に一人の娘がいた。父母は娘の結婚を見ることもなく死んでいった。

（2）出来事：難儀直面（難事・困窮）

こうして一人残されて、月日の経つうちに家は荒れ、召使は去り田畑は押領され、娘の逼迫は極まっていった。

（3）行為：救済祈願（祈願・化身仏・加護）

娘は殖槻寺の観音の手に糸を懸け、花を散らし香をたき心をこめて申しあげた。「私は父母もなき一人身、家貧しくして命を繋ぐ糧もありません。願わくは大悲観音、慈悲を垂れ給い、我に福をお授け下さい。身の貧窮は前世悪業の報いとはいえ、観音の誓願空しからず、どうしてお助け下さらぬはずがありましょうか」。

こうして日夜に観音を礼拝恭敬するほどに、隣の郡の司の息子が上京の途次たまたま娘の家に宿を取った。娘は知らない客人を恐れて身を隠したが、それでも男のために部屋を用意して掃き清めさせた。男は旅の宿になかなか寝付けず、家の中を渡り歩いた。上品な女の気配がする。忍んで泣いているようだ。聞き過ごしがたく、男は遣り戸を引いて女の部屋に入った。そっと副い臥して探れば、女は「まあ、どうしよう」と思って衣を身に纏ってうつぶせに身を隠したが、何の憚りがあろうか、男は女の懐に掻き入って共に寝た。朝が来て、早く出ていってちょうだいと女は頼むのだが、男は起き上がる気配もない。雨が降り止まない。

男は女の家に居座るが、供すべき食物もない。女は寺に詣でて「今日という今日、私に恥を掻かせ給うな」と観音に懇願した。はや夕刻である。すると、隣に住む裕福な女が使いを寄こして、くさぐさの御馳走を運んできてくれた。「客人があると聞き及んだのでこれをどうぞ」と言う。器は後で返して下さいねと。女はこうして男に食事を供することができた。

（4）結末：財産良縁（福徳・結婚）

さて、隣家の女にどうお礼したらいいものやら。女は着たきりの衣を脱いで、食事を運んできた使い女に渡した。すると、隣家から今度は絹十疋と米十俵が送られてきた。女はいぶかるやら喜ぶやら、直接隣家にお礼に出向いた。だが、隣の金持ち女は「気でも狂ったか」と言うばかり。物を贈った覚えもなければ、使い女もここにはいないというのである。女はいたしかたなく、いつものように観音堂に参る。仰ぎ見れば、何と、使い女に与えたはずの衣が観音の御身に懸かっているではないか。あれは観音のお助けだったのだと、女は身を地に投げて泣く泣く礼拝した。男にもこの間の事情一切を話した。その後、二人は夫婦となり家は大いに富み栄えた。これを思うに、観音の誓願の不思議さ、人に化身して娘の衣をまとって下さった。哀れに悲しきことである。

娘の侘び荒れた家に旅の男が宿泊した。もてなそうにも糧はなく、ただ観音にすがるばかりだった。ところが、そこに富める隣家の召使が現れて、御馳走万端を整えてくれたのだった。せめてもの恩返しにと、娘は一張羅の衣を女に渡した。その後、さらに大そうな贈り物が届けられた。隣家にお礼に伺ってもそんな事実は知らぬと言い返されるだけだった。そこで娘は感謝のために観音堂に参ったところ、何と、この衣が観音の御身に懸っているのだった。隣家の召使女と見えたのは観音の化身だったのだ。その後、娘は旅の男と夫婦になりこの家で大いに富んだのである。

この物語では女の窮状とそこにやってきた男との交流が細かく書かれている。男は女に言い寄る。「やはらそひ臥して探れば、女「わりなし」と思ひて、衣を身に纏ひてうつふし臥したれども、何の憚りかはあらむ、男、懐に掻き入りて臥しぬ。……」。しかし、これはまた別の物語である。

物語（2）女におだてられて出世した僧のこと

（1）今は昔、比叡の山に若き僧がいた。出家このかた学問を志すが、遊び戯れに心奪われて一向に身が入らずにいる。ただ、わずかに法華経を読誦するばかりだったが、それでも向学の志捨てがたく、京に下りてはいつも法輪寺（虚空蔵菩薩）に詣でて祈り申していた。といっても、学問に踏ん切りがつくわけでもなく、「何事も知らぬ僧にて有りける」といった塩梅であった。

（2）ある年の九月の程、法輪寺に詣でて同輩とおしゃべりして日も暮れた。帰途に、今夜の宿を求め知り合いを訪ね歩いたがだめだった。すると西の京のあたり、唐門のある家の前に小ぎれいな子女が肌着を重ね着して立っていた。僧は一夜の宿を乞うた。女は奥にお伺いを立てたうえで、「極めて安きことなり、とく入り給へ」と僧を請じ入れてくれた。男は酒肴の接待を受けた。

夜も更けてから、男が外に出て南面の蔀の穴からのぞき見すると、そこに主とおぼしき女がいた。燈明を低くして草紙の類を見ながら伏せっている。年の頃二十歳ばかり、容貌美麗、姿のいいこと例えようもない。紫苑色の綾の着物、黒髪は長く衣の裾にまでたゆたっている。空薫の香りが漂ってくる。若い僧はたちまち舞い上がってしまった。夜が更けて人が寝静まるのを待って、僧は抜き足差し足、女の部屋に忍びより、傍らに添い寝する。女はよく寝入っているようで、馥郁たる香りが男を惑わすばかり。目を覚まして声を立てるだろうとひるんだが、ままよと男は仏を念じ、衣を開いて女の懐に入った。

驚いて目覚めた女が言う。「貴い方と思えばこそお泊めしたものを、こんな振る舞いをされて悔しい思いです」と。男はにじり寄るが、女は身を衣に隠して許さない。男は辛苦脳乱するばかりだが、人聞きを恐れて強ちの行為にも及べない。女がかき口説く。「私はあなたに従わないというのではありません。昨春夫を亡くしやもめでいる身です。あなたのような僧にめぐり逢えたら、それは貴い幸せと思っております。ただ、あなたは法華経を空に読誦できますか、お声は貴いかしら。もしそうなら、経を貴ぶと人には思わせて密かにお付き合いができましょうに。どうかしら」。僧の返事を聞いて女が言う。「それではいったんお山にお帰りになり、法華経を憶えてからおいで下さい。その時にはこっそり望み通りに睦び合いましょう」と。

（３）早朝に山に戻った僧は女を忘れ難く、二十日ほどをかけて法華経を暗誦できるまでになった。その間女のもとからは便りとともに差し入れのくさぐさが僧のもとに届けられた。さては と心ははやり、僧はまた法輪寺の帰途、同じく女の家に宿を取った。夜も深更、僧は身を清めて法華経を読む。その声は極めて貴かったが、しかし心は上の空。そして、夜が痛く更けたので、僧は先のごとくに女の部屋に忍び入って女を驚かす。きっと待ちかねていたに違いないと喜んで、懐に添い入ろうとするのだが、女はなおも衣をかき寄せて許さない。「私思いますのよ。かように経を諳んじるお方というだけの縁でも、妻になるのは恥ではありません。それどころか、世間の男などと結ばれるよりよほど結構なことです。でもどうかしら、同じことならなお一層精進して正規の学僧になりくださいな。そうすれば、貴方様はここから宮原殿原のもとに出仕することになるでしょうし、私はそのお世話をしたいわ。ただ経を読むというだけでわが家に閉じ込めるなど、すべきことではありますまい。こんなふうに御一緒できて嬉しく思いますが、同じことなら学僧としてお会いしたいわ。まことに私のことをお思いくださるのなら、あと三年、山にこもって日夜に学問をとげて下さいまし。その時にいらして下されば、拒みはいたしません。それまでは、たとえ殺されようとも従えません。三年のあいだ、欠かさずに便りもし、山籠りに御不自由はおかけしたりしません」と、女は言葉巧みにかき口説いた。若い僧はすっかり言いくるめられた。将来のことまで心配してくれる女に邪見に当たるのもどうか。

また女に世話されて学問するのもよかろうと打算して、男は返す返す契りを交わした上で夜明けに山に帰って行った。

(4) 女に会いたいの一心、僧は心機一転、心を尽し肝を砕いて学問に打ち込んだ。もともとが頭脳明敏な若者である。勉学のかいあって二年で学僧となった。そして、内論議や法華経三十講に出るたびに、その令名が山にとどろくまでになった。かくてはや三年がたった。僧は勇んで法輪寺に詣でてから、女のもとに行く。今回は直に女の几帳の脇に請じ入れられた。僧は胸もどきどき興奮しながら円座に座った。「まことに学僧におなりになったのですね」と女が言う。その声の艶っぽさ、僧は心の置きどころもなく身を震わせながらこの間のことどもを語った。「何と嬉しいことでしょう」と女が答える。そしてさらに、かねて不審の点があるといって、女は法華経の序品から始めて難問を僧に問い重ねた。僧はよどみなくこれに答えて、女は褒めそやす。「何とやんごとなき学僧にお成りになりましたこと」。女でありながらこんなに法の道に詳しいとは不思議なことと、僧もうんちくを傾けるうちに夜が更けていった。僧は几帳を掲げて女のもとに入った。女は何も言わないで横になったので、僧は嬉しくなって添い臥した。「暫くはこのままで」と、お互いに腕を交わしあって語らう。ところが、寺詣で以来の疲れが高じて、僧はそのまま寝入ってしまった。

驚いて目を覚まして見渡せば、何と薄の生える野にただ一人で横たわっていた。衣などは脱ぎ散らして傍らにある。嵯峨野であった。有明の月、時は三月、僧は寒さに震えながら法輪寺まで走った。こんなにも恐ろしく悲しい目に会いました、どうか助け給えと虚空蔵におすがり申して、そのまま寝入ってしまった。すると夢に、頭青く端正な小さき僧が登場して言う。今宵の出来事は狐狸に化かされたのではない、私が謀ったことだ。お前は常日頃遊び暮らしているくせして、私の前に来ては学才学知を与えよと責め請うていた。そこでお前の女好きを利用して、学問を勧めたのだ、と。夢覚めて、僧は恥ずかしく、涙を流して悔い悲しんだ。「虚空蔵菩薩の我を助けんがために、年ごろ、女の身と変じて謀り給ひけること」だったのだ。夜が明けるや僧は山に帰り一層学問に励んで、やんごとない学僧になった。まことに、虚空蔵菩薩経に説く通りのことであった。

（巻一七・33　比叡山の僧、虚空蔵の助けによりて智を得たること）

第七章　仏法毀損の報い

悪業を作り現報を得たること

　そもそも『今昔物語集』仏法編では、仏法による救済物語に比べて、不信心者への罪と罰の話は圧倒的に少ない。それでも、図２‐３に示すような悪因悪報の因果系列が抽出できる。主として巻二〇に編集された物語群を反映している。この仏法編最後の巻は雑編ともいえる性格のもので、変わった話が各種集められていると同時に、次の世俗編につながる位置にある。そこに悪報の教訓的な物語が集中している。図２‐３の因果系列に示したように、仏法の罪と罰の物語（悪報譚）の結末をここでは強いて二つの因子に分けている。というのも悪報に至る物語は二筋に分かれる。一つは本人が現世に犯した仏法により現に様々な苦を受けて死亡あるいは逃亡する話であり（現報）、もう一つは死後悪道に堕ちることである（仏罰）。それぞれの結末を因子「仏法懲罰」と「悪因悪果」とした。この結末がいずれも仏法を犯す罰として意味づけられている。

　まず仏法懲罰（現報）の物語から見ていく。河内の国に石川の沙弥と呼ばれる者がいた。それが突然病を得て、「熱きかなや」と地面を三尺も飛びはねて絶叫している。あたりの人びとが寄り集まってきて問いただすに、「地獄の火、ここに来りて、我が身を焼く。されば叫ぶなり」と答えて沙弥はたちまちに死んだ(巻二〇・38)。この短い話は次のコメントで閉じられている。

図２－３　悪報譚（仏法編）

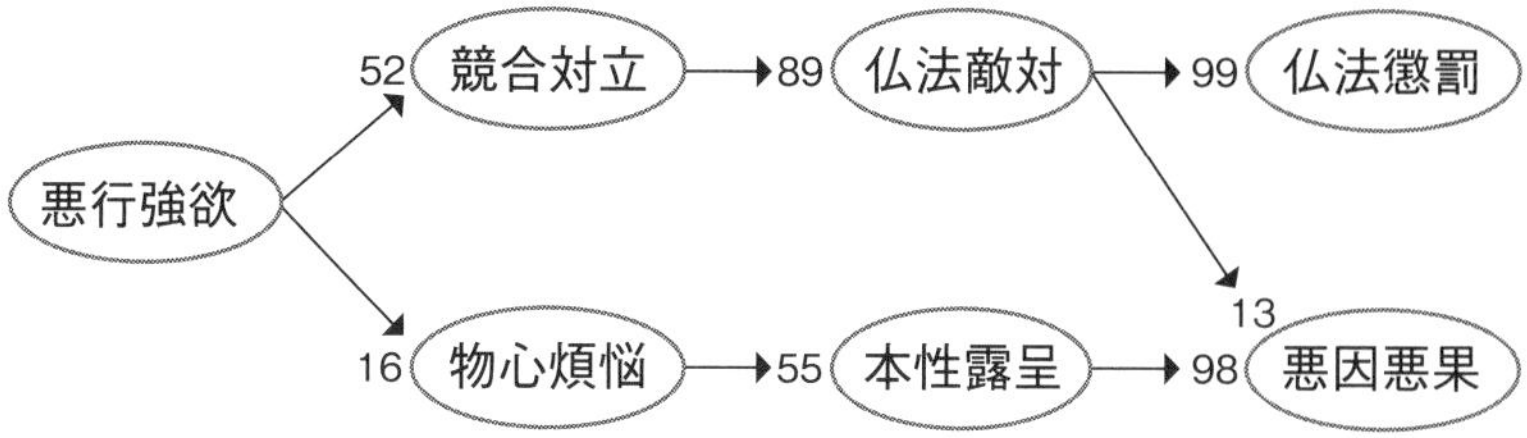

発　端：悪行強欲（悪行94・殺生52・貪欲26）
出来事：競合対立（対立69・仏法41）、物心煩悩（執着93・財物85）
行　為：仏法敵対（悪行84・虐待52・三宝毀損69）、本性露呈（露見100・外道65・畜道60）
結　末：仏法懲罰（現報89・死亡61・懺悔24)、悪因悪果（仏罰79・死亡17・逃亡62)
カイ二乗：1860、自由度：123、カイ二乗／自由度：15.1、ＧＦＩ：0.667、
ｂ：悪行0.9、露見0.77

すなわち、「心に任せて罪を作る者は、新たにこの報を感ずるなり。然れば、人これを知りて、罪を作ることなかれ」。実に簡明な教訓である。これが現報譚だ。現報とは、前世でも来世でもなく、まさしくこの世で仏法に敵対して罪を作り、現にあらわに仏法の罰を蒙ることにほかならない。夢告や霊告による間接的情報は必要がない。人びとは日常生活で不信者の罪と罰をまざまざと目撃するのである。今の話は「石川の沙弥、悪業を作りて現報を得たること」と題されている。かような現報の物語が巻二〇に一三話ほど並んでいる。日本霊異記を典拠とするものが多い。

なお、現報譚は巻二〇以外にも少数散らばっているが、短いながら露骨な話をここに拾っておきたい。河内の国に丹治比の経師という男がいた。白壁（光仁）天皇の御代のことだが、郡内の寺がこの経師を呼んで法華経を書写させた。近辺の女たちがたくさん集まって奉仕した。そのとき、俄かに夕立となり女たちは雨を避けて狭い堂に寄り集った。経師も同じ所にいたが、一人の女に忽ち愛欲の心を催してしまった。うずくまった女の背に覆いかぶさり交わった。女を抱き抱えながら、マラが女のツビに押し入った。そしてたちまちに、経師も女も共に死んだ。女は口から泡を吹いていた。話末のコメントはいう。これを思うに、淫慾に焼かれたとはいえ経師はせめて写経の間は思い止まるべきだった。女もまた男の欲情を受け入れるべきではなかったのだ。愚かにも二人ながら、寺を穢し経を信ぜずしてあらわに罪を蒙った。「現世の罪、すでにかくの如し。後世の罪を思ひやるにいかばかりなるらん」（巻一四・26）。

仏法懲罰の物語構造

さてこうして、データベース（DB）にもとづくこの因果系列の結末は仏法懲罰（現報・死亡・懺悔）となる。変数へのパスのウエイトを見れば、悪業を懺悔するのでは済まない。ほとんどが死をもって罪を償うのである。先の例で、石川の沙弥も丹治比の経師も直ちに命を失った。因果系列の発端の状態によれば、主人公は日ごろ殺生と貪欲などの「悪行強欲」をこととする者である。石川の沙弥の場合は、僧とは形ばかり、造塔の勧進をして詐欺を働き、魚鳥を食らい寺の柱を薪代わりにした。この破戒坊主が仏法と対立するのはいうまでもない。特定の敵対行為が「出来事」となったわけではないが、「世に仏法を破り犯せる人、実に誰かこの人に過ぎん」と書かれている。丹治比の経師はまさしく法華経供養に参集した同法衆と対立して、愛欲という罪業の振る舞いに及んだ。因果系列で出来事因子「競合対立」を構成する変数(対立・仏法・同法・異類)のうち、対立の相手として「仏法」へのパスが大きいゆえんである。だから、仏法と対立して、「仏法敵対」の行為をなすことになる。石川沙弥の話が「悪業を作りて」と題されている通りである。悪業とは三宝(仏・法・僧)の毀損でありまた縁者や生類にたいする攻撃や虐待である。石川の沙弥は殺生破戒、そして仏財をかすめ取り寺院を壊した。経師もまた端的に寺と経とを穢したのである。かくて、物語の行為因子は「仏法敵対」とし、行為変数の悪業・攻撃・虐待・三宝毀損から抽出した。そして、この仏法敵対の報いが仏法懲罰の報を受けることだとされる。

以上をまとめれば、現報譚の因果系列は次のようになる。悪行強欲(悪行・殺生・貪欲)→競合対立(対立・仏法・同法・異類)→仏法敵対(悪業・攻撃・虐待・三宝毀損)→仏法懲罰(現報・死亡・懺悔)。図2-3に示したモデルでは、これらの変数をやや縮約して用いている。因果係数は発端から結末にたるまで高い。また、行為(仏法敵対)からは、弱いながら後に述べるもう一つの結末「悪因悪果」へのパスがある。

強欲な国司の勝手放題

少し長めの物語で、この因果系列を具体的にたどって見る。

河内の守、慳貪によりて現報を感ぜること(巻二〇・36)

(1)発端：悪行強欲(悪行・貪欲)

今は昔、河内の国の讃良の郡司は常日頃から三宝を信じて仏の供養を怠らなかった。年老いて一生の蓄えをもって法会を催し、特に比叡の山から阿闍梨を招いて講師とすることにした。当日になり、万座の聴聞衆を前に法会をまさに開始したそのとき、この国の守なる老人が郎等どもに担がれて闖入してきた。「貴き仏事修すると聞きつれば結縁せんと思ひて来りつるなり」と称して、早くやれとせき立てた。

（2）出来事：競合対立（対立・仏法）

これは老人であり、田舎者ばかりの聴衆と違って、才覚を極めた者でもあるのだからと考えて、講師は改めて気を入れて声を上げようとするや、「ああ疲れてしまったわい」と老人が邪魔を入れて、さっさと講師の控え室へ引き上げてしまった。主催者も講師もすっかり気を削がれてしまった。

（3）行為：仏法敵対（悪業・攻撃・三宝毀損）

老人は飲み食いしながら主催者に言う。講師はさぞかし名僧だろうから、布施なども弾んだだろう。ここに取りだし見せよ、と。綾や絹が三包み。これを見てまた守が言う。大したものだ。貴公は世知もあり大変な金持ちだから、こうするのももっともなことだ。ところで貴公、そなたには官物の納入がまだたんと滞っていたな。この礼物は代わりとしてわしがもらっておこう。これに劣らぬ品々を調えて講師には奉り給え。あなかしこ、礼物はゆめゆめ粗末であってはいかんぞ。老人はこう言って、郎等どもに品物を運び出させて持ち去ってしまった。

（4）結末：仏法懲罰（仏罰・死亡）

こうして、説教を続けるどころか、法会供養が大魔障の出現に妨げられてしまった。これも功徳と講師は主催者を慰めて京に帰った。その後ほどなくして、守は死んだ。「これを思ふに、後世にいかばかりの罪を受くらん」。

見られるとおり、「現報を感ぜること」と題されているが、守の死が現報であったかどうか。結末はあっさりしたものである。それよりも、国司の仏法妨害行為が皮肉な筆使いで活写されている。他の話でも懲罰の有様をしつこく描写することはない。ここにも『今昔物語集』の作品としての特徴が現れ出ている。

なお、これまでは仏法への罪の例だが、現報をもたらす悪因としてもうひとつ、生類や父母への虐待の話が複数ある。因果系列では主人公の発端の状態は悪行強欲（殺生・不孝）である。これが「競合対立」の出来事を契機として悪をなす。直接的な仏法毀損ではないが、生類・縁者への「虐待」の罪を犯す。例えばわが母に食を与えなかった親不孝娘が、胸に釘を打たれたと叫んで死んだ。これらは他にも見られる孝養訓であってもいいのだが、ここでは現報として扱われている。「母に孝養せずして死ぬれば、後世にまた悪道に堕ちむこと疑いなし」（巻二〇・32）というように。

今の親不幸の話にも表れていたが、現報は本人の死を以て報いられるだけではない。後世に悪道に堕ちるは必須だとコメントされている。法会で乱暴した河内の守についても同じことが言われていた。文字通り因果応報なのである。こうして、現報譚はまた悪因悪果の物語に近接して並べられることになる。

畜道輪廻の露呈

さて、次にその悪因悪果の物語である。主人公は同じく仏法と敵対して罰を受けるのだがストレートな現報譚に比べてこちらの方が筋立てがひねってある。現報譚と区別すべき物語なので、独立の因果系列「悪因悪果」として扱った。結末因子の変数は先の「仏法懲罰」と共通のものが多いが、現報が主として死であったのと比べて、こちらは「逃亡」「供養」に終わる話である。

実は、因果モデルでこの結末にまとめた系列にも二種類ある。まずは寺物私用のような罪によって主人公は既に悪道（畜道）に堕ちている。これを前提にして、その秘密が露呈するというのが筋書きである。身近にいる牛などが、前世に人間であった者が畜道に堕ちた姿であるかどうかは、この世の者には分からないのだが、それが様々な場面で世人にも明かされる。たとえば、武蔵の国に住む大伴の赤麿という者が死んだが、その家に黒斑の乳牛が生まれ、牛の背には次のような札が掛けてあった。「赤麿は寺の物を恣に借用して、未だ返し納めずして死す。この物を償はんがために、牛の身を受けたるなり」と（巻二〇・21）。夢告による露見もある。また、故人の持ち物の傍らに蛇を見付けて、師が蛇道に落ちたことを弟子たちが知るに至る。これは三宝毀損により悪道に堕ちるという教訓話としては現報譚と同一なのだが、ストレートに後世での報いを語るのでなく、話の主眼は輪廻転生の秘密の露呈に置かれている。

ＤＢではこうした話の結構をそのままの順序で記載することはせず、結論を先取りしてまず前世での罪と罰を取り上げた。先の例でいえば、「貪欲」という悪行強欲の状態にあった主人公（赤麿）が「寺の物を恣に借用」、すなわち物心煩悩（執着・財物）という出来事により現世に牛として生まれている。なぜいま畜道にあるのか、その原因となった罪業の正体が露見する、必ず露見しますよというのが話のポイントになっている。そこで、正体露見に至る出来事として、仏法との対立とは区別して物心煩悩（執着・仏財）という因子の経路を設けた。因果系列の「行為」としては「罪業」と区別して本性露呈（露見・正体・畜道・外道）とした。露見が人間の罪と罰をあらわにする。露見の結果として畜類は死亡したり姿を消したりする。これも仏罰（悪因悪果）の顕現だというのである。

話の結構を具体的に見るために、畜道輪廻の露呈に関わる物語五話を話末のコメントから見ておこう。

巻二〇・20　人これをもって知るべし。一塵の物なりといへども借用せし物をば確かに返すべきなり。返さずして死すれば必ず畜生となりて、これを償ふなり。
同・21　人、寺の物をば食すべからず。極めて罪あることなりと知りぬ。
同・22　人の物を借用しては、必ず償ふべきなり。いわんや仏寺の物をば大いに恐るべし。後の世にかくの如く畜生と生まれて償ふなり。
同・23　然れば、死なむ時には、仏より外に他の物をば見るべからず。
同・24　生きたりし時、銭を惜しと思ふといふとも、その銭を以て三宝を供養し功徳を修したらば、まさに毒蛇の身を受けんぞや。

以上はいずれも日本霊異記を典拠としている。財物への執着が後世畜道を以て償わされるという教訓であるが、これも霊異記と同じである。説教臭が強く定型的で物語性の低い作品である。ただ、後世のことは人間には顕わには知りがたいのだから、現に畜道にあり罪の償いを受けていることが露見する、その本性露呈が因果物語になっている。『今昔物語集』の特徴である。

天狗・外道の果て

とはいえ、本性露呈から仏罰の確認に至る因果系列で特徴的な物語は、以上とは別に、天狗・外道・外術が蒙る罰にある。天狗や畜類が人間や化身に化けて外道の妖術（外術）を使い、しかし正体露見して失墜する。世俗編に連なるような怪奇譚が多く、物語としてはこちらの方が格段に面白い。

たとえば、醍醐天皇の御代に京のど真ん中、五條の道祖神の社に大きな柿の木があった。その柿の木の上に俄かに仏が現れ給うて、微妙な光を放ち花を散らした。京中の大評判となった。時に、光の大臣という智恵者がいて、これに大いに不審の念を抱いて柿の木のもとに車を寄せた。なるほど、仏がましますようだ。そこで大臣は瞬きもせずにこの仏を見守った。すると、仏は大臣の視線にこらえきれずに、翼を折られた大きな屎鵄（くそとび）（長元坊）となって木の下に墜落した。仏が木の上などに顕現することなどありえないのだ。これが巻二〇・3「天狗、仏と現じて木末にましませること」である。

天狗が外術に固執して仏法と敵対したがために、外道の正体（本性）を暴露された。この点で因果系列は先の畜道輪廻と同様であり、行為因子は同一の本性露呈（露見・正体・外道）とした。その結果仏法による罰を受け、翼を折られたりして殺されるのである。罰を受けて天狗がほうほうの体で逃亡する話もある。その他、天狗の術を使う怪しげな人間に伝授を請うた愚か者の顛末なども、この系列に属する。人びとは当時、狐の幻術とともに天狗の外術に大いに関心を抱いていたのであり、『今昔物語集』でも珍しい話を集めており物語の出来栄えも優れている。ことに世俗編になるとこの手の話は多く、しかももう三宝への敵対と仏罰という教訓は影をひそめてしまう。

この点で世俗編の怪奇譚と見まがうような物語であり、異彩を放つのが巻二〇・7「染殿の后、天狗のために嬈乱せられたること」である。染殿は藤原良房の屋敷、そこを在所とした藤原明子(あきらけいこ)は清和天皇の母にして文徳天皇の后妃である。といってもまだ三十歳に届かぬ若さだ。このやんごとなき女人の病を加持した修験法師が愛欲の心を起こし、鬼となって彼女に取りついて思いを遂げるという話である。天狗の妖術とこれにたいする仏罰という筋書きをはるかにはみ出すほどに、この法師の振る舞いは過剰であり、その分物語の物語性が高くなっている。鬼が仏法の処罰を受けたという指摘すらない。物語作品として有名なものであるが、別項に物語（3）として翻訳しておきたい。道成寺の物語とともに、仏法編では屈指の作品といっていいだろう。物語の主人公は鬼ではなく后として読んでおきたい。

最後になるが、モデルでは同じ系列にまとめた畜道輪廻と天狗外道とは、以上に述べたように性格が全く違う。本性露呈から悪因悪果の報いに至る因子の共通性から両者を括ったのは、それぞれは独特だが例数が少なくモデルの数を多くしないための工夫にすぎない。主としてこの因果系列（表3の結末因子にはない）を最初の仏法懲罰（現報）の系列と組み合わせた結果として、本項のモデルは他と比べて適合度が低くなっている。

物語（3）

やんごとなき女人、天狗の妖術の虜となって色に狂う

（1）今は昔、染殿の后と申して、文徳天皇の母にして良房太政大臣の娘に藤原明子（あきらけいこ）という御方がいた。とびきりの美女だったが、日頃から物の気を患い加持祈祷を欠かさなかった。高名な験者を招いて修法を行わせるが、しかしまったくのところ効き目がない。ところでそのころ、葛城の金剛山に一人の貴い修験法師がおり、鉢を飛ばして食を運ぶなど仙人の術を駆使していた。その験力は並びなしと聞こえていた。この話が天聴にも伝わり、天皇と父の大臣とは山に使いをやって聖人を召したのだった。聖人は固辞を重ねたが宣旨背き難く、ついに山を下りて后の前で加持に参じた。その験たるや著しく、后の侍女の一人がたちまちに狂い泣き叫ぶに至った。聖人が一段と加持を強めれば、侍女は神がかって転げまわり、からめ縛られてさらに責め立てられる。そしてついに、侍女の懐から老いたる狐が一匹転がり出て倒れ伏し、逃げ去ることもできない状態となった。后の病は一両日のうちに癒えた。

（2）父大臣の喜びはいうまでもなく、聖人になおしばらくの滞在を命じた。時は夏のころおい、后は薄絹の単衣ばかり。風が御几帳の垂れ布を吹き返して、その隙間からお姿がほの見えるのだった。聖人はたちまち舞い上がってしまい、一瞬のうちに「心惑ひ、肝砕けて、深く后に愛欲の心を起こし」てしまった。

とはいえ相手はやんごとなき御方、いかんともしがたく思い悩むばかりだが、胸の火は消えるどころかかき立てられて燃え盛るばかり。ついに心狂って、人目を盗んで御帳のうちに押し入り、臥せっている后の腰に抱きついた。后は驚いて汗もびっしょりに恐れ惑うが、男の力の

前にはいかんともしがたく思うままの凌辱を受けてしまった。聞きつけて女房たちが騒ぎ始め、侍医の当痲の鴨継という者が駆け付けて聖人を引っぱり出して縛り上げた。天皇は怒って聖人を獄につないだ。だが、聖人は禁獄されてもなお天を仰ぎ、泣く泣く誓うのだった。「我、忽ちに死して鬼となりて、この后の世にましまさんときに、本意のごとく、后に睦びむ」と。父の大臣はこれを伝え聞いて、天皇に奏したうえで聖人を許して山に送り返した。

（3）さて、山に戻っても諦めきれない聖人は、三宝に祈請してもこの世では願いは遂げられまい、「本の願いのごとく鬼にならむ」と思い入れた。そして絶食し十日ほどを経て餓死して果て、たちまち鬼となった。鬼は裸で頭は禿げ、身の丈八尺ばかり皮膚は漆塗りのように黒い。眼光炯炯にして口は裂け、剣のごとき歯が牙となって上下に食い出でている。赤いたふさぎ（ふんどし）をして鎚を腰に差す。聖人はかような鬼の姿となって、后の御方の几帳の脇に出で立った。女房などこれを見る人びとは皆心を失い、惑い倒れるばかりだった。

しかるに、この鬼の魂は后を惑い狂わせてしまう。后は胸元を掻き合わせて身を繕い、笑みを浮かべ扇で顔をさし隠しながら御帳のうちに入る。そして鬼と二人して臥せった。今までどんなに恋しく侘びしかったかと鬼がかき口説き、后が嬌声あげて笑う。こうして時がたち日暮れとなって鬼は去った。怖くて遠のいていた女房どもが戻って后を伺うのだが、いつもと少しも変わりない御様子。あんなことがあったとおぼしめす気色もなく、ただ、目つきに少しけわしげな気配がお見受けされるだけであった。

天皇をはじめとして人びとの心配をよそに、鬼は毎日やってくる。后もまた怖がる様子もなくどこ吹く風、ただただ鬼に媚び迎い入れるばかりである。宮中ではこれをどうすることもできない。加えて、以前聖人を妨害した侍医とその家族を鬼は呪い殺した。

（4）さて、天皇と父大臣は高位の僧たちを招いて鬼の調伏の祈りを取り行う。そのおかげなのかどうか、このところ三月ばかり鬼は姿を見せない。后の心うちも元に戻ったご様子。喜んだ天皇は、行幸を組んで后の宮を訪れる。常よりは立派な行幸であり百官欠けるところなく皆これに付従った。天皇は后を見舞い、優しい言葉をおかけになり、后もこれに応えて感無量の御様子、もとどおりの御容姿のごとくに見受けられた。

ところが、そこに例の鬼がにわかに踊り出て后の御帳のうちに押し入った。后も例の有様で急ぎ入ってしまう。しばらくしてから、鬼は大臣百官の打ち揃う南面に踊り出て、后もまたこれに従う。そして皆が見守る中で、鬼とともに臥せて「えもいはれず見苦しきことをぞ、憚るところもなくせさせ給ひて」というありさま。やがて鬼は起き上がり、后と共に御帳のうちに入った。天皇一行はすべもなく嘆きながら引き揚げた。

「しかれば、やむごとなからん女人は、このことを聞きて、専らに、しかのごとくあらむ法師に近づくべからず」

（巻二〇・7　染殿の后、天狗のために嬈乱せられたること）

第八章　冥府からの帰還、輪廻転生の知恵

一　冥府から蘇る

冥途の在り処

『今昔物語集』が編纂されたころ、平安時代の摂関期から院政期には、死後の世界への関心がかき立てられていた。極楽浄土の荘厳とそこに往生を遂げた後の平安、これと反対に地獄落ちの恐怖があった。地獄と極楽のけばけばしい絵図が説教に使われ、両者が相まってこの時代の庶民の宗教パラノイアをなしている。源信の『往生要集』が時代を反映しているし、逆にこの書物がパラノイアを庶民にまで感染させるきっかけにもなったであろう。往生のための源信たちの結社「二十五三昧会」は有名である。

『今昔物語集』仏法編の説話群もまた、死後の平安と恐怖とに引き裂かれている。ところが、説話の結構は『往生要集』描くところの極楽と地獄の絵図とはと大いに異なる。総じてあっさりしたものであり、庶民扇動の色合いは薄い。

これは五来重がかねてから強調してきたことだが、日本人の信じる他界は山の奥にある（山中他界）。仏教以前からの山岳信仰（修験）と地獄極楽の仏説とが習合したのである。

日本人の死後観は、死者は村からはなれた山麓に葬られて肉体は消滅するが、霊魂は山の頂や高所にとどまって、子孫を見まもると信じられてきた。死骸は東山山麓の鳥辺野に葬られ、

清められた霊魂はその頂にのぼるので霊山と名づけられた。今でも鳥辺野の尾根筋からは平安時代の骨壺がしばしば発掘される。(五来重『日本人の地獄と極楽』、吉川弘文館、二〇一三年、十一頁)

仏教では死者の魂が初めに辿るのが死出の山、冥途である。三途の河やそこに待ち構える奪衣婆などの庶民信仰はよく知られている。そしてこの話も『往生要集』には見られない。平安時代に日本で作られた偽経にもとづくのだという。ところが、冥途のリアルは絵図や想像上の話ではいま一つだったろう。リアルは実際に死出の山をたどった死者が蘇生して、その見聞を語るものでなければならない。こうして作られたのが冥途からの蘇生譚である。『今昔物語集』にも蘇生譚が集められている。そしてそこでも、この説話集の特徴が見いだせる。

『今昔物語集』仏法編では巻一五のすべて全五四話が往生譚で構成されているが、この極楽往生物語の結構については第一章で取り上げた。これと対照的に、説話が地獄に接近するのが巻一七の一三話を中心に巻二〇の四話などの蘇生譚三六話である。といっても、地獄の阿鼻叫喚そのものを語るのでなく、その手前、閻魔庁で地獄の存在を垣間見るにすぎない。物語の筋は冥途からの蘇りにある。だから、死後の道行きが描写され、閻魔庁での出来事が物語られる。蘇生譚だから話は地獄の手前で折り返すのであり、しかも、現世に戻った主人公がいわば冥途の実在を物語る。たんに想像上の地獄絵とは違って、そこにも『今昔物語集』のある種の実証主義が働いている。この限りでの、冥途の往還が(多くの場合これもあっさりと)描かれる。次に上げる例は中でも詳しい記述である。

今は昔、醍醐に蓮秀という僧がいた。妻子ありというから半俗の沙弥であるが、常日頃懇ろに観音に仕えていた。その蓮秀が死んで一夜にして蘇り、妻子に語った冥途への道行きは以下のようであった。死後、高く険しい峯々を越えて遥かな道を行った。鳥の声も絶えただ恐ろしげな鬼神を見るだけだった。山を越えると広く深い河に行き当たる。こちら岸に老婆が一人、容姿は鬼のごとくに恐ろしい。我はこれ三途の川の嫗よ、汝、速やかに着物を脱いで我に与えてからこの河を渡れと。これが人口に膾炙された奪衣婆であり、亡者の着衣を剥ぎ取って衣領樹の枝に懸ければ、罪の軽重に応じて枝が垂れ下がるのだとされる。ただ、本話にはそこまでの説明はない。さて、蓮秀が奪衣婆に着衣を渡そうとすると、俄かに四人の天童が出現して弁護してくれる。蓮秀はこれ法華の持経者であり、観音が加護し給う人だと。婆はこれを聞いて蓮秀に向けて合掌して奪衣を断念した。汝、ここがどこだかわかるかと天童が問う。そして、ここは冥途であり、悪行の人の来るべきところだと教えて、蓮秀を連れ戻してくれた。天童は賀茂明神の使いの者だと名乗る。

（巻一六・36　醍醐の蓮秀、観音に仕りて活るを得たること）。

閻魔庁にひっ立てられる

『今昔物語集』の冥途往還記に共通して、閻魔庁は山々の向こう、荒野の果てに存在する。黒き山の裾にある大きな穴から墜落して閻魔庁に至ることもある（巻一七・19）。多くの場合、死ぬと閻魔庁の恐ろしげな役人（「青衣の官人」、「猛く恐ろしき大鬼」）によって亡者はそこに連行される。閻魔庁は死後の行く先を判定する役所であるが、地獄行きを免れた者もそこでおのずと地獄の叫喚を聞くこともある。検非違使庁に似た役所の庭に数多くの者が召喚されており、罪の軽重が定められる。縛られて地獄へ行く者たちの泣き叫ぶ声が雷のように響き渡っていた。あるいは、主人公の父親が落ちている地獄、灼熱の銅の柱を抱いて立ち、身には鉄釘三七本が打ち込まれている。また鉄の杖をもって朝昼夜ごとに三百回打ちたたかれている。これなどは例外的に詳しい（巻二〇・16）。地獄の恐ろしさを垣間見るわけだが、地獄に落ちた者が許されて蘇る例はない。例外として、元興寺の著名な学僧智光が、行基菩薩を謗ったかどにより阿鼻地獄を体験した末に蘇ったという話がある（巻十一・2）。ただ、この話の典拠である日本霊異記（中巻第七）に比べれば、地獄描写は大幅に簡略化されている。また、亡者が地獄の苦しみを訴える話があるが（巻十七・27、31）、これらは蘇生譚ではない。巻二〇には不信心者にたいする仏罰として地獄の苦が描かれているが、これは死後のことでなく「現報」である（第三章「仏法毀損への報い」を参照）。

さてこうして、『今昔物語集』蘇生譚の関心は閻魔庁のたたずまいと、そこでの罪の審判にある。いずれも蘇った者の見聞録である。例えば、摂津の国の国人で大いに富み栄える者がいた。仏法からすれば邪道ながら、鬼神への捧げものとして年ごとに牛一頭を生贄として祭りを行い七年が過ぎた。（原田信男『神と肉』、平凡社新書、二〇一四年によれば、動物供儀はわが国でも決して例外とはいえない。）その後の七年間は病に悩まされたが、殺生の罰だと思い定めて月ごとに戒を受け放生に勤めた。そして死んで蘇えり冥途の見聞を語るのである。死ぬと牛頭のもの七人によって髪に綱を付けて連行された。行く手に堅固な楼閣がありそこで審判が始まる。牛頭の七人はこの者こそ我らを殺した敵だ、膾にして食ってやりたいと申し立てた。ところがここに千万の人びとが出現して、牛の犠牲はこの人の罪ではない、鬼神の咎だと弁護に回った。かくて毎日、両陣営は水火のごとくに反論しあって、閻魔王もほとほと判断に困ってしまった。そこで多数決に訴える。「員数の多寡により判断しよう」と。当然、千万の人の方が勝訴した。牛頭の七人は恨みと脅しの捨て台詞を残して去って行った。主人公が私をお助けの皆さんはどなたですかと問えば、何と、年ごろ自分が放生してきた生類である。その恩を忘れずに今返報するのだと千万の人びとは語った。こうして蘇った主人公は、「その後はいよいよ実の心を起こして、鬼神を崇めずして、深く仏法を信じて我が家をば寺となして、仏を安置し奉りて、法を修行しけり」と、蘇生後の仏法供養が短く語られてこの話は終わる。説話の中心は何より閻魔庁で繰り広げられる罪状審判のドラマに絞られている。地獄はもとより、冥途の旅の辛苦の描写に重点はない。

蘇生譚の因果構造

さて、以上を前置きとして、蘇生譚の因果系列を仏法編全体から抽出した結果が図２－４に示されている。蘇生後に主人公が死後の経緯を語るのだから、物語の順序では蘇生という出来事が先行する。ただし、因果系列モデルは主人公の経験の順番を追跡するから、何といっても死去と死出の旅への出立が物語の「出来事」となる。死ねば閻魔庁のお迎えが来て、共に冥土へと赴く。多くは強制的に「将て行く」、つまり拉致・連行である。ＤＢはこれを出来事（拉致・冥土）として記載しており、これらを変数とする因子を「閻魔連行」と名付けた。次いで、閻魔庁での罪状認定の場面になる。能動的に本人が生前の仏道作善を申し立てて、冥土連行のいわれなきことを主張することもある。だが、ほとんどの者は恐慌をきたして（「心惑ひ肝砕けて音を上げて泣く」)、願わくば我を助け給えと嘆願する。すると、そこにどこからともなく容姿端麗な小さき僧が出現して、閻魔王やその役人にたいして主人公の無罪あるいは情状酌量を、訴えてくれる(弁護)。

かくて、死者は僧に導かれ死出の道を逆にたどって、娑婆に帰還する。これら加護者は誰だったのか。「汝、我を知るや否や」と問いかけて、救い主は正体を明かす。何と、地蔵観音の化身なのだった。巻一七の蘇生譚では化身顕現はすべて地蔵小僧であり、主人公の生前の信仰も地蔵である。地蔵信仰が死後冥土での化身による加護救済の理由とされている。他の巻に散在する蘇生譚では、地蔵以外に観音化身が登場する。また先の例では、主人公生前の殺生あるいは作善の相手が化身となって閻魔庁に登場している。DBはこれら化身登場をあわせて「化身仏」と記載している。こうして、出来事「閻魔連行」に続くべき行為は因子「滅罪嘆願」であり、嘆願、化身仏を主な変数とする。(図2‐4、蘇生譚)

以上に見られるとおり、『今昔物語集』の蘇生譚は信心の功徳の称揚である。だから、蘇生した者たちは、以降、ますます信心修行に励むようになったと話が閉じられる。俗人の主人公の場合は仏供養に勤めるとともに、これを機に出家する場合も多い。結末因子を「冥土生還」とし、変数は主として蘇生・供養・出家である。まとめれば、出来事からの因果系列は閻魔連行(拉致・冥土)→滅罪嘆願(嘆願・化身仏)→冥土生還(蘇生・供養・出家)となる。出来事から行為へ、さらに行為から結末へと因果係数はいずれも1に近い。それだけに因果は直線的で決定論的であり、物語の結構は定型的なのである。ただ冥土での罪状審判、死者の弁明嘆願と仏の加護の展開が、説話の物語性を規定しているだけである。

図２－４　蘇生転生譚

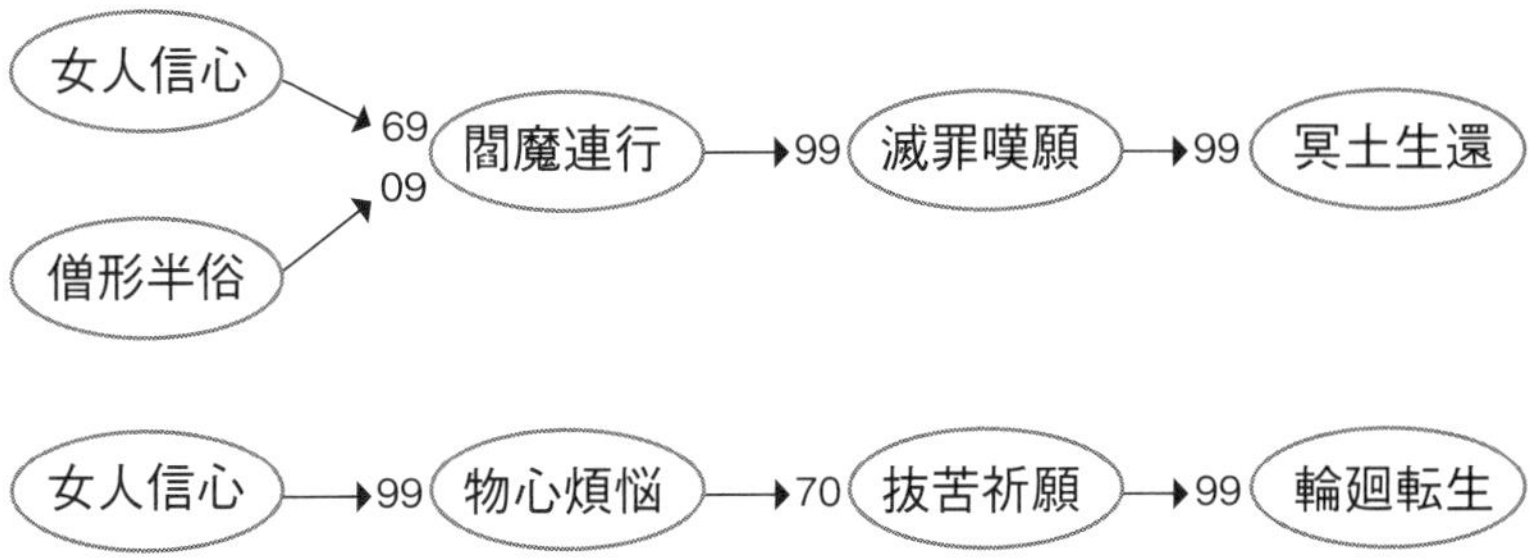

蘇生譚

発　端：女人信心（女10・地蔵40）、僧形半俗（沙弥90・破戒44・地蔵15）

出来事：閻魔連行（拉致97・冥土97）

行　為：滅罪嘆願（嘆願71・化身仏44）

結　末：冥土生還（蘇生100・供養49・出家40）

カイ二乗：232、自由度：50、カイ二乗／自由度：6.65、ＧＦＩ：0.880

転生譚

発　端：女人信心（女19・念仏01・貪欲59）

出来事：物心煩悩（執着92・財物84）

行　為：抜苦祈願（霊依頼97・供養94・霊験49）

結　末：輪廻転生（転生94・天界84）

カイ二乗：275、自由度：31、カイ二乗／自由度：8.90、ＧＦＩ：0.870

では、物語の上でとりわけ誰が、死去してから蘇生するという功徳に恵まれるだろうか。因果モデルの「発端の状態」を見れば、これが地蔵信仰者であることが示されている。仏法編における物語の発端はほとんどが信心の状態であるが、宗旨に即して記載すれば持経（法華経）、観音信仰、地蔵信仰そして念仏に分けられる。ただし、因子としては信仰形態でまとめることはせず、地蔵信仰などの形態は僧職、聖人、沙弥、女性、あるいは貧病者など属人的因子のもとに分類している。したがって、蘇生譚の因果モデルで女性信心から閻魔連行へのパス係数が高いが、これは女性であるとともにその地蔵信仰が冥途往還と相関するからである。ちなみに、蘇生譚（冥土生還）全三六話中で信仰対象は持経3、地蔵6、観音2、般若1と地蔵信仰者が多い。属人的には僧職5、女5、沙弥2、悪行2、富者2といったところである。女性の地蔵信仰者が多いことが目を引く。要するところ、地蔵を信仰する多様な人々が冥土に行き、地蔵の化身のおかげでこの世に生還する。これが典型例である。

悪行の者も生還する

因果系列に沿って、以下、簡単な例を読んでおく。

但馬の前司国挙、地蔵の助けによりて活るを得たること（巻一七・21）

（1）発端：悪業執着（悪行・愛欲）

今は昔、但馬の前司国挙（くにたか）という者がいた。長年、公に仕え私を顧みていたが、俄かに病死した。（後に本人の女色が咎められるので「発端」は悪行・愛欲とした。本話では前置きなしに蘇生後の体験談が語り出される。）

（2）出来事：閻魔連行（拉致・冥途）
死後ただちに閻魔庁に召喚された。見れば罪人が群なす中に一人の容姿端正な小さい僧がいて、文書一巻を携えて西に東に走り廻り、何やら議論弁明している様子だ。あれは地蔵菩薩だと周りの者がいう。

（3）行為：滅罪嘆願（嘆願・化身仏・弁護）
これを聞いて、国挙は地に臥し涙を流して僧に嘆願した。「思いもかけずこの所に召し出されました。願くば、地蔵、大悲の誓をもって、我を助けて赦免する謀りごとをめぐらせ給え」。だが、僧の応対は冷たい。「世間の栄華は夢幻のごとし、罪業の因縁は万劫を重ねた巌というではないか。いわんや、お前は女色に耽って罪根を省みなかったからここに召し出されたのだ。生前、私を敬ったこともない。なんで私がお前を助けねばならないのか」。僧はこう答えてそっぽを向いたままだった。

国挙はいよいよ悔い悲しんで重ねて僧に嘆願する。「哀れとおぼしめし我を助け給え。もし本国に帰れるものなら、財を捨ててひとえに地蔵仏に帰依し奉ります」。僧はようやくこちらを向いてくれて言う。「お前が申すこと実ならば、試みにお前を請い受けてみよう」と、冥官に行き交渉して、ついに国挙を放免してくれた。そう思うほどに、半日を経て蘇ったのだ。

（4）結末：冥土生還（蘇生・出家）
その後、国挙は出家して、大仏師定朝に依頼して等身黄金の地蔵像を作り、また法華経書写、六波羅蜜寺で法会を催した。これに参集した道俗男女は皆涙を流して地蔵菩薩の霊験を称えたのだった。

一般に蘇生譚の話末のコメントは、蘇生して後に主人公がますます信心を深めたと指摘するだけである。ただし、巻一七以外に散在する蘇生譚ではそれが置かれた巻の趣旨に沿って説教が付け加えられている。「然れば、愚かなる人は、遊び戯れに引かれて、罪報を知らずしてかくの如くぞ有りける」(巻一四・29)。これは冥途で法華経書写を約束して蘇りを得たのに、娑婆に戻ってまた遊び戯れた書家の話である。「これを聞かむ人、専に般若経を信敬すべし」(同上・30)。「放生は心有らむ人の専に行ふべきことなり」(巻二〇・15)、「人これを知りて、悪を止めて膳を修すべし」(同上・16)、「人に食を施す功徳量りなし、また、施さざる罪かくの如し」(同上・17)。以上は生前の作善の功徳により蘇る話である。また珍しい話だが、閻魔庁の捕吏を饗応買収して蘇生することがある。その一つ、巻二〇・18のコメントにいう。「これを思ふに、饗を備へて鬼を賄う、これ空しきことに非ず」。さらに、万が一蘇ることがあるから埋葬を急ぐなともいう、「人死にたりといふとも、葬すること急ぐべからず」。

鎮魂と蘇生

死んだとしても火葬を急いではいけない。万が一にも死者が蘇ることがあるのだから。今触れた巻二〇・18は最後にこうコメントしている。古代日本では死後から葬送までの間に殯(もがり)という習慣があった。死とは肉体から霊魂が離れて行くことと観念されていたのだが、それがどの瞬間に起こるかは定めがたい。死んだとされても、魂はまだ死骸に留まったままかもしれない。あるいは、近辺になお浮遊しているかもしれない。この期間、魂の浮遊を防ぐ、あるいは遊離した魂を呼び戻す。これが殯の儀礼であり、縁者たちが死者を囲んで歌舞飲食を催した。殯の期間に遊離した魂を呼び戻すことができたとすれば、それが蘇りである。

『今昔物語集』巻二〇の蘇生譚（15－19話）はすべて日本霊異記を典拠としており、ほとんど同文といっていいものであるが、そこに葬送を急ぐなという死者の言葉が記録されている。「我が死なむ後に、たちまちに葬することなくして、九日置きたれ」（15）、「我が身死にたりといふとも、暫く焼くことなくして七日置きたれ」（17）。他の巻にも、死者（忍勝という）の眷族が「忍勝が身を焼き失はずして、地を点して（占有して）墓を作りて、忍勝を埋み納めて置きつ」という指摘がある（巻一四・30）。これも霊異記からのものである。いずれも殯期間を設けてその間に蘇ったということであろう。日本霊異記の殯説話は奈良朝の話であり、まだ古い習俗が保存されていたのだろう。ただし、死者を囲む歌舞飲食という儀礼がおこなわれたという話は一つもない。仏教と火葬の普及が殯の儀礼を失わせたのである。

それかあらぬか、『今昔物語集』の蘇生譚の本体、巻一七の17－29話（27話の転生譚は除く）になると、死んですぐに冥途の旅となり、殯期間やその儀礼に関する言及はまったく姿を消す。死んですなわち蘇り、すぐに冥途行きの話になるのである。殯の習俗は跡形もないばかりか、身体と霊魂の分離ということすらすでに自明の前提になっている。悪霊が跋扈したこの時期のことを思えば、浮遊した霊魂が荒らぶることを防ぐことが主な鎮魂儀礼になっていたのだろう。

ただし、肉体と魂の分離という点で少しややこしい話が、同じく日本霊異記から採録されている（巻二〇・18）。讃岐の山田郡の女（A女とする）が病気になり、閻魔王の使いの鬼がお迎えに来た。鬼はA宅で馳走に与ってからA女を捕えて連行する。（この段階でA女とはすでにその魂である)。「汝と同姓同名の女はいるか」と鬼が問う。鵜足郡の女(B女とする)が同姓同名だとA女(の魂)が答えるや、鬼はA女(の魂)をBの家に連れて行きその場で、B女を殺す。鬼はB女(の魂)を閻魔庁に連行し、A女は許されて(蘇生して)自宅に戻る。

さて、閻魔王は鬼の悪事をたちまち見抜いて、しばらくB女(の魂)をここに留めたうえで、A女を改めて連行して来させた。(この時点でA女は再度死んで魂となる)。閻魔王はB女(の魂)を自宅に戻すよう命令。しかるにあれから三日、B女の身は既に火葬されていた。「女の魂、身(むくろ)なくして、返り入ること能はず」という事態となったのだ。B女(の魂)は閻魔王に戻り訴える、「我、反へされたりといへども、身失いて寄り付く所なし」と。そこで、閻魔王はA女の身(死体)がまだ存在することを確かめたうえで、B女(の魂)をA女の身に戻すよう命令した。「これによりて、鵜足郡の女(B女)の魂、山田郡の女(A女)の身に入りぬ」、すなわちB女はA女として蘇った。

以上の紹介でわざわざA女(の魂)などと註を入れたが、本文には(『今昔物語集』でも日本霊異記でも)たんに山田郡の女、鵜足郡の女とあるだけである。冥途を彷徨うのは身体から抜け出したその人の霊魂なのであり、しかも魂の振る舞いはその人自身のこととして語られる。かつては自明だったこんなことが、いま読めば少々こんがらがる点が面白い。

物語(4)

予言通りに早逝した僧、蘇生して長生きする

(1)今は昔、東大寺に蔵満という名の僧がいた。義蔵律師という人の弟子である。その蔵満

がちょっとした用件で京に上る途上で、思いがけず登昭という相人（占い人）に出会った。蔵満は喜んで問うた。お前さまに会えてもっけの幸い、私の身の上の良しあしを占っていただきたいと。登昭が答える。君は立派な学僧になるだろう。だが、命は短く四〇歳を越せないだろう。ともかくも命長らえるために至心に菩提心を起こしなさい。私が占えるのそこまでだ。そう言って、相人は去って行った。蔵満はこれを聞いて後、大いに嘆き悲しんでたちまちに本寺を出奔した。そして長いあいだ笠置山の岩谷に籠って、菩提心を起こし苦行を修した。日に六度の勤行、また一心に念仏を唱え、常に持斎して日ごと払暁に地蔵菩薩の名号を百八回唱える。これを毎日の課題として怠ることがなかった。

（2）このように苦行の毎日であったが、歳三十になった四月に、年来の中風が悪化して魂は身を離れ、蔵満は俄かに死んだ。（以下、蘇生後の蔵満の語り）蔵満が死ぬや、青い衣の官人三人がやってきて喧嘩腰で蔵満を捕縛した。蔵満は大声で抗議する。「我はほかならぬ浄行の行者だ。三業六情、犯すところは少しもない。思っても見よ。昔唐の雄俊は極悪非道の者であったが、命終わる時、念仏の力によって地獄の猛火もたちまちに涼風に変じたというではないか。すなわち仏の来迎に預かって極楽往生を得た。比べても見よ。我は日ごろ念仏を唱え地蔵菩薩の（衆生を救わんとする）誓願を頼みとしてきた者だ。この修行が空しかったとでもいうのか。我がこの願いがかなわないのだとしたら、三世の諸仏ならびに地蔵菩薩の大悲の誓願も役立たずということになるではないか」。捕吏が蔵満を叱責する。「お前の大演説にはさしたる証拠もない」。蔵満が反論する。「諸仏菩薩の誓願はもとより虚妄にあらず。とはいえだ。もし我が主張がかなわぬとするならば、諸仏菩薩の真実不虚のお言葉もみんな虚妄の戯言だということになってしまう」。
（3）その時である。一人の子供の僧が現れ給うた。容姿端正美麗で光を放っている。同じく他に五六人の小僧、加えて三十人余の小僧が左右に列をなしている。まさしく厳かな臨場、皆合掌していらっしゃる。捕吏たちはこれを見てたちまちに態度を変えた。「この僧は実に大善根の人だったのだ。かくの如くに南方から菩薩聖衆が来臨し給うとは。今すぐこの僧を放免しよう」。諸菩薩に合掌礼拝して、捕吏たちは逃げ去った。
　菩薩たちの上座の僧が蔵満に語りかける。「私が誰かわかるか。私こそ汝が毎日払暁に念じていた地蔵菩薩である。大悲の誓願により汝を守ることは、大切な眼を守るのと同じこと。流転転生の因縁によって汝はいまここに召されたのである。速やかに娑婆世界に帰れ。そこで生死輪廻の世界を捨てて往生極楽の望みを遂げるがよい。ゆめゆめここには再び来てはならない」。地蔵菩薩がかく語り給うと思った瞬間に、蔵満は蘇った。死んでから一日一夜がたっていた。
（4）その後、蔵満はいよいよ堅固に道心を起こして怠ることがなかった。そして齢九十二に達した。身に病なく足取りも確か。かねて命終の時を知り、念仏を唱え地蔵菩薩を念じ、西に向かい端坐合唱して入滅した。「これ偏に地蔵菩薩の助けなり」と知って、聞く人々は涙を流して貴んだという。
（巻一七・17　東大寺の蔵満、地蔵の助けによりて活るを得たること）

二　悪道からの転生

因果応報からの救済

輪廻転生はインドで生まれて仏教の中心教義になった思想である。人間は前世において、六道すなわち地獄、餓鬼、畜生、修羅、人、天のどれかにあったのであり、その前世の報いが本人の現在を規定している。あるいは、現世の功罪が人の後世の道を決定する。あるいはまた、現に三悪道（地獄、餓鬼そして畜生）のうちに苦しむ者がいる。

とりわけ、現に三悪道にある者たちは自分が悪道に堕ちた（前世の）因縁を知りたい。その上で悪因を懺悔して苦を抜き、人あるいは天へ生まれ変わることを請い願う。その一端が転生譚として語られる。『今昔物語集』には巻一三・42から巻一四・の8までの一二話に転生譚が集められている（他の巻の二話を加えて全一四話）。これらは極めて定型的な物語であり、そこから一つの因果系列を浮き上がらせている。典型的な仏教的因果応報譚だ。（図2‐4、転生譚）

『今昔物語集』の転生譚の主人公は、すでに死んで三悪道に堕ちている亡者たちである。この者たちが死後に悪道に堕ちた原因を語り、その救済を現世の人間に要請する。それゆえ、語りの順序としてはまずは亡者の登場が先行する。登場して過去の因果を語りだす。けれども、主人公の因果の時間順序はまずは生前の悪因悪果が先行する。そこで因果モデルでは語りの順序を一部変更して、出来事は主人公が悪道に堕ちた経緯とした。ここで悪道とは専ら畜道であり、畜道は主に蛇の身を受けていることである（全部で七話）。他に猿や狐がある。有名な立山地獄に亡者が現れて我が身を嘆く話が二話これに加わる。

ではいかなる因果により、彼らは悪道に落ちたのか。ここでは、物心両面で些細なことに執着した煩悩のせいだとされている。たとえば、六波羅蜜寺のやんごとなき僧はただ一点、房の脇に植えた橘の木に愛執したがために小さな蛇の身に堕ちる。あるいは、風流を愛した娘が庭の桜に愛着して同じく蛇になる。銭への執着や愛欲の煩悩も蛇道につながる。愛欲といえば、有名な道上寺の物語も巻一四の転生譚の一つとして並んでいる。愛欲に身を焦がした女が相手の若い僧を道づれに焼身して果てた。二人ともども大いなる蛇となった。

さてこうして、物語を始動させる出来事は因子:物心煩悩であり、その変数は主として執着・財物・男女となる。「物心煩悩」は他のタイプの物語および世俗編でも共通の出来事因子として用いられるが、転生譚では他と違う内容を加えた。つまり、たんに執着心だけでなくこの結果今生に畜道に堕ちている(執着→死去→悪道転生)という事実までを、出来事に含めておく。そして、主人公に執着の罪を犯させる発端の状態としては、『今昔物語集』によればまずは女の愛執であり、次いで殺生などの悪行である。前者は一般に「女人信心」因子に含まれるが、ここでは変数「貪欲」の比重が圧倒的だ。後者は因子「悪行強欲」を構成するが、変数は殺生と貪欲である。以上、発端の状態と出来事の関係をまとめれば、女人信心(念仏・貪欲)、および悪行強欲(殺生・貪欲)→物心煩悩(執着・財物・男女)となる。ただし、モデル計算では因子「悪行強欲」と変数「男女」は消えている。

法華供養の霊験

しかし、主人公が現に悪道に堕ちていること、その原因となった罪障が何であるか――、そもそもこれがどうして縁者や公衆の知る所になりうるのか。悪道を生きる主人公はすでに亡者なのだから、その必死の訴えも現実の人間関係を通じてこの世に届くわけはないのである。断るまでもなく、『今昔物語集』の常套手段である夢告であり、また故人の霊が人に憑依してこれを語るのである。立山地獄など霊所に女亡者が姿（あるいは声だけ）を現して生者に訴えることもあるが、稀である。夢告の例を上げれば、道成寺物語では男が焼死した寺の老僧の夢に登場して訴える―、「我はこれ、鐘の中に籠め置かれし僧なり。悪しき女、毒蛇となりて遂にその毒蛇のために領ぜられて、我、その夫となれり。拙く穢き身を受けて苦を受けること量りなし。今この苦を抜かむと思うに、我が力さらに及ばず。願くば……」。女の愛執の焔に焼かれて、死後は二人して蛇の夫婦にさせられた。その苦を抜いてほしいと嘆願したのである。夢告以外に、死者が近親者に憑依して畜道の身を嘆き、同じく畜道からの転生の手立てを懇願することもある。これが行為変数の「霊依頼」である。そして、霊が依頼する救済の手立てとは専ら生者による法華経の供養である。法華経の霊験を期待してのことであるのはいうまでもない。

物語によれば、亡者のための法華経供養は確かに霊験を発揮した。霊験とは畜道に堕ちた主人公が天界や浄土に転生することである。転生という善果もまた夢告により生者に伝えられるのはいうまでもない。転生先は兜率天と忉利天がそれぞれ三話、他に浄土と人界である（転生でなく抜苦に止まる話が一例）。因果系列図2－4（下）ではこれを輪廻転生（転生・天界）としている。本来、これらの物語は法華霊験譚に属するものではあるが、畜道に苦しむ主人公から見てこれも後世の救済（抜苦滅罪）であるから、ここに独立した系列として抽出した。

庭の橘を愛したばかりに

以上の因果系列に沿って、次の例を読んでみる。

六波羅の僧講仙、法華経を説くを聞きて益を得たること（巻一三・42）

（1）発端：修行修学（仏道・兼学）

六波羅蜜寺の僧・講仙はこの寺の読師を務めていたが、年老いて死んだ。臨終に心乱れることもなかったのだから、きっと極楽往生したのだと皆が思っていた。ところが時を経て、講仙の霊が人に憑いて語り出した。

（2）出来事：物心煩悩（執着・財物）

私は房の前に植えた橘の木を朝夕何くれとなく世話して、常に見守りこれを愛していた。小さな罪とはいえども、この愛執の過によっていま小さな蛇の身を受けて、かの橘の下に住んでいる。

（3）行為：抜苦祈願（霊依頼・法華供養・霊験）

そこで、願くば我が為に法華経を書写供養して、この苦を抜き善所に生まれるようにしてはくれまいか。これを聞いて寺の僧たちが橘の木のもとに行って見れば、事実、三尺ばかりの小さな蛇が木の根に絡まっている。僧たちは嘆き悲しんで、力を合せ法華経を書写供養した。すると夢に講仙が現れて、「汝等が知識の善根の力によりてたちまち蛇道を離れ、浄土に生まるることをえたり」と告げたのだった。

（4）結末：輪廻救済（転生・浄土）

実際、橘の下を見に行けば、かの蛇は死んでいた。僧たちは泣き悲しんで、法華経の霊験を貴ぶこと限りなしであった。「これを思ふに、由なきことによりて愛執を起こす、かくぞありけるとなむ語り傳へたるとや」。

亡者と生者との感応

この例にもある通り、死者の霊の訴えは例外なく法華経供養の要請であり、近親者がこれに応える。すると、法華経は必ず霊験を示して下さる。ここに見られるのは滅罪のための亡者と生者との応答協働にほかならない。だからこの手の物語の主人公には副主人公（たち）が欠かせない。どんなに些事でも煩悩に執着すれば邪道に堕ちると、説話は聴衆を脅迫して終わる。だが、前提として、滅罪をめぐる死霊との交感が信じられていたことが見過ごせない。先に触れた五来重が書いている通りであろう。

日本人は現世の不幸や災害を罪業の結果とするばかりでなく、死後の世界の苦痛も罪業の応報とする罪業観をもっており、罪業を滅すれば二世の苦を免れて善所に生ずると信じた。善所とはかならずしも観経に説かれた極楽とはしなかったのであり、浄化された霊が山の霊場や霊苑に送られ、ここを浄土として鎮まることを願ったのである。そうすれば生者（子孫）の欲するときには肉親の霊に会うことができるばかりでなく、生者（子孫）に不幸や困難があれば助けに来てくれるとおもったのである（前掲書、一二五頁）。

ここで、輪廻転生の因果系列を蘇生譚のそれと比べてみれば、一見するところ両者は同じ構造をしている（図２‐４）。死後、一方は冥途に連行され他方では畜道に堕ちる。罪業の応報としての死後の世界の恐怖と苦痛であり、苦痛が物語を始動させる出来事となる。そして、亡者たちは地蔵菩薩に嘆願し、あるいは法華供養を生者に懇願する。その仏果が蘇生あるいは転生である。けれども、蘇生と転生はその起源が違う。すでにみたように、蘇生譚は死により肉体から浮遊した霊魂が身に戻って、冥途での魂の経験を語る。古くからの日本の習俗の系譜に連なるものであろう。これにたいして、転生譚では人は死後に文字通り畜生として生まれ直す、あるいは地獄に堕ちる。魂の遍歴などではないのだ。法華経供養は滅罪の功徳により畜生や地獄の亡者を、もう一度人あるいは天の存在へと生まれ変わらせる。これが転生である。生まれ変われないとしても、少なくとも抜苦の仏果に与ることができる。日本の霊魂論などに比べて、インド由来の思想は強烈である。

ただし、かかる物語として、蘇生譚も転生譚も多くは骨格丸出しの定型であり、長さも短い。因果がそれぞれ単純かつ明確なのである。しかしその中には、蘇生譚で例示した多数決による功罪の審判劇などに話の工夫が見られる。転生譚でも、道成寺物語ではその前史として極めてドラマ的な愛欲劇が展開されるのは周知の通りだ。転生の物語のなかにも、生前の敵どうしが怨執のゆえに蛇と鼠に堕ち、しかもなお隙あらばと互いを付け狙い続けるというひねった話がある（巻一四・２）。次の物語（５）を読んで、道成寺物語と同様の愛欲と転生の筋書きを追っておこう。他の転生譚と違って、女が畜道にある原因は伏せられている。ただ、幻のごとくに立ち現れた女は、結ばれた男に転生の願いを託した。以下、（タイトルに反して）この物語の主人公を女とし、男女の仲を通じた法華経供養による転生譚として読んでいく。何よりも、男と女の会話がいい。この物語のDBは発端（女・狐）↓出来事（執着・男女）↓行為（霊依頼・法華経供養・滅罪）↓結末（転生・天界）である。

物語（5）

朱雀門で会った男に輪廻救済を託した女

（1）今は昔、年若くハンサムな男がいた。侍ほどの身分の者だから、どこの誰とも不明である。いずれの所から来たのか、この男が二条大路からを朱雀門にさしかかると、門前に女が立っているのに気がついた。年は十八九ばかりで容姿端麗、きれいな衣を重ね着している。男は通り過ぎがたく、女に近づいて門内に連れ込んで縷々かき口説いた。

（2）男、「宿世しかるべくして今日あなたに会えたのです。あなたもそう思うでしょう。だからどうか私の言うことに従ってほしい。一時の浮気心で思うようなことではないのです」。女の答え、「そうでしたら嫌とは申しません。あなたの言うことに従うべきだと思います。でも、もしその通りにしたら、私はきっと命を失うのです」。男は訳が分からず断る口実だろうくらいに思って、強いてこの女を抱こうとした。「あなたは家も妻子もあり、世に認められた御身分のはず。これは行きずりの戯れごとでしょう。けど私は、一時の戯れの代わりに永遠に命を失う、それが悲しいのです」と、女はなおも諍ったがついに折れた。

（3）そうこうしているうちに日も暮れて、男は近所の小屋を借りて女を連れ込んだ。二人は交合し、夜もすがら契りを交わした。夜明けとともに「もう帰るわ」と女が言う。「間違いなくあなたに代わって私は命を失います。その時には、私のために法華経を書写供養して後世を弔って下さいね」。男が返す。男女の交わりは世の常の習いではないか、その度に死んでしまうなどあろうはずもない。とはいえ、男は約束した。もしもお前が死んでしまったら必ず供養を果たそう。女は言う。私が死んだかどうか確かめるには、明朝に武徳殿に行って見て下さい。その時の証拠にと、女は男の持つ扇を取って、泣く泣く別れて行った。男の方は半信半疑のまま、家に帰った。

さて翌日、女の言ったことはもしかしたら本当かも知れない。男はそう思って武徳殿に行き探し回った。するとそこに白髪の嫗が出てきて、男の前で泣き続ける。誰がどうしたとてそんなに泣くのか。嫗が答えた。私は貴方様が昨夜お会いになった女の母です。その人はすでに亡くなっています。お伝えしようとお待ちしておりました。死体はあそこです。こう指さし教えて嫗はかき消すようにいなくなった。さてはと、男がその場所に近づいて見れば、殿の内に一頭の若い狐が扇で顔を覆って死んでいた。扇は男のものである。何と、昨夜の女は狐だったのだ。さては畜生と通じたのだったかと、男は初めて気が付いた。奇しくも哀れなことと思いながら男は家に帰った。

(4) 男はその日から始めて七日毎に法華経一部を書写供養して、かの女の後世を弔った。それがまだ四十九日に達する前に、男の夢に女が現れた。天女ならばかくもというべき装いで身を飾り、同じような女性たちが幾千となくかの女を囲んでいた。女が男に告げる。「あなたが法華経を供養して救ってくださいました。今後永遠に罪を滅して、今忉利天に生まれました。このご恩は量りがたく、いく世までも忘れはいたしません」。女はそう告げて天に昇って行った。空には妙なる楽音が満ちていた。夢覚めて後、男はいよいよ信を起こして法華経を供養し奉った。

男の心遣い、めったにできることではない。たとえ女の遺言があったとしても、約束通り懇ろに後世を弔うなどなかなかにできないことだ。きっと、二人は前世で信を共にした仲だったのだ。この話は男が語り、語り継がれてきたということである。

（巻一四・5　野干の死にたるを救わむがために法華経を供養せる人のこと）

第九章　発願して寺を建て法会を興す

三朝仏教史としての説話群

『今昔物語集』は仏法の誕生と弘通の歴史をインドから中国、さらには日本へと、極めて体系的に編纂したものといわれている。なるほど本朝仏法編でも、聖徳太子を開祖として貴族高僧から国民へと仏法が広がっていく道筋を示すべく、意図的に説話が採集・分類・編纂されているように見える。とりわけ、本朝編開巻の巻十一から一二にかけては、聖徳太子を筆頭に行基、最澄や空海から始めてその後の高僧伝、そして今に続く高名な諸寺諸仏と法会の縁起が並べられる。インドでは釈尊とその弟子たち、中国では仏法伝来時の高僧伝が並ぶのに対応している。当然、時代も奈良時代から平安の初めがほとんどである。そしてこれに続いて、巻一二から仏法とりわけ法華経の信心が広く霊験を顕現する物語が展開する。以上は、開祖たちの弘法の発願成就とその後の仏法霊験の顕現を示すことを意図しているだろう。これに続く巻一五以降も、利益利生や往生譚など、それぞれ同じ主題の仏法説話がまとめて編纂されている。日本霊異記の説話のほとんどが『今昔物語集』仏法編に採録されているが、前者の寄せ集めと後者の分類とは好対照をなしている。

さて、こうしたわけで、仏法編データベース（DB）全体から抽出される因子構造は、『今昔物語集』の編集意図と分類とにほぼ対応する。本朝編開巻の巻十一から一四に編集分類された説話群も、主として二つの物語類型つまり弘法譚と霊験譚の因果系列に対応する。本章ではこのうち最初の弘法譚の因果を見よう。

仏法相伝と弘法

ここで弘法譚とは仏道にある者、あるいは俗界にあっても信心厚い者たちが、仏法弘法やそのための造寺造仏あるいは法会を思い立ち、この発願が達成されるまでの物語である。物語の結末が因子発願成就になるが、因果モデル図2‐5では、発願成就の結末に至る物語を二つの系列に分けている。一つはわが国で有力宗派の開祖となる人物の歩みである。この系統の結末因子は「弘法成就」として他方の「発願成就」と区別して扱う。たとえば、比叡山天台宗の開祖、傳教大師最澄、続いて慈覚大師円仁と智証大師円珍の事績が述べられる。いずれも「唐に渡って」天台宗と顕密の法を「傳へて帰り来れること」というタイトルが付いている。この系列は統計モデルの例示としてすでに第Ⅰ部第四章の図1‐2に示した（ただし「弘法成就」を「発願成就」と表記）。ここでは、仏法を受け習うべく唐に渡る求法の旅が主人公の発端の状態である。そこでしかるべき師に付いて学び、めでたく師資相承することができた。これが出来事としての因子「仏法相伝」（変数：伝授・仏法）である。この出来事が帰朝と本国における布教への行為を促すことになり、物語が始動する。何といっても、本朝の衆生を教化するためにこそ、困難をものともせずに渡航し修学修行したのだからだ。

帰朝の旅も本土での弘法もまた、さまざまの困難を乗り越える行為遂行であるほかない。五度の難破に会いながらついに渡来を果たした鑑真の物語がある（巻十一・8）。また、帰途に纐纈城に囚われの身となった円仁が辛くも脱出帰国する冒険譚もある（同11）。帰朝してから

図２－５　弘法譚

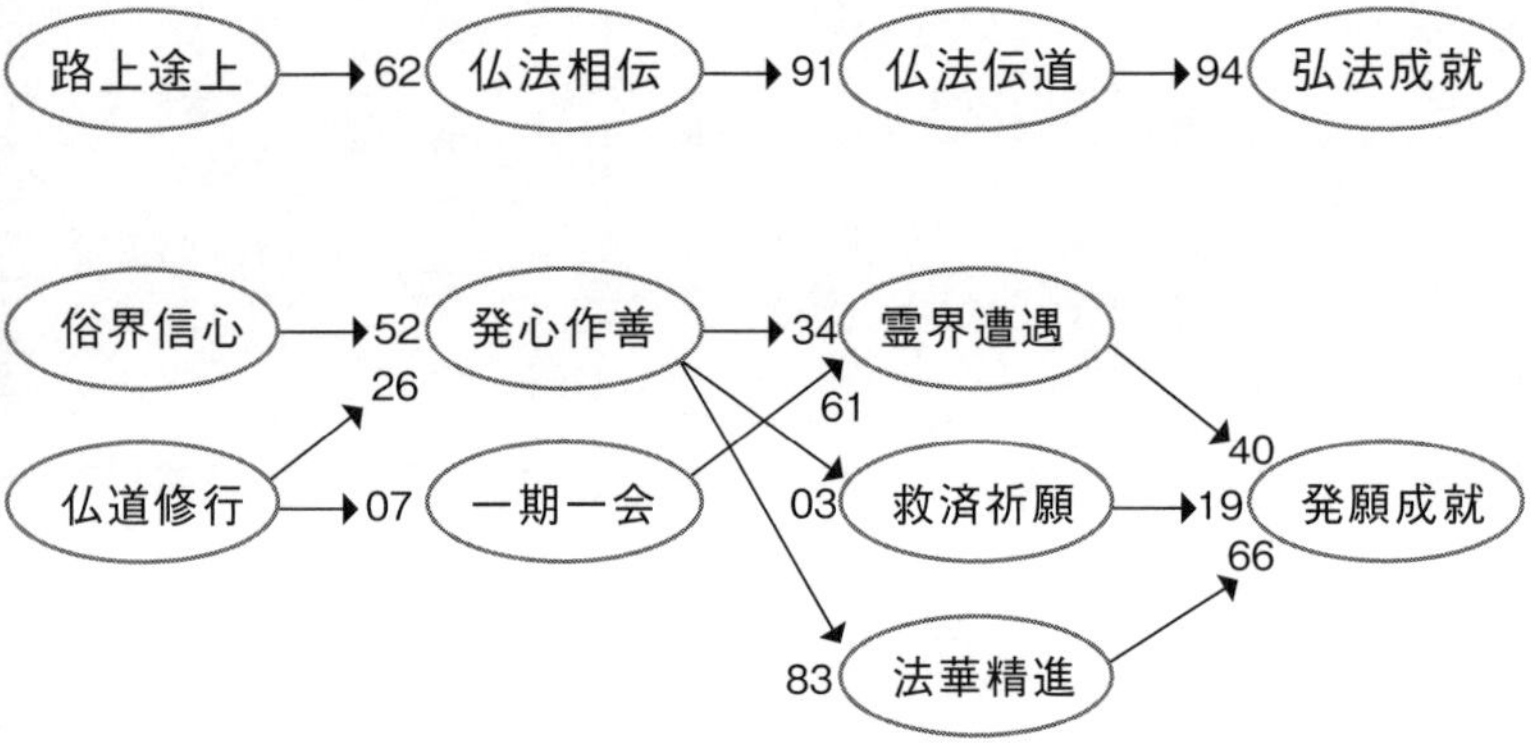

弘法成就

発　端：路上途上（旅移動75・外国92・地方59）

出来事：仏法相伝（伝授95・仏法54）

行　為：仏法伝道（帰朝85・弘法87・霊験43）

結　末：弘法成就（達成42・開祖99）

カイ二乗：366、自由度：31、カイ二乗／自由度：11.8、ＧＦＩ：0.871

発願成就

発　端：俗界信心（同信66・政治75）、仏法修学（仏道69・持経31・学問39）

出来事：発心作善（発願80・造寺仏64・法会43）、一期一会（出会62・霊異93）

行　為：霊界遭遇（発見56・霊地61・礼拝30）、

　　　　救済祈願（祈願91・化身仏28・仏神26）、法華精進（読誦14・礼拝17）

結　末：発願成就（達成80・造寺仏77・法会49）

カイ二乗：742、自由度：176、カイ二乗／自由度：4.21、ＧＦＩ：0.845、ｂ：祈願0.9

の困難は、聖徳太子と物部守屋との対立を見ても明らかなことだったろう。こうした困難を乗り越えて、弘法の過程で数々の霊験を示して評判を上げていった。帰朝後のこの活躍が求法の初志を貫徹する「行為」の内容をなす。因子「仏法伝道」（帰朝・弘法・霊験）である。かくして、最澄について次のような結語が示すような、発願成就の結末に至るのである。「その後、この流れ所々にありて、また、国々にもこの宗を学びて、天台宗いまに盛んなり」（巻十一・10）。

最澄は桓武天皇の御代に近江に生まれ、十二歳にして頭を剃って法師となった。そして、延暦二三年に唐に渡り（旅移動・外国）、天台山に登って道邃和尚から天台の法文を習い傳えた。順暁和尚からは顕密の法を習い受けた（伝授・仏法）。こうして帰国し、渡航時に祈願した宇佐の宮に報告する。「我、思ひの如く唐に渡り、天台の法文を習ひ傳へて帰り来れり」。これからは比叡山を建立して多くの僧徒を集め、唯一無二の一乗宗を立て、有情非情を皆成仏させたいと祈願した。宇佐の宮はこれに答えて霊験を示した。春日社にも祈願したが、その時に紫の雲が峰から下って最澄を覆う奇瑞が現れた。「しかる間、願ひのごとく、この朝に天台宗を渡して弘め置きけり（以上、帰朝・弘法・霊験）。

要するところ、唐に渡り仏法の伝授をうけて帰朝し、今日の仏道興隆の開祖となった高僧たちの事績とエピソードが、「弘法成就」因果の背景をなす。わが国の高名な仏弟子の列伝であり、インドや中国のそれに対応している。説話の長さも概して長く、エピソードが寄せ集められているが、ＤＢではそこから単純に弘法成就という筋書きを選んでいる。因果のこの系列は従って直線的かつ定型的になる。たとえば円仁の法難、かの地の纐纈城での冒険物語などはＤＢからは漏れることになる。聖徳太子伝でも、有名な物部守屋との宗教戦争はＤＢでは省かれている。（このエピソードは単独で巻十一・21に再録されており、そこでは闘いの勝利による四天王寺の建立という物語である）。それというのも、高僧列伝はなかなかひとつの説話作品として自立しにくい。伝説がどうしても優越してしまうからだ。説話を作品にまで押し上げた当時の心性を汲み取るには適さない。この事実はまた説話と聖者伝説との物語構造の違いをも浮き彫りにするものである。

寺社縁起の成り立ち

発願成就への第二の系列（図2-5、下）は寺社と法会の縁起である。依然として王族貴族と高僧が主人公をほぼ独占する。大安寺の変遷など、高僧伝に対応した寺伝のエピソード集になっている。同様に、作品として自立しえている話は少ない。しかしこの系列の一部では、文字どおり造寺造仏あるいは法会挙行の発願から物語が始まる。発願しても、しかし、主人公の様々なパフォーマンスを媒介しなければ願いは成就しない。これが物語になる。たとえば、天智天皇が（道心を起こして）大津の宮で寺を建てようと願い（発願・造寺仏）、霊地を示し給えと願った。すると夢告がありここから戌亥の方角を探索せよという。夢覚めて見ればその方角に光がある。自ら尋ね当てれば山奥に洞があり、気難しくも気高い老人がいたが、「さざ波や長柄（ながら）の山に」などとうそぶくとぷいと姿を消してしまった。ここぞやんごとなき霊地だ、寺をここに建てようと天皇は決断した（発見・霊地・結縁）。かくて翌年、寺を建て弥勒の像を安置した。天皇は燈明を灯したご自分の右の無名指（薬指）を付け根から切り落として、弥勒に捧げる志をお示しになった（願成就・造寺仏）。しかし、後の時代に別当がこの指を粗略に扱ったために、寺は廃れてしまった（巻十一・29）。このような物語が図２－５の因果系列、俗界信心→発心作善→霊界遭遇→発願成就に属する。

他方、山で地神や化仏と遭遇して（出会・霊異）、その導きで霊地を発見して寺を建てるというバリエーションもある。因果系列図２－５では出来事「発心作善」（発願）に代えて「一期一会」（出会い）への分岐を抽出している。出来事「一期一会」は発願成就以外でも物語を始動させる契機になっているから、同法（同輩）や女との出会いが含まれる。その内、本願成就の因果系列では出会いは「霊異」、すなわち霊的で奇異な現象である。たとえば、全国の霊験所をめぐり歩く修行僧が大和の国に至り、西の山の上に五色の雲が棚引くのを見た。探し当てれば落ち葉の下に多聞天がましました。霊異との出会いである。これが信貴山の縁起となる（同36話）。

寺仏建立の発願は当然その成就を祈願する（救済祈願）行為を伴う。化身仏や仏神への祈願であり、この因子は発願成就の因果系列以外の物語と共通である（例えば救命救難物語）。ここで仏神とは観音や地蔵と特定する以外の仏であり（釈迦や阿弥陀や、たんに仏）、化身仏は仏の変化に向かって主人公が祈願することを示す。たとえば、桓武天皇が東大寺の盧舎那仏を建立したとき、仏を鍍金する金に不足が生じた。そこで、僧良弁に命じて祈願させた。ここからが良弁が主人公となるのだが、祈願により夢告があり、いまの石山寺の地の岩山に如意輪観音像を据えてお願いせよという。かの岩山は昔釣り人の翁がいたところという。夢告に従って良弁が仏を供養し金のことを祈願した。するといくばくもなく、陸奥の国から産金の便りが届いた。かくて、東大寺大仏の荘厳が滞りなく行われた。かの釣りの翁とは化人だったのだ（13話）。

寺社法会縁起の物語類型

以上をまとめれば、造寺造仏あるいは法会開催の発願が成就する物語の系列は三つある。

1．仏道修学にある主人公の造寺仏の発願に始まり、その祈願に仏神あるいは化身仏が応えて加護の手を差し伸べて下さる。その結果今に残る大寺や仏像が建立された。これが図2－5で次の系列として示されている。発心作善（発願・造寺仏・法会）→救済祈願（祈願・仏神・化身仏）→発願成就（達成・造寺仏・法会）である。

2．同じく仏道にある主人公がたまたま、あるいは発心祈願の功徳として、霊的現象に遭遇する。その源を訪ねればまさしく造寺仏にふさわしい霊地を発見する。一期一会（出会・霊異）→霊界遭遇（発見・霊地・礼拝）→発願成就である。

3．俗界にあってしかも道心ある者たちが、様々な難事に直面して造寺仏を発願する。天智天皇の御子が鹿を追って、騎馬のまま崖からあわや転落の危難に会う。下は目もくらむばかりの谷底である。皇子は我が命を助け給うならばこの巌に弥勒像を刻むことを山神に誓願した。祈願の験があり、皇子は目印に自分の笠を置いて下山した。その後、天神の加護もあり弥勒の像が鮮やかに彫像された。笠置寺の縁起である(同30話)。これなどは利益利生の物語(救命救難譚)の構造であるが、危難に遭遇してどの仏に祈願したのかが明示されていない。寺社縁起に物語の主眼がある。

霊界遭遇と救済祈願の他に、主人公の行為としてもうひとつ、法華精進が図2－5の因果系列には示されているが、これは次節に述べよう。

法会を開始し荘厳する

さて、以上の系列には法会の縁起が含まれる。道心の具現として法会を発願する。たとえば、天智天皇が薬師寺を建立されて仏法興隆の世となった。時に、王族の中納言直世王は天皇に奏して、年ごとに七日間、最勝王経を講じる法会を始めた（発願・法会）。当日は維摩会・御斉会にならって講師を招き、諸寺諸宗の学者に講経・論議させた。朝廷は勅使を派遣して、講師・聴衆に布施を怠らなかった。最勝王経を講じるとは国を護り皇室の安寧を願うことである。法会は荘厳を極めた（読誦・護国・荘厳）。ここで読誦という変数は法華経に限定せずに用いている。この意味で因子は「法華精進」で代表させている。こうして、維摩・御斉に最勝会を加えて日本国の三会が始められた。発願成就（達成・法会）である。三会で講師を勤めれば、その僧は已講と呼ばれ僧綱に列するのである（巻一二・5）。

法会縁起のごく短いものを以下に読んでおく。

薬師寺にして万燈会を行へること（巻一二・8）

今は昔、薬師寺の万燈会は、その寺の僧恵達が始め行いたるなり。昼は本願薬師経を講じて一日の法会を行ふ。寺の僧、法服を調へて皆色衆（役僧）たり、音楽を宗として歌舞ひまなし。夜は万燈を掲げて様々に飾れり。これ、皆、寺僧の営み、檀越の奉加（寄進）なり。三月の二三日を定めて、その会いまに絶へず。この朝の万燈会、これに始まれり。かの恵達、後には僧都に成れり。生きたる時にはこの会を自ら行ふ、死する時に臨みて寺の衆に付けたり。彼の恵達僧都をば寺の西の山に葬せり。この万燈会を行う夜はその墓に必ず光有り。

これを思ふに、極めて哀れに貴きことになむある。心有らむ人は必ず結縁すべき会なりとなむ語り傳へたるとや。

この説話はとても短いエピソードだから、因果の時間的展開となってはいない。内容上強いて区分けすれば、仏道修学→発心作善→法華精進→発願成就にこれも属するだろう。

以上、発願成就の物語の舞台は、天智天皇の時代から奈良朝にかけてである。鎮護国家の仏教が律令制のもとに位置付けられ、聖武天皇の時代あたりから「仏法盛んなり」といわれる機運となった。『今昔物語集』の時代にすでに令名高い寺社(八幡宮を含む)とその法会について、縁起譚が定着する。縁起とは因縁の物語である。これら物語の因果が、発願・出会から発見・祈願・読誦の行為を経て結願に至る系列として抽出される。

発心発願に狂奔した人びと

『今昔物語集』の寺社・法会の縁起に続いて、時代は平安から中世へ移る。時代の宗教パラノイアは、むろん庶民だけでなく朝廷から貴族社会までを巻き込んでいる。律令制が崩れていく時代に、むしろこれら「上からの」宗教イデオロギーが国家による新たな民衆支配の手立てとなった。そう評価する研究者もいる。時代が中世へと傾れていくころ、道長の摂関期から白河上皇の院政期にかけて(すなわち、『今昔物語集』の作者が生きた時代)、たしかに宮廷祭祀と法会が再興されて隆盛を極めていく。神祇についていえば、伊勢神宮、石清水社や賀茂社を始め、全国二一社への朝廷による奉幣が確立する。石清水や賀茂社への臨時祭と行幸が行われる。かつての律令国家による護国仏教の全国統制が崩れて、反面で、仏教は民衆末端にまで浸透してまさに渾沌といった状況を呈している。対応して、宮中では独自の宗教行事が整えられていく。季御読経、最勝講さらに仁王講といった法会が盛大にとり行われる。これにともない高僧たちが国家的序列（座主別当と僧綱）に組織された。道長の法成寺の建立など、狂ったような造寺と造塔の流行が始まる。道長と天皇の間を文字通り奔走した藤原行成（蔵人の頭にして弁官）の詳細な日記『権記』を見ると、神事仏事のそれこそ切れ目のない頻度に驚かされる。そして、天地垂迹思想がこれら神祇と仏教の諸行事を矛盾もなく共存させた。京大和だけのことではない。地方一宮とその御願寺の整備が、神仏習合を地方へと浸透させていった。

発願成就の物語に関連して、宮廷祭祀の一例を次の短い話に見ておく。

法成寺の薬師堂にて例時を始めし日、瑞相現じたること（巻一二・23）

今は昔、入道大相国（道長）、法成寺を建立し給ひて後、その内の東に西向きに子午堂（薬師堂）を造りて、七仏薬師を安置し給ひて、万寿元年という年の六月二六日に供養せさせ給ひつ。

その後、その堂にして□年の□月□日に例時（例時作法）を始め給ふ日、御子の関白殿（頼通）より始めて公卿・殿上人・諸大夫に至るまで数を尽して参り集まれり。僧共皆参りて、既に講始まれる程に、御堂の東の面に有る従僧共、空を仰ぎ見ののしることあり。西の面に有る人共、これを聞きて、「何事ぞ」と思ひて、出でて空を見れば、東の方より五色の光、長さ十丈ばかりして五筋六筋ばかり西様に渡れり。錦の色の如し。これを見る人、「奇異なり」と思ひて、暫く守りし程に、失せにき。然れば、はかばかしき（貴顕の）人の見たる少なし。講終わりて後、入道殿、このことを聞かせ給ひて、「我に告げずしてこのことを見しめざる、極めて遺恨のことになむ」と仰せ給ひける。
その光、始めはいかがありけん、後に人の見し程は、霞の様にて、あるかなきかのごとくにぞありける。これ、奇異のことなりとぞ、その時のひと云ひけるとなむ語り傳へたるとや。

この一つ手前の第22話は、道長による壮麗な法成寺の造営とその供養の有様が語られている。同じく法成寺における七仏薬師堂の供養の日の奇瑞が、本話の語るところである。主人公は道長ら居並ぶ貴顕高僧である。彼らは時代の宗教熱に浮かされた上流の人びとであり、物語発端における主人公（たち）の状態とは仏道にある者（仏法修学：仏道・持経・学問）はもとより、道長のように俗界で行う政治も道心と分かち難い。主人公の発端の状態としての俗界信心（道心・政治）である。道心が高じて、造寺を発願してやり遂げる。寺を立てれば、供養が盛大に行われ、造寺・供養に応えるように、仏は霊験を現さずにはいない。ここでは空の東から西へ、つまり極楽浄土の方角へと、筋を引いて錦の色の光が流れるのが目撃された。薬師堂は南北に長く建てられたから、堂の西向きに居並んだ僧たちがこれを見て騒ぎだしたのである。騒ぎは東向きに並んだ僧たちに伝わり、外に出て仰ぎ見て口々に怪しみまた貴んだ。見逃した道長も後に残念がったということである。すなわち、瑞相の出現と目撃の結末は「驚嘆」「称賛」あるいは「貴ぶ」ということ、総じて信に応える「霊験」となろう。なお、発願成就と区別して、法華霊験譚は第十一章で独自に取り上げる。

物語（6）
地神を調伏して塔を建てる

（1）今は昔、越後の国に神融という聖人がいた。世間では古志の小大徳と呼ばれる。幼時から法華経を受持し、昼夜に読誦して止まなかった。また、懇ろに仏を供養することも怠らなかったので、人びとはこの聖人を心から敬い貴んでいた。

（2）一方、この国に住む人が発心して国上山の山寺に塔を建て、供養しようとした。ところが、ある時俄かに雷電霹靂して塔は倒壊してしまった。塔を蹴破った雷はそのまま空に消えた。願主は痛く嘆いたが、偶然の自然現象だと考えて、塔を再建した。だが、また雷にやられてしまった。もう一度と発願したのだが、今度こそ雷の被災をとどめようと至心に祈願した。そこにかの神融聖人が訪れて願主に言うことには、「嘆くことはない。私が法華経の力によって雷を押し止めて、お前さまの願いを遂げさせてあげよう」。願主は喜んで聖人に向かって泣く泣く合掌礼拝した。

（3）さてこうして、聖人は塔の下に坐して一心に法華経を唱えた。するとしばらくして、空は曇り細かな雨が降り始めて雷電霹靂となった。願主はこれを見て先の如き被害の前兆だと嘆き悲しんだが、聖人の方は一層気を入れ声高く法華経を読む。するとその時、天から年十五、六ばかりの童が聖人の前に落下してきた。姿形を見れば、髪は蓬のごとくに乱れ怖ろしげな顔つき、それが五体を縛られた状態で落ちてきたのだ。童は涙を流し身もだえして聖人に声高に訴えた。「聖人、どうかお慈悲で我を許し給え。今後は決して塔を倒すようなことはいたしません」。お前はいかなる悪心があってこの塔をたびたび壊したのだと聖人が問う。「私はこの山の地神と深く契った間柄です。地神が申すには、自分の頭上に塔を建てられては住むところがなくなる。壊してくれと。私の狼藉はそうしたわけです。けれど今、法華経の不思議な力のためにがんじがらめにされてしまいました。しかれば、速やかに地神を他の場所に引っ越させて、その逆心を止めましょうと童は約束した。

聖人が童に申し渡す。「今後は仏法に帰依して逆罪を作ることを止めよ。さらに言う。お見受けしたところこの寺は水の便が悪い。遥か下の谷から水を汲み上げるのは難儀だ。お前の力でこの場所に水を出すがいい。そうすれば寺の僧の便になるだろう。いやだというならお前を縛ったまままずっと拘禁しておくぞ。もう一つ、お前は解放されても、この寺の周囲四十里以内で雷電を鳴らしてはならない」。雷童は膝まずいて誓ったので、聖人は許した。（4）すると、雷童は掌に瓶の水一滴を取り、指で岩を掴んで動かし穴を穿ち、そして天に帰っていった。すると岩の穴からは清冽な水が湧き出したのだった。願主は雷の妨害を防げて、本意のごとく塔を供養できた。山寺の住僧は水の便を得た。皆喜んで聖人に礼拝したことだった。その後は数百年を経ても、塔は倒壊することなく、また雷電霹靂してもこの寺の周囲四十里の内では雷鳴を聞くことがない。水も枯れることがない。雷の誓は守られたのだ。

実に、これは法華経の力だ。そして、聖人の約束が実であって願主の深い願いが成就したことを、人びとは皆貴んだそうだ。

（巻一二・1　越後国の神融聖人、雷を縛りて塔を起てたること）

第十章　出家、様々な機縁

出会いと回心

世を捨てて出家する。律令制では僧侶は国家免許の官僚であったから、資格が厳しく制限されていた。けれども、平安朝も後期になればいわば勝手に髻を切って出家する私度僧、修験や勧進の聖、僧服をまとっていても半俗の沙弥などが湧いて出てくる。彼ら彼女らが時代の宗教パラノイアの地盤となっていたことは疑えない。『今昔物語集』の主人公たちの属性の分布は別項に記載した。高僧・寺僧・僧の区分のうち、寺僧は比叡山など属する寺の名前が明らかにされている場合だが、それでも年たけて寺を離れて籠居あるいは流浪する隠遁僧は多い。一方、ただ僧とのみ記載した者たちは、大部分が私度僧であろう。他に尼僧と沙弥がいる。『今昔物語集』仏法編の往生譚あるいは出家譚は、この者たちの生態を拾い集めている。

人びとは当時もとりどりの縁によって出家した。その機縁について、『今昔物語集』は巻一九に取り集めている。全部で一六話、すべてに何某の「出家せること」という表題が付けられている。色んな境涯にある者が出家する。属性を見れば王族貴族並びに官人に属する者が九例と多いが、他は武士、従者、それ以外の庶民である。そして、彼らの出家の機縁が何といっても出会いと別れであることが浮き彫りになる。

有名な作品であるが、出会いをきっかけとした出家物語の例として、

讃岐国多度郡の五位、法を聞きて即ち出家せること（巻一九・14）を見よう。

（1）発端：悪行強欲（悪行・殺生）

今は昔、讃岐の国の多度郡に通称源大夫という者がいた。「心極めて猛くして殺生をもって業とす。日夜朝暮に山野に行きて鹿鳥を狩り、河海に臨みて魚を捕る」。そればかりか、「人の頸を切り足手を折らぬ日は少なくぞありける」という乱暴者であった。「因果を知らずして三宝を信ぜず。いかにいはむや法師といはむ者をばことさらに憎みて辺りにも寄せざりけり」で、国の人皆に恐れられていた。

（2）出来事：一期一会（出会・仏法）

それがある時、郎等どもを引き連れた狩りの帰りに、さるお堂で催されている講に行き会った。怖れおののく聴衆を尻目に、この男はにわかに会場に闖入して、「我が心にげにと思ゆばかりのことを云ひ聞かせよ」と、腰の刀を誇示しながら講師に詰め寄った。以下、二人の会話である。

講師：これより西方に阿弥陀仏まします。罪を作り積んだ者であっても思い返して「阿弥陀仏」と名を唱えれば、必ず極楽に迎えてくださる。

五位：されば、このわしでも、その仏の名を呼び奉れば、応え給うのか。

講師：実の心を致して呼べば、応え給わぬことがあろうか。

五位：仏はいかなる人をよしとするか。

講師：誰も憎しとはしないが、弟子になれば少し思いは違う。

五位：弟子とは何か。

講師：自分のように、頭をそった者だ。

図２－６　出家譚

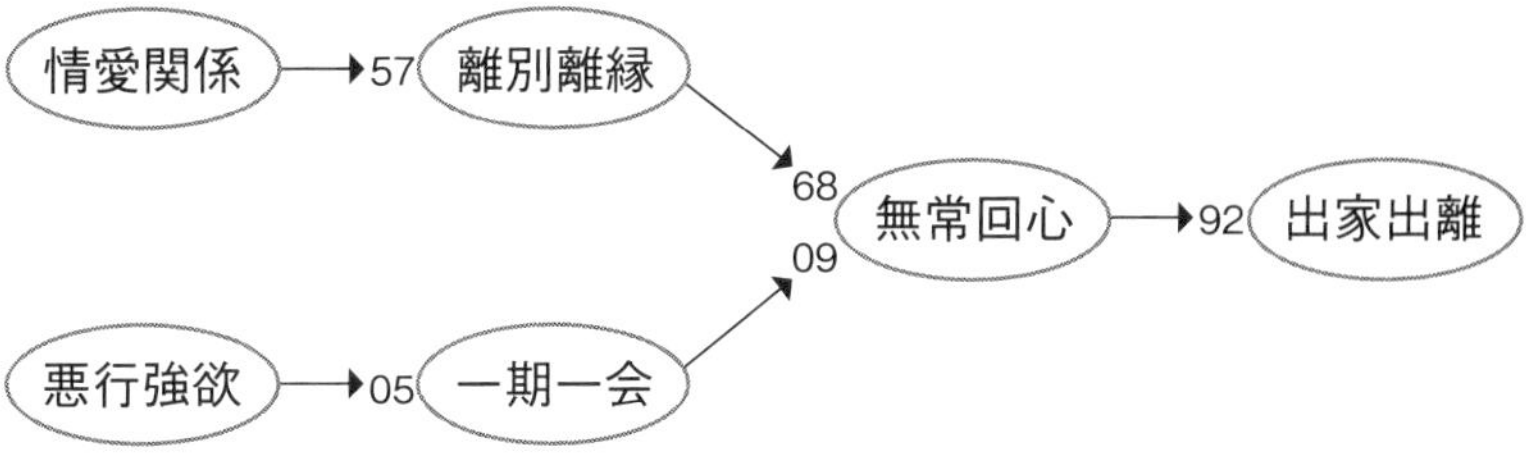

発　端：情愛関係（親愛86・夫婦87）、悪行強欲（悪行58・殺生90・貪欲42）
出来事：離別離縁（別離95・縁者97）、一期一会（出会93・霊異60・同法21・女38・異類12）
行　為：無常回心（発心70・懺悔20）
結　末：出家出離（得度60・世捨87・機縁70・往生02）
カイ二乗：629、自由度：123、カイ二乗／自由度：5.12、ＧＦＩ：0.852

五位：しからば、我がこの頭を剃れ。

講師：貴い心ばえだが、まずは妻子眷族とよく相談の上で……。

五位：汝、仏の御弟子を名乗るくせして、何で舌を返すように後にしろなどいうのか。

五位はこう言って自ら刀を抜いて髻を切ってしまった。

（3）行為：無常回心（発心・懺悔）

郎党どもは泣き叫んで押し止めるがなんのその、講師に頭をそらせ、水干装束を袈裟に代え、弓矢捨てて金鼓を手にして、「阿弥陀仏よや。おいおい」と呼ばわりながら一人西に向かう。振り返り見ることもなく、山が迫ろうが谷に阻まれようが構わずに直進し、ついに西に海を望む高き峰にまで到達した。

(4) 結末：出家出離(世捨・往生)

五位は峰の大木の股に登って、「阿弥陀仏よや、おいおい。いどこにおわします」と叫べば、海から微妙な声が「ここにあり」と応え給うのだった。この木の上に七日間、ついに西に向かって死んだ。その口からは鮮やかな蓮華の一葉が生えていた。「必ず極楽に往生したる人にこそ有るめれ」。これは昔の話ではない。「世の末なるとも、実の心を起こせばかく貴きこともあるなり」

出家への道

殺生をこととする荒くれ者と仏法とのちょっとした出会いが、回心即出家につながった。五位の大夫とあるから受領クラスの者であろうか。以上の要約では省いたが、細部がよく固められた作品である。加えてこれも省略したが、海を西に臨む木の上での源大夫の往生は、近くの寺の僧の証言として語られている。例のごとく、作者の実証主義である。そして、悪人であろうと実の心を起こすのならばこれで十分と、この物語は告げている。法然が専修念仏を唱える百年ほど前の話である。法然に弟子入りした関東武士の熊谷直実の事例を彷彿とさせる。直情径行と言おうか、身勝手に極端に振れる田舎武者の言動がすでに出ている。この時代はもう、念仏浄土教が庶民にまで浸透していただろう。かの多田源氏の祖、満仲が恵心僧都との出会いから出家するのも同様の物語である(巻一九・4話)。そのほか、妻の産後の肥立ちのために雄の鴨を射殺した青侍、その夜半に見れば、雌鳥が男の家に忍んできて死骸の傍らで羽を震わせている。これが出家の契機となった（同6話）。これらから、一期一会（出会・霊異・同法・女・異類）→無常発心（回心・懺悔）→出家出離（得度・世捨・機縁・往生）という因果系列が抽出される。例にあるように、物語の発端の状態では殺生などの悪行が多い。それが文字通り偶然に仏法と出会うのである。なお、結末の変数である得度と世捨は便宜的な区別であるが、世捨の方が例話の如くに即座の決意という趣が強い。また、結末変数「機縁」は縁あっての出家という偶然の契機を強調している。

次に、別れが出家の契機となる。むしろこの別離が、発心から出家に至る最も大きな因果になっている。六の宮の姫君は長く離れ離れであった夫に再会して、その腕の中で息絶える。夫は出家した（別項「物語（7）」参照）。他に、妻や親子への執着を断って出家した高位高官がいる。あるいは、なき妻や後に残した幼い娘、仕えていた春宮の情けなどに、思い断ち難い蔵人がいる。この男は死んだ妻と別れがたく、十余日家に置いていた棺を開けてみる。凄惨なまでに変わり果てた妻の姿、長い髪は抜け落ち、目は節穴のごとく、黄黒に変色した肌、鼻柱は倒れ唇は薄紙のようで、食い合わされた歯ばかりが白い。あまりの恐ろしさに男は棺の蓋を覆うが、死臭が鼻に付いて離れない。妻の屍骸の有様はいつまでも脳裏を離れず、蔵人は無常を感じ深く道心を起こしたのだと語られる（同10話）。越前の守の前で歌を褒められて褒美を与えられた貧しい従者は、なぜかプイと家を出て出家してしまう（同13話）。かつては若い貴顕が寄り集まって賑やかだった斎院の宮、いまでは年老いて訪れる者もない。それがたまたま、月の夜にふらり立ち寄った殿上人四五人、楽を奏でての彼らとの哀れな交歓が語られ、院の出家へとつなげられる（同18話）。子供のころの過失を庇ってくれた主筋の若君が、それゆえに不遇の身に落ちて亡くなってしまった。その喪に訪れた後に出家した従者（同9話）。総じて、充実した作品が多い。これらから、離別離縁（別離・縁者）↓無常回心（発心・懺悔）↓出家出離（得度・世捨）という因果系列が抽出される。

別項（物語7）に翻訳するのは六の宮の夫の出家譚である。これは名高い作品だ。恋愛物語とし自立した作品であるが、仏法編では「出家せること」として扱われているからここでも出家因果として扱った。（世俗編と違って仏法編では恋物語は数も少なく、恋の因果系列が独自に立ち上がることはない。）

夢告に感じて出家する

なお、出家物語ではもう一つ、本数は少ないが夢告により因果を知って発心出家するというルートがある。この例として「西の京に鷹を仕う者、夢を見て出家せること」（巻一九・8）がある。この作品は全編が夢の中の出来事の描写であり、『今昔物語集』での夢告の扱いとしては珍しい。極楽往生などの「証言」「情報」として夢見が引き合いに出されるのとは違う。ほとんど唯一の夢物語だといっていいので、以下に要約しておく。

男は鷹使いを生業としている。鷹を育て猟犬を飼い、春は春冬は冬で雉を野に狩って暮らしていた。それこそ、「寝ても覚めてもこの鷹のことより外のことを思はざりけり」であったという。この男がようよう老境に入ってある夜に夢を見た。嵯峨野に住む男と家族は、どうやら雉になっているようだ。家族はうららかな春の一日野に出て遊んだ。ところがそのとき、太秦の北のあたりから大勢の人の叫び声と、鈴の鳴る音が響いてきた。以下、夢の内容が詳述されるのだが、要するに生き物を狩って暮らしてきた男とその妻子が、攻守所を変えて、今度は雉として狩りだされる羽目になったのだ。妻子は一人ひとり分断されて、鷹に追いつめられ猟犬に食いちぎられていった。そして残るは本人のみ、「今は限り」と思い定めたところで目が覚めた。次第に追いつめられていく展開は見事で、いかにも夢で体験する恐怖を彷彿とさせる。この夢見が発心出家につながったのはいうまでもない。「その後、偏に聖人となりて、日夜に弥陀の念仏を唱へて、十余年といふになん終り貴くして失せにける」。

物語（7）
痩せ枯れて色青み、影のような姿になって逝った姫君

（1）今は昔、六の宮という所にさる宮家の子で、兵部の大輔という者が住んでいた。出世もせずに、荒れ残った大きな父の家の東の対に木立に埋もれていた。男は五十歳あまりになったが、まだ十歳ほどの娘が一人いた。娘は髪から姿形に至るまで粗探しのしようもない美貌で、心映えも優雅に優しい。しかるべき公達などに嫁がせれば大事にされるに違いないのだが、そもそも世の人が娘の美貌を知る機会もない。古風な父親は気が進まず娘を社交に出すこともしないで、誰か申し込みもあるだろうと成り行きまかせである。それに、身分のある者と交際させようにも、貧しい身に才覚も浮かばない。頼みとなる兄弟もいない。こうして、父も母も気にかけながらも、嘆く他になすすべもない有様だった。

そうこうしているうちに相次いで父母が失せた。姫君は心細く悲しむばかり。父母の喪も終

わった。乳母とも打ち解けずただ何となく過ごしていくうちに、親が残した調度の類も乳母が切り売りして失せてしまった。

（2）さて、孤独な姫君の前に男が登場する。受領の息子だといい、見劣りせぬお相手だと乳母がしつこく斡旋する。姫は泣くばかりだが、乳母の工作が功を奏して、男を受け入れる。通い来るうちに、男は志を尽して姫を深く思うようになった。

こうしてその後、姫はこの男ばかりを頼りに過ごしていたのだったが、別れの時が来た。父が陸奥の守となって任地に下ることになり、息子に同道を命じた。男は妻を残していくことを心苦しく思い悩んだが、優柔不断、同行を親に認めさせることもしないまま、泣く泣く別れて行った。妻への便りもままならず、陸奥の地で嘆きながら暮らすほどに時が過ぎた。

陸奥の守の任期が終わった。さあ急いで上京だと、男ははやる。ところが、たまたま常陸の守として威勢を張っている者が、ぜひ婿にと申し入れてきた。断るすべもなく息子は常陸へ。こうして都合七八年が過ぎた。常陸の妻は若くて可愛かったが、京の妻に比ぶべくもない。京に便りを送るのだが、あるいは消息不明あるいは使いが戻らず、恋いわびるばかり。そしてようやく、常陸の守の任期が明け、婿ともども上京の時が来た。

（3）京に入るや、旅装を解く暇もあらばこそ、嫁を実家に送り届けて男は六の宮へと急いだ。だが、築地は崩れて屋敷は小屋がけに占められ、四足門は跡形もなく、在りし日の寝殿の対などどこにも見えない。政所の板塀も歪み残るばかり。池は水が絶え水草に覆われ、立派だった樹木の影もない。これを見るに心惑い肝も騒いで、男は妻のゆくえを辺りに訊ねさせた。政所の破屋に住む尼をようやくに探し当てるが、姫の消息はふつりと途絶えていると言うばかり。

（4）それでも男は諦めきれず、ただ足の向くままに京のあちこちを訊ね歩いた。もしや西の京の辺にでもいるのではあるまいか。こう思って二条から西に行くに、空は暗く時雨が激しく降ってきた。雨宿りにと朱雀門の西の曲がり角に立たずめば、格子窓の向こうに人の気配がある。そっと覗き見れば、汚い筵を回らせて人が二人、一人は老いた尼で他に若い女。女はひどく痩せ枯れて、色青み影のようになって臥せっている。粗衣に身を包み破れた筵を腰にひっかけ、手枕に寝ているようだ。そっと近寄ってよく見れば、これぞ我が失ひし人ではいか。目も暗れ心も騒いで見守っていると、この人がつぶやく。

手まくらのすきまを風の寒かりき　身はならはしのものにぞありける

（娘の頃は手枕に通う隙間風さえ寒かったのに、いまでは寒空のもとに手枕、こんな境涯にもなれてしまいました）

これを聞いて、この人こそと男はびっくりして、筵をのけて女をかき抱く。「これはまた何としたことを、ずっと訊ね惑い来たのですよ」と。女は男の顔を見つめて、遠くに行ってしまったお人ではと気づくのだが、堪え難く思ったのだろう、そのまま死んでしまった。男は生き返れとかき抱いていたが、その内に女のからだは冷えてすくんでいく。男はそのまま家にも戻らずに、愛宕の山に行って髻を切り法師になった。道心堅固、行い澄ましていたのだった。出家には前世からの機縁があることだ。

（巻一九・5　六の宮の姫君の夫、出家せること）

第十一章　狂気あり、法華持経者

法華経の霊験あらたか

仏教経典のうちで『今昔物語集』が最も重視したのが法華経である。法華経はこの経を受持・読・誦・解説・書写すること、すなわち五種法師の功徳を説いているが、なかでも『今昔物語集』の主人公たちが献身するのは読誦である。読誦に次いで書写がある。彼ら彼女らのことを（法華）持経者という。そして、持経者にもたらされる功徳霊験も多彩であり、その物語は仏法編全体に及んでいる。中でも巻一二・25から巻一四・28までは法華霊験譚というべき説話群からなっている。

もっともその内には、法華経読誦による現世利益ともいえる救命救難と福徳結婚の物語が含まれる。また、念仏の他に読誦によって往生本懐をとげる説話もある。さらに、蘇生あるいは転生する後世救済の物語も法華霊験譚に含まれる。ただ、これらは独立の因果モデルとして扱い、それぞれ別に章を立てて説明している。これらの因果系列では、物語の「結末」は具体的に特定される。本人が現に冥途から戻ってきて語る（蘇生譚）、あるいは危難を逃れて命拾いする（利益譚）というように。

けれども、以上に上げた法華持経者の功徳以外に、いささか神秘的に「霊験」としか表現できないような一群の法華経物語がある。持経者が持経にのめり込むことによって顕現あるいは体現する境地といえよう。のめり込むというのも、『今昔物語集』ですら「狂気あり」と表現するような極端にまで、持経者の振る舞いが及ぶのである。持経者の大部分が無名の僧や聖、修験たちである。時代の宗教的パラノイアを端的に示す物語群であり、持経者の利益利生や往生などと区別して、狭い意味での霊験譚とここでは呼んでおく。これが先に指摘した巻一二から一四に至る法華霊験譚の大部分を占めている。物語のタイトルも、「春朝持経者、経の験を顕せること」、「多々院の持経者のこと」とか、あるいは「加賀国の翁和尚、法華を読誦せること」などと霊験譚であることを明記している。ここで扱うのはこれらの説話群を念頭に置いて霊験譚の構造を抽出することである。ただし、数は多くはないが法華経以外の諸経の持経者が経験する霊験、さらには釈迦仏などの仏の霊験の物語もここでのモデルに含まれる。データベース（DB）では便宜上法華経以外の受持者も読誦と持経という変数で表している。

いずれにしても、これから扱う物語類型の結末は霊威・顕現・往生・救難などの変数から成り、これらの因子を「法華霊験」と呼ぶことにする（図２－７）。なお、図２－７の因果系列の上段、「難儀直面」→「因縁開示」→「法華霊験」は特殊な霊験譚であり、持経者に前世の因縁を夢告を通じて明かす物語である。これについては本章の末尾で扱い、以下ではまずは図２－７の因果ルートの中段と下段を説明する。

その行為、狂気あり

短い例を上げる。**比叡山の僧長圓、法華を誦して霊験を施せること（巻一三・21）**である。幼くして山に登った長圓は法華経を日夜に読誦し、また不動尊に仕えて苦行した。そして出離して山々を経巡る。葛城の峰に入り一四日間食を断って法華経を読誦する。この間夢に八人の

図２－７　霊験譚

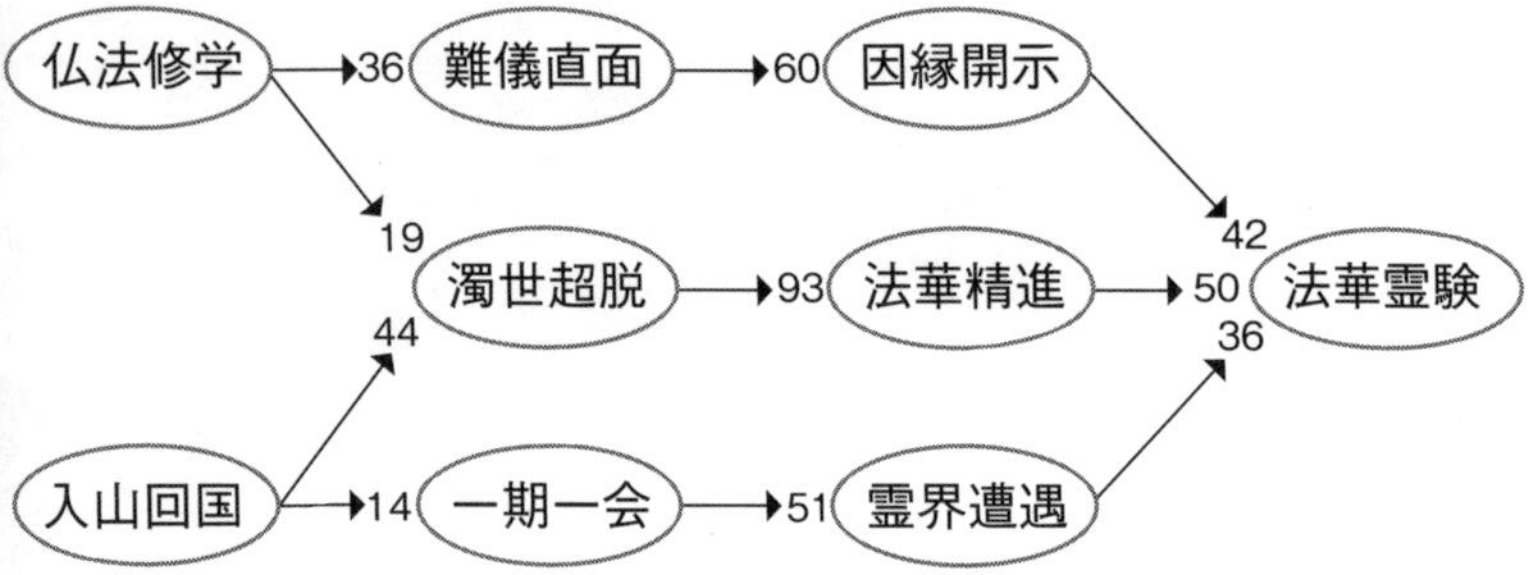

発　端：仏法修学（仏道51・持経58・学問31）、入山回国（聖人74・入山61・放浪32）

出来事：難儀直面（難事72・困難76・災難42）、濁世超脱（出離89・籠居78）、一期一会（出会75・霊異82・同法26・女40）

行　為：因縁開示（祈請95・前世夢告95・礼拝39・懺悔27）、法華精進（読誦53・護法90・結縁36）、霊界遭遇（発見70・霊地55・持経仙57・供養39）

結　末：法華霊験（霊威99・顕現52・往生31・救難19）

カイ二乗：1467、自由度：358、カイ二乗／自由度：4.09、ＧＦＩ：0.798、

ｂ：祈請・前世夢告0.75

童子が現れて長圓と共に読誦し礼讃した。次いで、冷たく深い川に難儀したとき山奥から大きな牛が現れて、おかげで河を渡ることができた。牛は護法の変化と知れた。また、熊野から吉野に抜ける山深くに迷えば、夢に童子が出て来て道を教えた。吉野蔵王堂の前で読誦した明け方の夢に、文殊の眷族と名乗る異国の者が長圓に師弟の礼を取った。長圓はこれぞ法華の威験だと泣く泣く貴んだ。さらに、清水寺に参詣して終日法華経を誦する夜の夢に身を荘厳し

た端正美麗なる女人が現れて、合掌しつつ読誦に和してくれた。「一乗の妙法の音、聴して飽くときなし」と。まとめて、作者は記している。「かくのごとくの奇特のこと多しといへども、一々に記し尽しがたし」。

無名僧長圓はこのように山野を経巡って法華経読誦に明け暮れた。いつも護法の者たちが伴走してくれた。護法とは持経者を守ってくれる仏の化身である。護法神は夢に現れたといちいち断り書きがあるが、夢とうつつはもう区別がつかない。日夜を問わず、夢遊のうちに法華経を誦して放浪する。「実に、法華の力、明王の験新たなり」と、物語は閉じられている。

この例にみられるように、法華霊験譚の結末は霊威・顕現となろう。持経者が法華経読誦の霊験を現す、法華経の霊験が持経者に現れる。そして、読誦・護法・結縁あるいは礼拝が物語の骨格をなす「行為」である。「読誦」とはたんに経を読むことではない。山籠りと穀断ちのような苦行の中で経を読む。これが修行者を宗教的な恍惚と忘我、随喜の心理状態に追い込む。自他の区別は溶解して、仏を観ずれば仏は化仏となってその身を現実に結ぶ。外界のたたずまいは多彩な護法神となって現じ、夢幻のごとくに我が心の内外を行き来する。経を読むことの功徳の標が護法の形で現れ出る。これが霊験である。当時の世の人びとにとっても、ここまでに極まる持経者の姿はさすがに「狂気あり」と受け取られたのであろう。

たとえば、吉野は金峰山の前の嶽に籠った良算持経者のこと（巻一二・40）。長く穀と塩を断ち、山菜と木の葉を食として里に出ることもなかった。こうして日夜一心に法華経を誦すれば、鬼神が木の実を運び熊・狐・毒蛇も来て供養した。「形端正にして身微妙の衣服を着せる女人」が来て礼拝して帰る。羅刹女の一人であろう。眠る時にも眠りながら経を読む音が聞こえた。世の人は「この聖人狂気ありけり」と疑った。また、比叡山出身の無名僧玄常の場合、その「振舞い例の人に似ず」と書かれている。紙衣と木の皮を着て、どこでも裸足である。戒を破ることなく、貴賤を選ばずに敬い、鳥獣を避けない。「世の人、これを見て狂気ありと疑ひけり」であった。法華経に登場する常不軽菩薩さながらである。この玄常が播磨の雪彦山に籠って、木の実を食として修業した。猪、鹿、熊、狼などの獣が常に近づいて戯れていた。里人の吉凶を占って外れることがなかった。世の人はこの聖人を権化の者だといった（巻一三・28）。

読誦の忘我のうちに幻視する以上のような化身の僧、鬼神、羅刹女、獣などを、DBでは行為変数「護法」と一括している。この者たちが持経者の生命維持の助けとなり、寄り来って持経者と交歓し、感応する。護法による加護である。読誦そして護法である。因果系列における行為因子「法華精進」とは、持経者の行為とそれが作り出す境地として記述されている。この読誦という行為が霊威の顕現として総括され、ときに救難を伴いまた往生本懐や蘇生につながる。

以上が「法華精進」から「法華霊験」に至る行為→結末のルートの一つである(図2‐7、中段)。この系列で行為に至る出来事（濁世超脱）については後に改めて述べる。

山深く持経仙に出会う

ところで、『今昔物語集』の霊験譚にはもうひとつ別の語り口がある（図2‐7、下段）。これまでは持経者自身の霊験を語るものであったが、今度は、かかる霊験あらたかな持経者を、別の持経者（同法）が尋ね当てる見聞録として法華霊験譚が綴られる。典型例は仙人の域に達した持経者に出会う物語である。次を見よう。

修行僧義睿、大峰の持経仙に会へること（巻一三・1）

（1）発端：入山回国（聖人・放浪）

今は昔、山野を巡り歩く修行僧がいた。義睿という。

（2）出来事：一期一会（出会・霊異）

しかるに、熊野から金峰山に至る大峰の修験道で道に迷ってしまった。法螺を吹きながら彷徨い歩くうちに、林間の僧房に行き会った。立派な作りである。前庭には白砂、木立には花が咲き実が熟していた。

（3）行為：霊界遭遇（発見・持経仙・礼拝）

義睿が近づくと、房のうちに年わずかに二十歳ばかりの僧がいて、法華経を読誦している。妙音が身にしみた。一つの巻を読み終えるたびに経はおのずと空に舞い、巻き戻され紐が結ばれて机に置かれるのだった。僧は歓待してくれた。義睿の疑問に答える。私はもと比叡の僧であったが、師に勘当されて諸国を放浪し、年老いてここに来てもう八十年になる。ここで死ぬ時を待っている。義睿が問う、御一人とおっしゃるが端正な童子が三人お仕えしておりますね。答えて言う、法華経にも「天の諸童子、もつて給仕をなす」とあるではありませんか。ここに来られて八十年とおっしゃるが、お姿は若い盛りではありませんか。法華経にあります、「この経を聞けば病即消滅、不老不死」と。問答の末、義睿は一夜の逗留を乞うた。すると、夜が更けるとともに俄かに微風があり、頭が馬や牛など異類の姿をした鬼神が参集してきて、僧を様々に供養して礼拝するのだった。夜明けとともに鬼神どもは皆帰っていった。

（4）結末：法華霊験（霊威：顕現）

昨夜の異類たちはどこから来たかと問えば、僧はまた法華経を引いて答える。一人経を読めば夜叉鬼神などが聴聞すると。その後、さすがにこの仙郷に留まる望みを捨てた義睿は、僧が飛ばす水瓶に導かれて里に戻ることができた。そして涙を流して深山の持経仙人の有様を語った。その後この仙境に至った者は誰もいない。「実の心を致せる法華の持者はかくなん」ある。物語はこのように閉じられている。

この例のように、持経者が何らかの霊異に遭遇する。霊異とは仙郷であり、霊験所であり、また霊木、仏の呼び声、さらに護法の天神や化仏などを総称している。持経者は山籠りするとともに、山野を歩く。そこで巡り合う特異な標が物語を始動させる。この「一期一会」が出来事となる。そして、持経者の好奇心が霊異のいわば正体を訪ねさせる。訪ねた末に発見するのはまぎれもなく霊験の本体である。この体験の諸相が物語の骨格をなすことになる。上の例のように、仙郷に持経仙を発見し、その来歴を知って恭敬礼拝する。因果系列図2‐7に示すように、一期一会から霊界遭遇を通じて霊験に至るルートである。

出離放浪する聖たち

実際、この時代、山野を巡り霊験所を訪ねて放浪する僧形の者たちがすでに大勢いた。多くは無名の修行僧であり、半俗の修験者である。また、正式に比叡山などで修業している僧が、にわかに出離する。隠遁僧である。この者たち自身が護法とともに夢遊の境を歩むことがあったろう。それと同時に、山に分け入り仙郷に迷い込んで、持経仙と遭遇することがある、そう信じた。上の物語がこれに当たる。主人公の物語に持経仙の語りが入れ子状に挿入されているが、後者はほぼ通り一片の挿話として扱われている。主人公の遍歴と出会いが物語なのである。仙郷は人間の気を嫌う。義睿にも、続く巻一三第2話の修行僧にとっても、とても及ばぬ境地であった。彼らはただ恭敬礼拝して里に戻った。

中には仙郷から追放された者もいた。山林で仏道を修行せんと、僧良賢が持経仙の行いすます洞を探り当てた。そこでは羅刹女が給仕し鳥獣が集まって聴聞していた。ところが、志願して同居するうちに良賢は羅刹女に愛欲の心を起こしてしまった。これを読み取った女が持経仙に告げた。「破戒無慙の者、寂静・清浄の所に来たれり。まさに現罰を与えてその命を断たん」。良賢は恐れをなして逃亡するしかなかった（巻一三・5）。

あるいは、人間の気が侵入して仙郷自体が崩壊する。長楽寺の修行僧が山で道に迷った夜、傍らで細く貴く法華経を誦する音を聞いた。明けて尋ね当ててみれば、苔むして茨の絡まる巌であった。すると巌は俄かに動き出して六十歳ばかりの女法師の姿に変じた。女法師が泣く泣く語る。多くの年月をここに過ごしてきたが、たった今、汝が近寄るのを見て「彼は男か」と思ったばかりに、もとの女に戻ってしまった。人の身ばかり拙いものはない。また始めからやり直すほかないと、女は泣きながら山深くに歩み入って行った。「入定の尼すらかくのごとし。いかにいはんや世間にある女の罪いかばかりなるらん、思ひやるべし」（同12話）。

持経者の狂気はまた、死んで骸になってもなお読誦を止めないという物語を生んだ。本人は死んでしまっているのだから、これもまた他の持経者による見聞録という形を取る。一叡という持経者がいた。日夜に法華経を読誦していたが志を起こして熊野の山に分け入った。夜中にほのかな読誦の声が聞こえる。夜が明けてから尋ね当てれば、古びた屍の骨ばかりが苔むして残っていた。ただしかし、口の中に舌があり、「鮮やかにして生きたる人の舌の如し」であった。いかなるお人だったのか、一睿は夢告を願った。すると、その夜の一叡の夢に果たして一人の僧が登場した。「自分はもと比叡山東塔の住僧で圓善という。生前、法華経六万部を読誦する願をかけたが、志半ばでここに死んだ。満願を期してここに住んでいる。あと少しのことだ」と言う。一叡は死骸を礼拝して去り、一年後に再訪するが、跡形もない。夜半に読誦の声が聞こえることもなかった。結願して兜率天に生まれたのだろう（巻一三・11）。

読誦する骸という「霊異」に出会い、持経仙とその死にざまを発見し礼拝供養する。これぞ法華経の霊験だという物語構造である。死してなお持経という類話は他にもある（巻一二・31）。また、見聞録というより本人の行為を中心にした類話もある。比叡山の黒谷別所に籠居した僧明秀は死に際して誓願した。死して屍骸・魂魄になろうとも、また悪道に落ちようと善所に生まれようと、法華経を読誦すると。はたして死後、明秀の同法同輩たちは墓所に読誦の音を聞いた（巻一三・29）。

霊験譚の物語構造

さて、以上が法華精進（読誦）あるいは霊界遭遇（発見）から霊験体験に至る二つの経路であるが、これらの行為をもたらす出来事はそれぞれ濁世超脱と一期一会である。では主人公たちの発端の状態はどうか。因果系列図によれば仏法修学（仏道）あるいは入山回国（聖人）の状態にある主人公が、山を巡り山に籠り、あるいは霊験所を訪ねる放浪に出で立っている。これがすなわち濁世超脱という出来事につながるのはいうまでもない。これと共通に一期一会の場合も、主人公の発端の状態は仏道と聖人である。

仏道の例では、幼くして比叡山にのぼり修業し学問した末に山を下りるというケースが目立つ。ひとたび山に入れば一二年間は下りてはならないのである。すでに紹介したが、「世の人、これを見て狂気あり」と疑った比叡山の僧玄常の場合がこれに当たる。山で厳しい修行に耐えた後に、本山を去って播磨の雪彦山に籠居して読誦三昧の境地に至った。初めから出離・山籠りの聖人もいる。比良山の麓葛川に籠居する主人公は穀を断ち菜を食して懇ろに修行していた。この聖人に夢告があった。山の峰に仙人が読誦している、汝、速やかに尋ね求めて結縁せよと。夢告に聴従して、主人公は仙人を発見するに至るのだった。これは持経仙探訪譚の第二話（巻一三・2）である。夢のお告げに聴従して行動を起こすのは、『今昔物語集』仏法編でポピュラーな物語構造である。

むろん、僧・聖だけでなく信心深い俗人の霊験体験もある。大和の国人が発願して法会を行おうとした。その過程で思いもかけず、自分の飼い牛が亡父の後世の姿であることを発見し、法会は父の滅罪を願うものとなった。法会発願の動機は方廣経を転読させて「前の世の罪を懺悔せん」とするものだったが、それが図らずも経の霊験を感じる結末となった（巻一四・37）。これは法華経でなく方廣経霊験譚である。

こうして、霊験譚の二筋の因果系列をまとめれば次のようになる。主人公は「仏法修学」と「入山回国」の状態にあり、そこでそれぞれが二通りの出来事を起こす、あるいは遭遇する。濁世超脱（出離）と一期一会である。出来事に対応してそれぞれ法華精進（読誦）を行い、あるいは霊界を体験する。それぞれの行為が持経霊験の功徳に決着するのである。

なお、これはやや特殊な霊験譚だが、現世で畜道に身を落とした僧が法華経を供養して前世からの因縁を知るという輪廻転生の物語がある。この法華経については便宜上転生譚として第八章ですでに説明した。

犯罪も功徳の方便

さて、狂気というまでに昂じた法華経の持経熱について、さらに論評すべきことがあるが、ここで中間挿入、因果系列に沿って次の物語を読んでおきたい。法華霊験譚の因果系列はほぼ入山籠居の持経者の物語を写しているが、京の巷にも持経者の狂気はあったのである。

春朝持経者、経の験を顕はせること（巻一三・10）

（1）発端：入山回国（聖人・放浪）

今は昔、春朝という持経者がいた。住処不定で放浪してただ法華経を読誦した。人の苦しみを我が苦とし、人の喜びを我が喜びとしていた。

（2）出来事：濁世超脱（発願・入獄）

さてこの間、春朝が思うに、京の東西の獄につながれた罪人に、何とかして仏種を植えたい。これがなければ、彼らは死んで後世に三悪道に堕ちるのは必定ではないか。しからば、わざと罪を犯して入獄して彼らに法華経を読んで聞かせよう。かくて、某邸宅に盗みに入り捕らえられ、喜んで獄舎の人になった。

（3）行為：法華精進（読誦・護法）

こうして、獄舎のうちで心を致して経を読み聞かせる毎日が始まった。罪人たちは涙を流して聴聞した。ところが、貴顕から検非違使庁の長官のもとに、春朝は法華持経者だという情報が頻々と届く。さらに、長官の夢に普賢菩薩が白象に乗って現れて、春朝に日毎の食を捧げるのだという。驚愕した長官は春朝を釈放した。ところが、また盗みをして入獄、これが繰り返されて五六度に及んだ。

とはいえ、さすがに重犯の罪は重い。検非違使庁では春朝を右近の馬場に引きたてて二の脚を切らんとした。しかし、春朝は読誦し官人はこれを聞いて涙して、またまた放免してしまった。長官の夢にも今度は盛装した童子が登場して、春朝の罪と罰はこれ方便だと告げるのだった。

（4）結末：法華霊験（霊威・顕現）

京の巷に放免された宿なしの春朝は、ついに右近の馬場にて野たれ死んだ。亡骸の髑髏はそこに放置されて葬る人もいない。ただ、夜毎に法華経を誦する声がするのを、通行人が聞くばかりだった。「春朝聖人は只人には非ず、権者なり」と人びとは語り伝えたという。

法華経持経者のプロフィール

いま読んだ例話では主人公は京の巷に出没していた。しかし、法華霊験譚で圧倒的なのはやはり山岳籠居、そして放浪である。これが物語の「発端の状態」であり、この状態にある主人公の欲望の過剰あるいは欠如が、物語を駆動する背景となっている。試みに、法華経霊験譚が集中的に収録されている巻一三（全四四話）を調べてみる。主人公の属性は寺僧と僧とで三一例と大部分を占め、高僧はいない。名前が記されていても伝不祥の無名僧といっていいだろう。出身地は西は備前から東は出羽と全国に及ぶ。彼らの状態は聖人一五例と仏道一三例として記載されているが、ここで聖人とはもとの寺を離れて（これも出離に入る）すでに所属不明の僧である。仏道とはなお寺を拠点とする者のことだが、聖人との区別はかなりあいまいのままである。というのも、幼くして京畿の寺院に入りそこで修業し、学問を積んで得度した僧が多い。所属寺院の記載がある二七例のうち比叡山が一四例と圧倒的である。比叡山延暦寺であれば法華経持経者であるのは当然である。だが、ほとんどの者が修行の一時期に、大樹のもとを離脱して人里離れた山奥に籠って読誦に専念するようになる。出離・山岳籠居という持経者たちの欲望は圧倒的である。熊野大峰山の金峰をはじめとして、愛宕山、比良山、黒谷の別所、そして出身地の山林に隠棲する。（わが国の修験道の歴史については、鈴木正崇『山岳信仰』中公新書、二〇一五年が詳しい。）

例えば、下野出身の僧の行状を見る（第4話）。名は法空、法隆寺に入って顕密を学び、また「法華経を受け持ちて、毎日に三部、毎夜に三部を読誦して、懈怠することなし」であった。ところが、この僧は「世を厭いて、仙の道を求めんと思う心たちまちに起こして」本寺を捨てて生国に下った。そして東国の山々をめぐって、ついに人跡未踏の山中に古い洞を見出した。「これ、我が仏道を修行すべき所なり」と喜んで、法空はここに籠居してひとえに法華経を読誦して過ごした。

由緒ある本寺を捨てて山中に隠遁という行状とは別に、全国の霊験所を訪ねて放浪する者たちがいた。山伏が流行する時代だったが、それだけではない。「一宿の聖人」と呼ばれた僧行空は所属する寺を持たず、五畿七道行かぬ所なく六〇余国見ぬ国なしと称される放浪僧であった（第24話）。住所は不定で、しかも一か所に二泊することなく、山に庵を結ぶこともない。後の時代になればまさしく宗教的狂騒、高野聖などが聖俗取り交ぜて遊行回国することになる。ここの法華経持経者たちの行状は、ほぼ平安中期のものが多いようだが、仏教が街路や山里を歩くようになる、その走りであったろう。

山岳修行という欲望

しかしそれにしても、修行と生活の拠点寺院を離脱して山野をめぐる、この圧倒的欲望とは何であろうか。法華経の受持と読誦、つまり持経者たることはこの欲望とどう関係しているのだろう。たしかに、もう鎮護国家・玉体安穏のための仏教という時代ではない。公私取り交ぜて僧職の数は膨張し、大寺院における出世と階層秩序（僧綱）も固定化した。いわば非正規僧職が、決まったコースからはみ出てしまう状況が出来していただろう。たしかにまた、日本の古くからの山岳信仰が仏教と習合して以降、山中の苦行は衆生の罪業を一身に引き受けて滅罪する代受苦だという教理も信念もあったに違いない。

しかし、『今昔物語集』の持経者たちから代受苦の気配は感じられない。大体、例の「如是我聞……」を「にょぜがもん……」と唱える。これを法華経全巻に渡り繰り返す。若年から文字通り日夜、死ぬまで（死んでからも）繰り返す。もう読んで経の意味を味わう、衆生に説くなどということではない。読誦はすでに一種の自律運動、そのことを通じて、煩悩の思いに心乱されることなく禅定の境地に住まうことができる。真言陀羅尼を唱えるのと変わりあるまい。そうしてただただ、仏と仏国土の姿を観ずる。

それになにより、山岳籠居は菩薩行と矛盾する。たしかに、『今昔物語集』の霊験譚にも法華経の本志である衆生教化を目指した話はある。先に読んだ通り、持経者春朝は獄に繋がれた罪人を教化せんと、自ら盗みを働いて入獄し経を聞かせた。しかしこれは霊験譚ではまれな例にすぎない。持経者が狂ったように追い求めたのは、読誦観仏の入定の境地それ自体というほかないだろう。法華経の菩薩道もなんのその、自分本意というしかない。仏に祈願することはあったが、それも自らの後世のことである。『今昔物語集』は持経者たちの事績を記して臨終に至ることも多いが、命終正念して入滅する。極楽あるいは兜率天往生は間違いないと、自他ともに保証されて死んでいくのである。読誦祈願による現世的利益の成就につながる話も多い。法華経による往生や利生の物語が説教で語られ、衆生に教訓を与えたのは確かであろう。しかしそれでもなお、往生や利生と区別されるべく、出離・籠居・放浪それ自体への熱狂、そして読誦それ自体への過度の集中とは何だったのかという疑問が残る。

古代インドの仏教では、出離籠居の地は森の中であっても深山でなく、人里近くにほどよい距離を設けていたという。そこに僧院も建てられるようになる。初期仏教ではとりわけ自己救済が求められたと思うが、しかし人知れずの籠居では、何よりも生きていけない。托鉢による布施の確保と世人との交流が、人里近くに住むのでないと成り立たない。だが、法華経持経者たちの籠居はどうだったろうか。人跡未踏の山岳奥地が求められていたといわざるをえない。

のか。

では、この人たちは日々の衣食の糧をどうしていたのだろう。もとより修行者のこと、衣食住の欲望は断っている。だが、人も通わぬ山中でただ一人、読誦三昧の日々をどうしのいでいたのか。

しかしそこは物語である。木の実を拾い苔を着てと書かれている。とりわけ物語になるのは、護法神による奉仕と加護である。たとえば先に上げた下野の僧は、山中の洞に籠ったが、「端正美麗の女人出で来て、微妙の食物を捧げて持経者を供養す」という僥倖を得た。女がいう、「我は、これ、人には非ず、羅刹女なり。汝が法華を読誦する薫修入れる（修行の功徳を積む）がゆえに、自然に我来りて供給するなり」。かくして、法空は飲食に困ることはなかったという。また、読誦の庭には鳥獣が集まっては経を聞いている。こういう話はほかにも少なくない。法華経持経者の、これがいわば究極の場所であろう。稀有の場所、仙郷である。山野に分け入った持経者が仙人を尋ね当てるという話が、巻一三の1から5に渡って集められている。

しかし他方では、籠居する聖人には弟子が付いている。さりげなく弟子が役割を果たしている物語は多い。彼らは一人ではなかったのだ。弟子が山里を往復して衣食を補充した。村人がこの役を務める例もある。俗世とのつながりを結構維持していたのである。中には、毎日三回の湯浴みをするせいで、弟子たちはその煩に絶えず皆去っていったという話もある（第23話）。よくしたもので、代わりに羅刹童子二人が訪れて、死後の四十九日を済ませるまで世話を尽した。

これを要するに、純粋の独居と入定ではそもそも生きてはいけない（だから持経もできない）。というより、これではおよそ宗教にならない。宗教とは個人の心うちのことでなく社会的現象である。そのような宗教の集団的パラノイアが現に存在した。だからこそ、籠居する法華経持経者には弟子や従者がおり、弟子たちがその行跡を世に伝えた。入定から往生への道を求めてまったくの孤独死を遂げた者もいただろうが、それも世に伝えられて初めて死は死となるのである。つまるところ、持経者の狂気は物語になる。『今昔物語集』仏法編が伝えるのもこれであった。『今昔物語集』仏法編の各説話の最後には、多くの場合「これを聞く人皆貴びけり」などと公衆の評価が付く。さらに、編者のコメントとおぼしく、「これ偏に、法華経を読誦せる威力の致すところなり」と説教調の締めくくりが付く。法華経読誦者は一人ではなかったのだ。

真言の霊験

霊験譚は法華経ばかりではない。真言の霊験譚がある。先立って、次の物語を原文のままたどっておきたい。

物語（8）空海、呪詛によりライバルを謀殺する

（1）今は昔、嵯峨の天皇の御代に、弘法大師と申す人おはしけり。僧都の位にして、天皇の護持僧にてなんおはしける。また、山階寺の修園僧都と云ふ人ましましけり、それも、同じく護持僧にて、共に候ひ給ひぬる。この二人の僧都、共にやんごとなき人にて、天皇、分け思し召すことなかりけり。弘法大師は、唐に渡りて、まさしく真言経を受け傳へて弘め行ひ給ひけり。修圓僧都は、心広くして、密教を深く悟りて行法を修す。

（2）しかる間、修園僧都、天皇の御前に候ふ間、大きなる生しき栗あり。天皇、「これ、煮しめて持て参れ」と仰せ給へば、人取りて行くを見て、僧都の云く、「人間の火をもって煮ずと

云ふとも、法の力をもって煮候ひなむかし」と。天皇、これを聞き給ひて、「極めて貴きことなり。速やかに煮るべし」と塗りたる物の蓋に栗を入れて、僧都の前に置きつ。僧都、「しかれば試みに煮候はん」と加持せらるるに、いとよく煮られたり。天皇、これを御覧じて、限りなく貴んで、すなわち、聞こし食すに、その味わい、他に異なり。かくの如くすること、度々になりぬ。その後、大師参り給へるに、天皇のこのことを語らせ給ひて、貴ばせ給ふこと限りなし。

　大師、これを聞きて申し給ふよう、「このこと、実に貴し。しかるに、己れ候はん時に、彼を召して煮しめ給ふべし。己れは隠れて試み候はん」と隠れ居ぬ。その後、僧都を召して、例の如く栗を召して煮しめ給へば、僧都、前に置きて加持するに、この度は煮られず。僧都、力を出だして、返す返す加持すと云へども、前のごとくに煮らる、ことなし。その時に、僧都、奇異の思ひをなして、「こは如何なることぞ」と思ふほどに、大師、そばより出で給へり。

　僧都、これを見て、「されば、この人の抑えける故なり」と知りて、嫉妬の心忽ちに起こして立ちぬ。その後、二人の僧都、極めて仲悪しくなりて、互に「死ね死ね」と呪詛しけり。この祈りは互に止めてむとてなむ（息の根を止めようとして）延べつつ行ひける。

（3）その時に、弘法大師、謀（はかりごと）をなして、弟子共を市に遣はして、「葬送の物の具共を買ふなり」と云はせんとて、買はしむ。「空海僧都は早く失せ給へる、葬送の物の具共を買ふなり」と教へて、云はしむ。修園僧都の弟子、これを聞きて、喜び走り行きて、師の僧都にこの由を告ぐ。僧都、これを聞きて、喜びて「確かに聞きつや」と問ふに、弟子、「確かに承りて告げ申すなり」と答ふ。僧都、「これ、他にあらず、我が呪詛しつる祈りの叶ひぬるなり」と思ひて、その祈りの法を結願しつ。

その時に、弘法大師、人をもって、密かに修園僧都のもとに、「その祈りの法の結願しつや」と問はす。使い、帰り来て云く、「僧都、『我が呪詛しつる験の叶いぬるなり』とて、修園は喜びて、今朝、結願し候ひにけり」と。その時に、大師、しきりにしきりて、その祈りの法を行い給ひければ、修園僧都、俄かに失せにけり。
(4)その後、大師、心に思はく、「我、これを呪詛し殺しつ。今は心安し。ただし、年ごろ、我に挑み競いて勝るる時もありつ、劣る時もありて、年ごろを過ぎつるは、これ、必ず只者にはあらじ。我これを知らん」と思ひて、後朝の法を行ひ給ふに、大きなる檀の上に軍荼利明王、踏みて立ち給へり。その時に、大師、「さればこそ、これは只人に非らぬ者なりけり」と云て、止まりぬ。
しかれば思ふに、菩薩のかかることを行ひ給ふは、行く先の人の悪行を止めんがためなりとなむ語り傳へたるとや。

(巻一四・40　弘法大師、修園僧都に挑むこと)

仏教の真言密教化

平安時代も後半になれば、いわゆる南都と北嶺の対立は目立たず顕密の区別も混淆して、僧は多く兼学をこととするようになる。これは同時に、諸宗派の著しい真言密教化であったといえう。ありていにいって、加持祈祷や呪術の力がもてはやされて、護持僧として貴顕の帰依を得て出世もした。流行現象であった。歴史に「道理」の貫徹を見たかの慈円まで、神秘的な(今日から見れば怪しげな）呪術の法に凝ることがあったのだという（菊池大樹『鎌倉仏教への道』講談社メチエ、二〇一一年）。仏教の呪術化である。

『今昔物語集』もこうした流行をうかがわせる説話を載せている。法華霊験譚に続いて諸経霊験の物語があるが、最後の五話（巻一四・40－44）が真言霊験である。いま読んだ物語（8）は空海が主人公だから舞台が平安前期に設定されているとはいえ、『今昔物語集』編纂当時の仏法の真言密教化を彷彿とさせるものだろう。説話のドラマ性も類型的に際立っている。

さて、物語（8）は二人の高僧の呪詛合戦である。修園僧都は興福寺の別当を勤めた人という。一読、子供の喧嘩のような話である。弘法大師ともあろうお方が、謀略を用いて相手を呪い殺したと、あからさまに語られてもいる。すさまじい話と受け取ることもできる。会話体をうまく使って、両者の対立を生々しく語っている。

いまこの話を物語の筋書きで見れば、簡明に同法同士の仲違い、抗争と謀略、そして勝敗という展開である。大師（主人公）と僧都（副主人公）はともに密教の行法を誇る高僧であったが、物語の発端では両者に対立があったわけではない。二人とも天皇の護持僧として重んじられていた（発端：仏道・真言）。しかしそれでも、自己を恃むところ大なる二人は、ライバルの関係にあったのであろう。年来の呪術合戦で「挑み競いて勝るる時もありつ、劣る時もあり」であった。それが、天皇の御前で栗を茹でるという子供じみた呪力合戦を引き起こした。副主人公がまず加持の力を天皇に見せつけ、これが弘法大師の妨害対抗行動の誘因になる。争点が栗を煮るという下手な手品のような争いだから、そこにおのずと滑稽味が醸し出される。話は国家の大事ではないのである。会話体を使ったここらあたりの展開も、戯作めいている。

ところが、この出来事が、相手を呪い殺すまで終わらない対立を引き起こす。天皇の御前で恥をかかされた修園僧都は、「嫉妬の心をたちまち起こして」、これを契機に二人の仲が「極めて悪しく」なる。互いに「死ね死ね」と呪詛し合い、「この祈りは互に止めてむとてなむ延べつつ行ひける」。すなわち相手の息の根を止めるまで延々と続けられた。お互いに「対立」という抗争関係が出来した（対立・同法）。これが物語の「出来事」をなす。

ではこの関係の危機を、主人公はどのようなパフォーマンスにより解決するか。ここから物語が展開する。謀略による謀殺である。お互いの呪詛合戦ではけりがつかなかったので、弘法大師は弟子に自身の葬送の仏具の注文に走らせ、呪詛を受けて既に死亡したかに相手に信じさせる作戦である。作戦は当りだった。修園は事実を弟子に確かめさせたうえで、まさに我が呪詛が目的を遂げたにほかならないと思って、加持を終了させた。しかし、これを見計らって、弘法大師は「仕切りに仕切って」無防備になった相手を呪い殺した。まさしく謀殺である。行為変数は謀略・瞞着となる。

弘法大師ともあろうお方が、たかが栗を煮た煮ないの業比べを根に持って相手を呪い殺す。これを反省する気持は、しかし大師にはない。「我、これを呪詛し殺しつ。今は心安し」、というわけである。結末はつまり勝利・謀殺となる。

加持祈祷が貴ばれ、その効果の優劣で護持僧の評判が決まる。優劣は貴顕による帰依の有無につながる。こうした価値基準が世の中に受け入れられていた時代である。しかしそうとはいっても、この話には後味の悪さが多少とも残ったのであろう。大師は相手が只者でなかったと述懐して、年来のライバルを讃えている。時代が『今昔物語集』編纂のころともなれば、話に弁解の一言も付け加える必要が感じられたのだろう。菩薩とも崇められた弘法大師が謀殺のような行為に及んだのも、「行く先の人の悪行を止めむがためなり」と物語を結んでいる。悪行をなせば呪殺されるという教訓のためだった、というわけである。あるいは、大師の真似をしてはいけないという手本を、いまの世の人びとに示したということか。

話の教訓はともかくとして、この説話が両雄対決とその結末という関係の展開として、ドラマ性を際立たせているのは明らかである。関係の展開は、形式的には世俗編に頻出する対立敵対、あるいは謀略工夫の物語と同じである。ただ、これが法華霊験譚の続きに収められている点からすれば、もっと宗教的に真言霊験譚と読めということだろうか。この場合は仏道にある者同士が出会い競合して、真言読誦のパフォーマンスによって、相手を呪い殺すという威力霊験（霊力）を現したことになる。この威力にたいする世俗の率直な怖れと称賛と、そして凡俗の者への教訓がちょっぴりということであろうか。

災厄の原因は前世にあり

法華霊験譚の最後に、輪廻を解き明かす法華経の霊験を付け加えておきたい（図2-7の上段のルート）。現世の不幸や災害を経験して生きる人間が主人公の物語である。転生譚（第八章）と同じく、法華霊験を喧伝する巻一四のうちに大部分がまとめられている（第一四巻12-25）。中世人は現世で思わぬ不幸にあったとき、その原因が前世の罪業や瑕疵にあるのではと疑う。不幸の克服を願うとともに不幸の因縁をどうしても知りたいと祈願する。この祈願が特に「祈請」と表記されている。祈請の結果として夢告があり、前世因縁にまつわる法華経の霊験が明かされるのである。その分宗教臭が強く、物語性が低くなる。次の例を見れば十分であろう。

備前の国の盲人、前世を知りて法華経を持せること（巻一四・19）

（1）発端：貧窮病苦（貧病苦）

今は昔、備前の国にありける人、年一二歳にして二の目盲ぬ。

（2）出来事：難儀直面（難事・病苦）

父母、これを嘆き悲しむで仏神に祈請すると云へどもその験しなし。薬をもって療治すと云へどもかなわず。

（3）行為：因縁開示（祈請・前世夢告・懺悔）

しかれば、比叡の山の根本中堂に将て参りて、盲人を籠めて、心を致してこのことを祈請す。一四日を過ぎて、盲人の夢に「気高き気色の人来りて、告げて云く、『汝、宿因によりて、この盲目の身を得たり。この生には眼を得べからず。汝、前生に、毒蛇の身を受けて、信濃の国の桑田寺の戌亥の角の榎の木の中にありき。しかるに、その寺に、法華の持者住して、昼夜に法華経を読誦しき。蛇、常にこの持者の誦する法華経を聞き奉りき。蛇、罪深くして食なかりしによりて、毎夜その堂に入りて、仏前の常燈の油を舐ぶり失ひき。法華経を聞きしによりて、蛇道を捨てて、今、人の身を受けて、仏に会ひ奉れりと云へども、燈油を食し失へりしによりて、両眼盲たり。この故に、今生に、眼を開くべからず。汝、ただ速やかに、法華経を受け持ちて罪業を免れよ』と宣ふ」と見て、夢覚めぬ。その後、心に前生の悪行を悔い恥じて、本国に帰りて、夢の告げを信じて初めて法華経を受け習ひ奉るに、月ごろをへて自然に習ひ得つ。その後は、盲目なりと云へども、年ごろ、心を致して、法華経を昼夜に読誦す。

（4）結末：法華霊験（霊威・往生）

しかるに、その験し掲焉（けちえん）にして（あらたかにして）、邪気の病に悩む人ありければこの盲人をもって祈らしむるに、必ず、その験しありけり。ついに最後に至るまで、終り貴くて失せにけりとなむ語り傳へたるとや。

輪廻を救済する

輪廻転生の思想は、人が現に人の身を受けていること自体が僥倖なのだと教える。人として生まれたことが果報なのである。盲人たりといえども人の身である以上、前世の功徳を受けているはずなのである。その上で現に、盲の苦を受けている。苦を取り除くこと、一般に難事を克服したいという欲望が仏前での「祈請」という行為を促す。祈請には病苦を逃れる願いと同時に宿因を知りたいという無意識が働く。宿因は病苦の原因ばかりではない。同時に、思いがけなく、人として生まれた果報の因縁をも明らかにする。祈請行為が前世を訪ね、結果として明かされるのは果報と悪果と、二重の因縁なのである。

先の例話の主人公は失明の治癒を願って比叡山の根本中堂に祈願した。すなわち、病の状態から祈請の行為を起こす。欠如態からこれを克服する欲望が発生して、欲望を満たす行為に出ることが物語の発端となる。この行為が、次いで思いがけぬ夢告を招くことになる。前世は畜道にあったこと、そこでの善根と悪行を二つながら夢が説き明かすのである。汝の前生は罪ある蛇身であり、仏前の常夜燈の油を食とするという悪行を続けていた。当然現世もまた蛇身となるべきが、ただ、法華経の読誦を聴聞していた功徳で人身を受けることができている。とはいえ前世の罪は罪、汝は盲の身となっているのだ、と。

この巻に集められた前世因縁譚には、救難祈願の行為が必ずこのように夢告を招き、現状の因縁由来が告げ知らされる。確かに前世のことは誰も認識しえないのだから、これを知るには超現実的な手段が要る。一般に『今昔物語集』の編者は律義にも合理的に、主人公が直接には知りえないこと、あるいはそもそも人間には認識できないことを、夢のお告げをもって知らされるのだと記述するのである。人間界と異界とは別なのであり、両者をつなぐ手段として夢告という手段が頻繁に用いられる。当時としては珍しい現実主義であろう。いま上げた例では、話のロジックに全然抜かりがない。それはそれで面白いのだが、主人公と他者とが直接に関わる物語性が失われる。幻想の物語を求める現代人は、かえって白けてしまうこともあるであろう。

さて、ここに引いた説話のように、夢告によって前世の真実が告げられた後には、これにたいする主人公の反応が語られる。初めて法華経を習い、ついには「心を致して昼夜に読誦する」に至る。夢告への反応として、発心読誦という行為が起こる。そして最後に、この反応への仏の果報や霊験が語られて物語は終わる。この説話では盲の状態は治癒しないとはいえ、他人の病を癒す効果を発揮した。そして、信心は極楽往生という形で報いられる。

以上を因果系列として抽出したのが図2‐7（上段）である。実は、巻一四に集められたこの手の因縁譚はワンパターンであり、DBも「難事→祈請→霊験あり」という記述以外に取りようがない。文字通り決定論的であり、統計的因果モデルにはならない。そこで図2‐7では中下段と共通に法華霊験譚の一系統を構成するものとして統計処理している（出来事以降の因果係数が低いのもこのためである）。この意味で結末は一般的に法華霊験（霊威とその顕現、救難、治癒、往生）として因子構成した。例に上げた物語の結末は法華経読誦の霊験が顕現したとも受け取れるが、ここでは後世往生としている。人の世に「終り貴くて失せにけり」と確言されて初めて、主人公は現世の病苦ばかりか前世の畜道の罪と罰からも解脱できたのである。

前世夢告につながる主人公の行為は、説話テキストでは特に「祈請す」と記されている。仏にたいする祈願（利益利生譚）と嘆願（蘇生譚）と同じ行為であるが、前者の祈願では仏の化身が現実に登場して加護を加えるし、後者の嘆願は冥途でのことであった。例に上げた物語は一見利益利生（治癒）の物語のようだが、前世の秘密の開示につながるという特定の祈願、つまり祈請と記載されている。モデルもこれに従って行為因子と変数を因縁開示（祈請・前世夢告・礼拝・懺悔）とした。また、行為に先立つ出来事因子は他の救済譚と共通の「難儀直面」としたが、これについては次に述べよう。

輪廻を悟ることが霊的な救済

輪廻にまつわる法華経因果系列では、「因縁開示」を促す出来事は「難儀直面」という因子にまとめられている。これは救済祈願→救命救難・財産良縁の系列と共通の因子である。ＤＢの観測変数も同一の難事・困難・災難・病苦・困窮を採用している。このうち先の盲人の例話は難事・病苦に当たるが、その他の同類説話はこれとは違う。主人公はすべて法華経持経者であり（発端：仏道・持経）、ほかならぬこの持経の上で難事・困難を抱えている。たとえば、法華経の一部がどうしても憶えられないのだ。ぜひもと、この困難の克服を祈請する。すると、前生に畜道にあったこと、そこでの法華経聴聞の功徳で人界に生まれたのだが、そこにちょっとした瑕疵（たまたま欠席など）があったためにその箇所が覚えられないのだと明かされる。あるいは巻一四・13では、入道覚念は前世に法華経経巻に住む紙魚（しみ）であり、貴い場所にあったがために今生に人として生まれたのだが、経巻の食い破った箇所三行だけがどうしても憶えられないのだと。ちなみに、全一四話のうち法華経の一部が憶えられない者が七話を占める。他は盲目、色ぐろ、口のきき方など身体の瑕疵が三話、他に他人の夢に狗として現れる、前世にミミズとして住み着いた寺を離れられない、狐だったので里に出ないなどである。難儀直面・困難といっても、他の救済説話類に比べていってみればたわいのない難局が多い。

夢告によって明かされる前世は牛や馬、蛇や犬や鼠そして狐、蟋蟀、紙魚と多彩であるが、三悪道のうちすべてが畜道である。前世も人であった話は一例につきる。そして、畜道の前世において法華経を聴聞するなど何らか法華経と接触があった功徳が、人の身に生まれる果報につながったのだという。ところで、「前生・後世の禍福」を知りえて、ではどんな法華霊験に恵まれたろうか。「前生の罪業を懺悔」した結果、先に憶えられなかった箇所が読誦できるようになったという例はある。だが、現在の困難がこれによって克服された例は二話だけである。困難は解消しないが、その宿因を告知されていよいよ精進に励んだという話が大部分なのである。先の盲人の話も盲自体が癒されることはない。この点が他の現世利益（救命救難と財産良縁）の物語と全く違う。現世利益でなく、救済は霊的なのである。人の世は因果応報の寄る辺なさに満ちている。それを悟る智恵が仏法の贈り物だということであろう。

輪廻転生を訪ね当てる

最後に、夢告された前世を実際に確かめるという珍しい例を紹介して、本章を閉じよう。

醍醐の僧恵増、法華を持して前生を知れること（巻一四・12）

（1）発端：仏法修行（仏道・持経）

醍醐寺に恵増という僧がいた。真言、顕教、いわんや俗典には目もくれずひたすら法華経だけを読誦していた。

（2）出来事：難儀直面（難事・困難）

ところが、方便品の二字だけがどうしても暗誦できない。読誦がこの箇所に来るたびに、我が身の罪障の深きを嘆くと同時に、何か訳があるに違いないと思わずにいられない。

（3）行為：因縁開示（祈請・前世夢告）

そこで恵増は長谷寺に籠って「願わくは、大悲観世音、我にこの二字の文憶えさせ給え」と祈請した。すると夢に老僧が登場して、因縁を説いた。汝の前生は播磨国の賀古郡の僧だった。火をかざして法華経第一巻を読誦中に、かの二文字のところに焼け焦げを作ってしまった。汝はその欠損を修繕せず死んだのだ。その経はまだかの地に現存する。速やかに赴いて二字を書きたして宿業を懺悔すべし。

（4）結末：法華霊験（霊威・救難）

夢覚めて後には、かの二文字を憶えて忘れることはなかった。しかし、前世のことが知りたくて、夢告にあった播磨の郷を訪ねてさる家に宿を取った。すると、家の主人夫妻が「我が子が帰って来た」と泣くではないか。この間の経緯を両者共々に語りあった。そして、家にある法華経を調べればまさしくかの二文字が焼失していた。恵増は修復してこの経を末長く読誦した。それに、前世と現世の父母四人をこの世で敬うことができ、孝養報恩を尽したのだった。「法華経の威力・観音の利益によりて、前世のことを知りて、いよいよ信を起こしけり」。

中休み
法華経という政治文書

「暁が来たら、俺たちは燃え上がる忍辱の鎧を着て、
光りかがやく街々に入ろう」
（ランボー『地獄の季節』、小林秀雄訳）

一　法華経教団

異端の新興宗教

日本の仏教に法華経が果たした役割は圧倒的だ。比叡山天台宗の力はもとよりのことだが、仏教教学にたいする影響だって測り知れないものがあるだろう。それればかりか中世以降、法華経が民衆の心性に及ぼした効果は、たとえば『今昔物語集』の本朝仏法編に収録された説話群を読めば一目瞭然である。しかし他方で、法華経には中身がないといった評価が、古来絶えなかったと聞く。内容空疎の大言壮語にすぎない（富永仲基）、能書きばかりで丸薬がない（平田篤胤）、法華経とは法華経の讃嘆でしかない、等々。ことに成立の遅い第三類（観音信仰など、鳩摩羅什の漢訳で第二十三品以降）などは、安直に現世御利益を約束しており、凡夫愚婦に向けた浅薄な勧誘書にすぎない、というのである。要するところ、教義としてはまったく物足りない。法華経には仏教の中核的な思想である空の理説が欠けているし、両者が両立しうるよう

にも思えない。教学では他の経典類・宗派と総合することが必要であり、また法華経独自の解釈も煩瑣なものにならざるをえないだろう。

けれども、このような評価では、次の事実から目を背けることになる。法華経が一つの宗教運動のパンフレットであったこと、それも特定の教団の宗教的かつ政治的な扇動文書だったことだ。言うまでもなく、既成の部派仏教（小乗）と袂を分かち、さらに般若経を奉じて先行する大乗運動からも自己を区別する、これは党派闘争の宣言であった。これら内外の他派僧尼たちを切り崩して転向させる。それもただの教義上のセクト争いとしてでなく、法華経は一切衆生を獲得する大衆運動戦略をもってこれを闘おうとした。法華経教団ともいうべき一つの宗教セクトを、ここに想定することができる。

実際、法華経成立史に関して、かつても次のような説があった（渡辺照宏『日本の仏教』、一九五八年）。

いつの頃か『法華経』の原型にあたる特殊の信仰形態を持った一つのグループが存在していた。彼らは「この教えを信仰し、宣伝に協力するものは、すべての苦しみを逃れ、病気も治り、火にも焼けず、水にも溺れない」と言って信者を集めた。その信仰の強さを示すために、自分の身体に油をそそいで火をつけるものさえあった。その執拗さに耐えかねた人々が、それを非難すると「法難だ」と叫んで、ますます結束を固くした。そして自分たちで『法華経』という名の経典を作製した。一般の人々、ことに仏教の正統派の僧侶たちは大いに迷惑して国王・大臣・僧侶・一般市民に訴えた。しかしこの狂信のグループは「命もいらぬ、教えだけが大切だ」と叫んでますます活動を続けた。こうしてグループは発展し、『法華経』も新しい章節を書き加えて現在見るような形が成立した。
提婆達多（デーヴァダッタ）といえば大乗でも裏切り者扱いであるが、法華経ではなぜか、前世で釈迦に法華経を教えてくれた恩人になっている（提婆達多品）。この話は悪人成仏の例として好んで取り上げられるが、法華経自体には提婆が仏に背いた悪人だとはにおわしてもいない。インドには「シャーキャムニが仏陀であることを承認せず、特別の戒律を守るデーヴァダッタ派の仏教が後世まで存在していた」という（渡辺、同上）。法顕が五世紀に、また玄奘が七世紀に伝えるところでは、デーヴァダッタ教団がなお各地に存続していたそうである。法華経はこの教団と結びついていたという。

もとより、私は史実としてかような過激派法華経教団の存在を主張したりしない。まして、宗教過激派の教義を称揚するために法華経を読もうなどとは思わない。ただ、幻の法華経教団を想定して、その視座から宗教的でもあり政治的でもある教団のパンフレットとして、法華経を読んでみたいだけだ。その後の法華経成立史研究からすれば、異端の法華経教団説は疑わしいとされるだろう（平岡聡『大乗経典の誕生』、筑摩選書、二〇一五年）。しかしともかくも、法華経を一教団の扇動文書として読むことが、あながち無謀とはいえない諸事情は確かに存在したと思う。

法華経教団という視座からは、日本の仏教にたいする法華経の影響の仕方、とりわけ中世以降の宗教的心性の形成にたいして、この経典が果たした役割の一端が見えてくるかもしれない。日蓮はもとより、その後「異体同心の志をもって専ら折伏弘通すべきこと」を誓って蜂起した日蓮教団を見る目にも、これは欠かせない視座だろう。思えば、戦前昭和の一時期に、井上日召、宮沢賢治、北一輝、石原莞爾などがそれぞれに、熱心な法華経信者だった。法華経の何が彼らを引き付けたのだろうか。

法華経という書物

さて、これから第二節では、釈尊入滅を間じかに迎える法華経教団の「総決起集会」として、法華経序品と第二類（後述）を読む。続いて第三節で、「大衆の中へ！」をスローガンとするこの教団の運動論として第一類を読んでみたい。

法華経のテキストは坂本幸男・岩本裕訳注『法華経』上中下（岩波文庫、一九六二年）を使用する。これには鳩摩羅什の漢訳『妙法蓮華経』と、その読み下し文、さらにサンスクリット語『正しい教えの白蓮』からの口語訳が対照させて載せてある。ただし、サンスクリット本は漢訳の原典というわけではなく、両者には細部で相違も目立つ。一般に漢訳仏典は他にも夥しく存在するが、翻訳に使用したはずのサンスクリット原典は一切残っていない。理由は中華思想の故ではないかというが、法華経の場合も例外ではない。こうした事情のため、現存のサンスクリット法華経が漢訳よりも時代的に古いともいえないのだという。原典をもとにして誤訳を正すというような関係にはない。それにもうひとつ、わが国では法華経を原典から翻訳することがついに行われず、漢訳が輸入されて日本語訳にすることなくそのまま使われた。漢訳の日本語棒読みを僧侶も民衆も唱えていたのである。むろん、意味は、大方の場合は読み下し文から汲み取ったであろう。漢訳の読み下し文が法華経の日本語訳だといってもいい。

たとえば、冒頭の一句の漢訳「如是我聞」は「にょぜがもん」と読誦されたが、意味はといえば読み下し文「かくの如く、われ、聞けり」によったであろう。いま中世民衆のことを考慮するに、彼らはその意味を教えられ想起しながら、呪文のごとくに「にょぜがもん」と唱えていたと思われる。つまりこうだ。中世民衆の心性にたいする法華経の影響を見る場合には、この呪文と漢文書き下し文を頼るしかない。かつて彼らが浴びるように身に受けていたのは、この種の「日本語」だったはずである。サンスクリットの口語訳は、むろん関係がない。そもそも、仏典の漢訳が逆に漢文自体にも影響を与えた。如是我聞は正式の漢文では我聞如是のはずだが、漢訳が語順を変えてしまったのだという（金文京『漢文と東アジア』、岩波新書、二〇一〇年、一九〇頁）。仏教経典の言葉をめぐる事情は門外漢の近づけることではない。

しかし他方、今日私のような一般読者が法華経を読む場合は、サンスクリット口語訳が分かりやすい。漢訳は読み下し文にしても往々にして漢字が難しく、口語訳を参照するのが有益になる。それに両者の異同が情報になることもある。つまりこうだ。私は両者を交互に読むという形で、岩波文庫版のテキストを利用している。そしてもうひとつ、漢文読み下し文の方が簡潔で勢いがあり、引用したいという気にさせられることが結構ある。新旧聖書の場合でも、口語訳に比べて昔の文語訳がいまも時に使われるのと同じことである。例をあげてみる。「願わくはこの功徳をもって　普く一切に及ぼし　われ等と衆生と　皆、共に仏道を成ぜん」とは有名な廻向文であるが（化城喩品）、対応する次のサンスクリット口語訳よりはよほど有り難味が湧くように感じられる。「われらも、すべての衆生も、最高のさとりに到達せんことを」。

要するところ、私は以下に、漢訳読み下し文とサンスクリット語からの口語訳とをテキストとして使う。内容的には両者の区別はしない。異同を論じることなど私にはできない、だけでなく、本稿の限定された関心がある程度これを許すだろうと思う。私は法華経の教義、あるいは舌足らずな教義の断片とその後の煩瑣な解釈とを詮索しない。宗教的でもあり政治的でもあるパンフレットとしてこれを読む。そのために都合がよければ、両訳文を適宜に使う。これがでたらめなご都合主義にならないかどうか、もとより私の偏った読み方の説得力いかんにかかっている。以下、引用あるいは要約する場合、該当する箇所を岩波文庫により（上、100－107頁）というように示す。

法華経は内容とスタイルの点で、大きく三類に分類されている。第一類は鳩摩羅什の漢訳で方便品第二から授学・無学人記品第九までで、成立も最も早く紀元前五十年ころ、大乗仏教運動が始動した時期に当たるという。第二類には法師品第十から嘱累品第二二まで（堤婆達多品第十二を除く）が属する。成立は紀元後百年ころに第一類に付加されたという。その際全体を統一するために序品第一が作られた。以上にたいして第三類、薬王菩薩本事品第二三以下は成立がさらに遅れる。内容的にも第三類が異質であり、後の付加であることは大方の学者の承認するところであろう。

次にまず、序品と第二類から法華経教団の総決起集会の模様を要約しながら読んでいく。

二　総決起集会

オープニング

法華経は舞台がほとんど終始、世尊を中心とした同志たちの総決起集会であり、その実況放送のごとくに展開されている。後に付加されたという第三類はひとまず除く。紀元一世紀ころに一貫した方針のもとに編纂された第一類と第二類については、場面設定からして総決起集会である。とりわけ、いまや世尊の入滅の時が迫っている。参加者の誰もがそのことを知っている。総決起集会はまさしく切迫した雰囲気のもとで開催された。そこでまずは、集会の舞台設定として序品を読んでみよう。

さてここは娑婆世界、王舎城は霊鷲山の山懐に、世尊が座している。十重二十重に信者たちが世尊を取り囲んでいるが、それは第一に千二百人の声聞にして阿羅漢となった者たちである。初期の弟子たちとして有名な迦葉、舎利弗、目連、須菩提などがこれに加わっている。第二に、二千人の学・無学の者、すなわち修学中および修学を終えた者たちが居並ぶ。さらに以下、尼僧とその眷族八千人、そして菩薩（求道者）が八万人。菩薩には文殊、観音、薬王、弥勒などが席を連ねている。人間ばかりか、天に属する天子、龍王などとその眷族、阿修羅王などが詰めかけている。当国マガダの王族も臨席している。

もとより、法華経教団の総決起集会といっても釈尊は何百年も前の人である。教団は自らの意志を釈尊とその弟子たちに仮託して展開しようとしている。その目から見れば、以上の集会列席者は教団の固有のメンバーとシンパたちということになる。集会で釈尊を取り囲む第一の参集者、声聞と阿羅漢たちとは既成宗派（いわゆる小乗など）から転じてきたメンバーのことであり、法華経は釈尊の直弟子の名を借りている。彼らは後の第一類で舞台の主役を演じることになるだろう（第三節　大衆の中へ！）。これにたいして、文殊、観音、あるいは弥勒など菩薩の名で釈尊を取り囲むのは、むしろ教団生え抜きのメンバーである。彼らは総決起集会の主催者であり進行係である。菩薩と呼ばれているが、後に舞台に登場する菩薩軍団（地涌の菩薩）とは違う。両者の対照が集会後半のハイライトとなるであろう。総じて、この集会は法華経を軸に結集し始めた教団の発足式であり、参集者は出家とその眷族に限られており、彼らの結束はまだ一枚岩とはいえない。実際、後に見るように集会はのっけから退場者が現れる。集会自体がこうした波乱を通じて教団を純化し固めていくものとして進行する。

さて、以上のような無慮無数の参加者、すなわち四衆（出家の僧尼と在家の男女信者）に取り囲まれて、世尊が三昧の境地に座している。そしてまさにその時、天から曼陀羅華や曼殊沙華が雨のよう降り注いで大衆の上に散じ、世界は遍く六種に震動した。世尊は眉間から大光明を放って、集会の参加者を、そして全世界をくまなく照らした。まさに集会のオープニングであり、大会が荘厳される様が描き出されている。くまなく荘厳されて、大会は歓喜し合掌して、一心に世尊を仰ぎ見て世尊が語り出すのを待ち望むのであった。そこに、大会の司会者というべき弥勒菩薩が登壇して聴衆に呼びかけた。世尊が今お示しになったこの偉大な前兆と奇跡とは、一体何であろうか。その意味を是が非でも聞きたい。序品ではさらに文殊菩薩が登場して弥勒との長いやり取りが続くのだが、二人の会話は世尊の演説を待ち望む気持ちをいやが上にもかきたてた。今や世尊はこの会合を開催する。ここで偉大な教えを説き、偉大な教えの雨を降らせ、法螺貝を吹き鳴らし鼓を打ち、偉大な教えの大義を説こうと願っておられる、と。

世尊の獅子吼

法華経教団の総決起集会の実況放送は、序品に続いて次に第二類法師品第十に飛ぶ。まさにこの集会の冒頭で、参集者たちに向けた世尊の獅子吼（アジテーション）が発せられ、教団の進軍ラッパのごとくに鳴り響いた。というのも、この決起集会は参加者をたんに教団に同心させるだけでなく、同心した者たちが今度は一転して法師、すなわち「教えを説く者」となって弘法の運動に出立する。決起集会はそのための決意表明の舞台になっていくからだ。

この集会に結集したすべての諸君。天・竜などの八部神衆や人間・悪霊たち、僧尼の男女、声聞・独覚、そして菩薩たちよ。諸君はこの私から、法華経の意義を親しく聴くことができた。法師品で世尊はまずこう語りかけた。法華経の意義とはむろんこの教団の教義であるが、そればかりではない。とりわけ、もう世尊その人に頼れない日が近づいている。滅後の日々には、この法華経自体が教団の運動論でもなければならない。実は法華経の教義と教団の大衆運動の論理が先行する第一類（第二から第九まで）の主題であり、これも決起集会のただ中で演じられる。ここでは、集会の実況放送の便宜上これを後回しにする。ともかくも、集会のすべての参加者はすでに法華経のもとに同心する者である。世尊がそう総括し認定した。将来「完全な悟りにたっする」ことができる者として、参加者は釈尊に授記（資格付与）されたのである。だから、こう言われる。

「この大会において、法華経の一偈一句を聞いただけでも、あるいは一念でも随喜の心を起こしただけでも、四衆たちよ、私は予言する。諸君はすべてこのうえなく完全な覚りに到達するであろう。いや、この経を受持し、読・誦し、解説し、書写し、供養し、合唱、恭敬する諸君は、すでにして如来さながらの者であると知るべきだ。まさに前世における誓願の力によって、この娑婆世界で悪世に苦しむ衆生を憐れみ、衆生にこの経説を説き明かすために、諸君は人間の間に出現した者なのだ。とりわけ私が入滅した後には、私なしで、諸君はこの世の如来、すなわち私自身の使者であると知らねばならない。この経説を説き明かす者たちは、まさに如来の衣で身を包まれ、如来を肩に担いで行くのである」（中140－147頁）。

法華経を受持し読誦・書写し、あるいは持経者を礼拝恭敬すれば、諸君はすでにして如来さながらの者であり、如来として、私自身の使者として法華経の教えを説くのだという。教えを説く者としての資格をこのように授与したうえで、世尊はこの経の弘法の心構えを述べていく。法華経こそは諸経の王である。それなのに今のところ、この経説は世間で信じられていない。如来の力によって完全に護持されてきたのであるが、いまだかつて世に示されたことがない。だから、現在でも多くの人がこれを斥けている。まして私の入滅後はなおさらのことであろう。だから、私なしで私の使者として世間に出る諸君には、悪と誹謗とが襲いかかってくるであろう。だが、迫害のなかでも私を思い出して耐えて行け。迫害があったとしても、私は必ず神通力をもって出現して、諸君らを供養し、庇護し、加護すると約束しよう。必ず、仏が輝かしい姿で現れ見守って下さることを、諸君らは目の当たりにするであろう。臆することなく、この経を説き明かせ」。

もしこの経を説かん時　人ありて悪口をもって罵り

刀・杖・瓦・石を加うとも　仏を念ずるが故に応に忍ぶべし。（中162頁）

以上の世尊の演説には、この教団の置かれた党派的な位置がすでに表明されている。教団の教説たるこの法華経は「諸経の第一」に位すべきなのだが、この世に現れ出たばかりで、知る者とて少ない。しかも、この経説は他の既成教団を刺激して、我らに敵対させるだろう。他宗派との党派闘争をくぐり抜けなければ布教活動が全うできない。迫害が降りかかってくるだろう。諸経の王という強がりと、孤立無援の被害者意識による同心とが滲み出ている。そうした中での、世尊による布教運動の出陣訓である。

世尊のもとに盟約する

さて、法華経教団の総決起集会は、世尊の冒頭の説法に応える場面でもう一度、驚くべきスペクタクルを目の当りにすることになる。集会中の会衆のど真ん中に、巨大な七宝造りの多宝塔が地中から出現して、空中高くそそり立ったのである。この宝塔の壮麗なことといったら。集会はこの光景に圧倒され狂喜した。宝塔からは大音声が発せられてこの奇跡の由来を縷々説明した。なんと声の主はとうの昔に入滅したはずの、かの多宝如来その人であった。法師品に続く法華経の見宝塔品第十一はこのスペクタクルを入念に演じている。そしていまや、世尊は多宝如来と空中に相並んで座しておられるではないか。空中から鳴り響く、世尊の御言葉。

僧たちよ、おまえたちの中で、このサハー（娑婆）世界においてこの経説を宣揚することができるのは、誰なのだ。いまや、その時、その機会は近づいている。如来はこの経説を、おまえたちの中の誰かに委ねて、入滅しようと欲しておられるのだ。（中191頁）

わが滅度の後に　誰か能く　この経を受持し読誦するや
今、仏の前（みまえ）において　自ら誓の言を説け。（中194頁）

このように今や、世尊は入滅の近いことを予告して同志たちに法華経を付嘱するという。その上で、滅後も団結してこの経を宣揚すること、その誓約が各人に迫られることになる。法華経は次にその誓約の場面に移る。現今の法華経鳩摩羅什訳テキストでは、見宝塔品に続いて提婆達多品第十二が続くが、これは後の挿入とされ内容も異質なのでスキップして、総決起集会は場面を勧持品第十三（「絶えざる努力」）に移す。そこに、菩薩たちを始めとした全員の誓約と決意表明の言葉が響くことになる。

まずは菩薩たち、つまり教団生え抜きの指導層を代表して、薬王菩薩と大楽説菩薩とが世尊の面前で誓約する。「ただ願わくは世尊よ、もって慮（うらおもい）したもうべからず。われ等は仏の滅後において、まさにこの経典を奉持ち、読誦し、説きたてまつるべし。後の悪世の衆生は、善根うたた少なく、増上慢多く、利供養を貪り、不善根を増し、解脱を遠離する（布教を拒む）をもって、教化すべきこと難しといえども、われ等はまさに大忍力を起こして、この経説を読誦し、持ち、説き、書写して、種々に供養し、身命を惜しまざるべし」（中226頁）。

世尊の入滅後も、この悪世において、身命を賭して我らは闘います、どうか憂慮なさらないで下さい。菩薩たちに続いて、誓いの言葉が全会衆から次々に発せられる。集会はここで盟約集団の決起集会になっていく。そして同時に、少数異端の教団にとって誓約とはまた党派闘争に耐えていく誓でなければならない。世尊が予言した弘法への迫害に耐えていくことを、全員が声を合わせて誓い合うのである。仏の滅度後の「恐怖の悪世」において、打ち勝つべき迫害が列挙される。無智な者たちによる悪口と暴力、増上慢や利殖に耽る者たちによる誹謗、王族・婆羅門・長者そして他宗派の僧たちの非難など。ことに、「濁世の悪比丘」たちは我らを外道と非難するでしょうが、耐えていきます。（中236頁）

濁劫（じょくこう）の悪世の中には　多く諸の恐怖（くふ）あらん
悪鬼はその身に入りて　われを罵詈（めり）し毀辱（きにく）せんも
われ等は、仏を敬信したてまつるをもって　当に忍辱（にんにく）の鎧を着るべし。この経を説かんがための故に　この諸の難事をも忍ばん。（中238頁）
われはこれ世尊の使いなれば　衆に処して畏るる所なし。
われはまさに善く法を説くべし　願わくは、仏よ、安穏に住したまえ。（中240頁）

自分たちだけが義であり、それゆえに運動途上で被る迫害にも同心して耐えていく。ここに見られるのは、典型的に反体制派小セクトの心性である。これがセクトを世間から孤絶した共同体に結集させる。

新たな菩薩への自己変革

続く安楽行品第十四（「安楽な生活」）は、これまでの教団総決起集会の流れからすると、やや奇妙な章である。殉難者意識に凝り固まった異端派は、それゆえに過激な行動に走りやすい。暴発に歯止めをかけることはまた、教団にとって必須の運動論であったろう。それに、安楽行品からうかがえるのは、教団がまだ既成の僧院内部に留まっていたころの姿である。この両面を含めて、この章のことは次の運動論にまわすことにして、教団総決起集会は次の従地涌出品（じゅうじゆじゅっぽん）

第十五に移る。ここで集会はクライマックスを迎えると同時に、教団運動の大きな転換を宣言することになる。僧院から出て大衆の中へ！

こうして法華経教団の総決起集会は、多宝塔が出現した空中で、第三のスペクタクルを演出することになる。法華経弘法の運動の本隊というべき、精鋭部隊の登場である。従地涌出、すなわち「求法者たちが大地の割れ目から出現した」のである。この娑婆世界は一面に地割れが生じて、地中から無慮無数の求法者（菩薩・摩訶薩）たちが、世尊の言葉を聞いて現れ出た。彼らは全身金色で、偉大な三十二の吉相を具えている。無数の求法者の一人ひとりがまた、無慮無数の弟子たちを引き連れており、弟子たちの集団の偉大な指導者として登場したのである。世尊にご挨拶を申し上げたうえで、こう尋ねた。この集会に結集している諸君は信頼がおける世尊の同志でしょうかと。世尊はこれに保証を与えた。そこでいまや彼ら求法者たちは、両如来が座る多宝塔をびっしりと取り囲んで空中に浮かんでいる。この奇跡、外人部隊の登場を目の当たりにして、集会に戸惑いと不安が走った。決起集会第三のスペクタクルは、たんに重ねての景気づけの演出ではなかったのだ。従来生身の釈尊を中心に結集してきた教団に異質の同志たちが導入された。

そこで、集会の司会者弥勒菩薩が代表して世尊に尋ねる。「これは何れの所より来れるや。何の因縁をもって集まれるや」（中２９６頁）。我々がいまだかつて見たこともないこの人びとを、そもそも、誰がこれまで教化育成したのでしょうか。

明らかに、これら地涌の求道者たちの出現は、法華経教団が内向きの分派闘争から娑婆世界の衆生へと教線を広げる転換点を象徴している。弥勒菩薩ら教団生え抜きの信者たちは、自らと教団の運動とを再組織化しなければならない。従来からの世尊の同志たちは、地から湧出した見知らぬ上級指導者たちと団結していけるだろうか。そればかりではない。新たな教線拡大は生身の釈尊が不在の状況で始めねばならない。イエス亡き後のエルサレム教会やパウロと同じ境遇に置かれている。滅後に、世尊はこの教団をどのように見守ってくれるだろうか。教団は滅後の世尊をどのように位置付けたらいいか。そしてもちろん、法華経が名を借りていても、世尊は何百年も前の人である。新たに教祖の現在を再獲得すること。世尊の名による法華経教団にとってこれは必須の課題である。法華経の従地涌出品と次の如来壽量品第十六とは、これら二つの課題、地涌菩薩出現の意味と釈尊論とを巧妙に結び付けている。

さて、弥勒の疑念を受けて世尊が話し始める。「まさに精進して心を一にすべし　われはこのことを説かんと欲す。疑悔(まどい)あることを得ることなかれ。……昔より未だ聞かざる所の法を今、皆、まさに聞くことを得べし」(中306頁)。いま現れ出た者たちは娑婆世界の地中から来たのである。彼らこそ、私がすでに久遠の昔から教化育成してきた弘法の戦士たちなのだ。私が覚りを得てからまだわずか四十年しかたっていないのに、どうしてこんなことができたのか。弥勒よ、汝の疑念はもっともなことだ。だが、私が生身の人間としてこの世に生を受けたのは、弘法の方便なのであって、実は、私はすでに幾億年の昔から存在し、最高の覚りを得、無慮無数の菩薩たちを成熟させてきたのだ。(中312‐313頁)

だが、と弥勒が再び問う。私たちが接してきたこの四十年の世尊が、ただ方便の生だったなど、お言葉をどうして信じられましょうか。世尊よ、ありのままに説明してください(中323頁)。

見られるとおり、涌出菩薩軍団の出現をきっかけにざわめいた会衆の不安は、世尊の寿命が実は久遠なのだという教義を導入するきっかけになる。過去世ばかりではない。入滅後も未来永劫に世尊は仏として生きている。このことを説くために集会の場面は次に移る（如来壽量品第十六）。

釈迦はかのブッダガヤで初めて覚りに達したと思われているが、そのように思うべきではない。私が最高の覚りに達してから、すでに幾千万億劫という長い時が経過している。そう世尊は語り続ける。それればかりではない。如来の寿命はそもそも無窮であり、私は将来にわたって常に存在する。このたびの滅度もまた方便である。もしこの身が滅度しなければ、衆生は今後も私に頼り切ってしまい、常にそばにいることでかえって仏を軽視することになるだろう。弘法の決意も鈍るであろう。だから、私はあえてこの世での入滅を演じるのだ。娑婆世界の私の生はかように方便であるが、決して嘘も方便という意味ではない（下21頁）。

世尊の寿命が過去未来に渡って無窮であることを明かした如来壽量品第十六は、法華経の中核として名高い。ただ、法華経そのものは、この久遠仏の教義をそれとして詳しく説いてはいない。むしろ断定的、断片的な宣言である。あるいは方便論につきている。だから後にこれを補うべく、煩瑣な教義が大量に生産されていくであろう。何しろ、生身のゴータマその人が始めた宗教である。生身はやがて滅する。であれば、世尊を教祖として立てるための仏陀論が、滅後の教団にぜひとも必要になる。イエスの死後にキリスト論がせり出してくるのと同じことである。イエスもビックリのパウロ教会とか三位一体の教義が作り上げられる。同時に宗派内対立の結果として、議論は煩瑣になる。

これにたいして法華経は、久遠仏の教義そのものというより仏陀論の始まり、始まりの必然性をリアルに示している。法華経教団の宗教運動の始まり、すなわち総決起集会において、久遠仏の教えが明かされた意味がここにある。このリアルを踏まえたうえで、世尊は特定の身体と人格（身柄）を超越し、超歴史的で時空に偏在する存在、仏陀の成立へと教義が整えられていく。僧院内の小さなセクトから菩薩道への出立を決意し誓約する総決起集会にとって、釈尊の入滅というタイミングを捉えることが必須の意義を持った。

すでに実況放送風に綴ってきたように、総決起集会は現に世尊臨席のもとに展開されている。しかも、世尊の入滅が近いことが予告され、その前提は参集者の誰もが知っている。これから一致団結して決起を誓うとしても、教祖なき後はどうなるのか。集会のめくるめくスペクタクルの展開の中で、信者たちの不安もまた高じていく。弥勒菩薩が会衆の不安を代表して世尊に質したのだった。

「諸の善男子よ、汝等は、まさに如来の誠諦（まこと）の語を信解すべし」と、世尊は重々しく三度唱えてから、大会の不安を慰撫せんとして説き始めた。久しい以前に覚りに達した如来は、しかも無限の寿命の長さをもち入滅することはない。常にここに住して法を説く。私の肉身が骨となった後にも、「一心に仏を見たてまつらんと欲して、自ら身命を惜しまらざれば」、私は再びここ霊鷲山に姿を現わしてこの集会を催すであろう。私と私の仏国土とは、常に、諸君の傍らに存在しているのだ。諸君の世界がどんなに悪世であり、私の名はおろか私の教えに従う集団について聞くこともないとしても、私は常に諸君を見守っている。疑う心を残らず捨てよ。私の言葉に未だかつて偽りはない（下30‐31頁）。

この仏陀論はセクトの集団形成にとって特徴的であり、かつ決定的である。教団はもはや生身の一人の回りに世俗が結集する集団であることはできない。仏陀は教団の内にあると同時にない。それは超越的な名辞として現実の教団を超えて存在する。いや、たとえ教団など現存しなくても、私はすでにあったのであり、常にある。諸君のそばに存在している。法華経の仏陀はこうしてインドから中国そして日本へ、また近代にいたるまで、教団というものの名辞であり続けるだろう。あえて言えばこれが党という存在である。

フィナーレ

さてこうして、久遠仏の教えをかみしめながら、法華経教団の総決起集会はフィナーレへと移っていく。会衆の全員がいまやこの久遠仏の教えを会得したと、世尊が確認する。わが求法者たちはかくて偉大な真理と力と覚りとを会得したのだ。世尊がこのように宣言するや否や、すべての会衆の上に花々が散り注いだ。天空高く大太鼓が鳴り響いた。栴檀の香り、白き布、あらゆる宝珠をもって会場が荘厳された。菩薩たちが掲げる宝石造りの傘蓋が空を覆う。菩薩たちは妙なる音声をもって仏を讃嘆した。そうした中で、再び弥勒菩薩が立って、世尊の教えとその果報を復唱するのだった。

仏は稀有の法を説きたもう　昔より未だ聞かざるところなり。
世尊には大力有まして　寿命は量るべからざるなり。
無数の諸の仏子は　世尊の分別して

法利を得たる者を説きたもうを聞きて　歓喜身に充ち遍し。（下44頁）

法華経集団の総決起集会、そのフィナーレから散会に至る実況は、分別功徳品第十七から途中を飛んで如来神力品第二十一と嘱累品第二十二に描かれている（飛ばした諸章は後の運動論で触れることがある）。フィナーレの演出は次のように進行した。まずは、先に大地の割れ目から現れ出た求法者たちが、改めて世尊に挨拶して世尊滅後にこの経説を説くことを誓った。「われわれは、世尊よ、如来が完全に平安の境地に入られたのちには、世尊の国土であるところは何処であれ、すべての仏の国土において、また世尊が完全に平安の境地に入られる場所という場所で、この経説を説くでありましょう」（下151頁）。次いで、文殊を初めとしてこの娑婆世界に住む会衆すべてがこれに倣って唱和した。応えて、世尊と宝塔如来とが、大いなる舌を伸べて神通力を発揮する（下153頁）。そして、世尊の最後の訴えが鳴り響いた。

良家の息子たちよ、余はこの経説の中に、仏の教えのすべて、仏の優秀なことのすべて、仏の神秘のすべて、仏の深遠な立場のすべてを要約して教示したのである。（下159頁）

わが滅度の後において　まさにこの経を受持すべし。

この人は仏道において　決定して疑いあることなからん。（下164頁）

嘱累品第二十二は梵語原典では「委任」と題されており、法華経全体の終章に置かれている。内容的にもこの章は、釈尊が法華経そのものを教団に委任して入滅するという演出なのである。「今、以って汝等に付嘱す。汝等よ、応当に一心にこの法を流布して、広く増益せしむべし」（下166頁）。世尊のこの委任に応えて、集会参集者のすべてが繰り返し唱和した。「世尊よ、わたくしどもは如来が命令される通りにいたします。そして、すべての如来たちの命令に従い、それに完全に遵奉いたします。世尊はなにとぞ御心配なく、御安心ください」（下169頁）。
また続いて、この決起集会のすべての参加者たち、他の世界から来た菩薩たち、地から湧き出た菩薩、そして天神たちと四衆の信者と会衆がともに有頂天になって歓喜し、世尊を賞讃した。（下171頁）
こうして、法華経教団の総決起集会は散会し、それぞれが弘法の道へと赴いて行くのである。

三　大衆の中へ

新興教団の運動論

さてここで、法華経教団の総決起集会はもう一度、王舎城は霊鷲山の舞台に戻る。霊鷲山の山裾を舞台に始まった集会は、前節で経過を見たように華々しく荘厳され、驚くべきスペクタクルが演出され、世尊の獅子吼とこれに応える同志たちの決意表明をもって進行した。現在の言い方では、パンパカパーンの大会である。だが、異端の少数派セクトの総決起集会であればこそ、こんなふうに表面を飾って済むはずもない。オープニングの挨拶で文殊がこう述べた。これから釈尊は最高の教説を説き、悟りを求める者たちを満足させて下さるだろう。だが同時に、誰かが疑念を抱き、誰かが不安になり、また不審に思うだろうが、釈尊は諸君の疑心をも一掃して下さるはずであると（上65頁）。法華経では序品の集会オープニングを引き取って第二類の華々しい諸章が展開するのだが、議論がここ第一類では少々内攻的になる。だがこれもまた、もう一つの総決起集会の展開なのであった。世尊は開会演説に引き続いて、いきなり教団の長老、舎利弗を名指して議論し始めるのだった。

すでに見てきたように、第二類では世尊が説法する相手（対向衆）は主として（新旧の）菩薩である。小乗仏教の声聞や独覚とは意図的に区別された菩薩（偉大な求法者）である。彼らこそが世尊入滅後のこの教団の主力部隊だと、明瞭に認識されている。菩薩を中核とした教団の盟約と弘法運動への決意表明が、ここで展開されたのだった。世尊の使徒、行者としての菩薩の自己確認と、その実践としての菩薩行が宣揚された。第一類では、これにたいして、対向衆は明らかに声聞・独覚であり、というより元声聞・独覚から世尊のもとに転じてきた弟子たちである。世尊はいってみれば転向者を相手に説法するのである。

釈迦没後の仏教教団の宗派対立と党派闘争という背景が、そこに明瞭に透けて出ている。既成教団との相違を明確にしてこれを切り崩し、修行者たちを転向させ、新たに法華経教団の同盟員（菩薩）として認定（授記）する。認定の儀式を会衆の面前でにぎにぎしく執り行う。法華経第二類が教団の総決起集会の実況放送だとすれば、この集会で確認される教団の運動論（布教方針）が第一類だ。そもそも、ゴータマ仏陀が説教を始めた時の最初の弟子たちは、舎利弗を初めとして皆すでに既成宗派の出家者だった。それが改めて釈尊に帰依したのだからそもそもが「改心」「転向」以外にありようがない。釈尊と彼らの間でそれこそ疑念、不安、不信の点の数々が提起され議論されたであろう。法華経はこの場面をそっくり借りて、新興異端集団の信者獲得運動を権威づけている。かつてのゴータマと舎利弗の関係に仮託して、法華経教団はその調伏ターゲットをオルグしようとする。集会も曼殊沙華が降り注ぐ霊鷲山の麓というより、ここでは既成の僧院内部での議論のようである。

分裂とセクトの純化

新興少数派の集団の運動論として法華経第一類を読んでいく。その手始めに、まずは次の一場面を見よう。方便品第二でのことだが、序品で設定された教団の総決起集会のオープニングに続いて、集会のごく初めの段階とおぼしい。世尊の挑発的な説法に反発して、会衆の一部が集会から一斉退場を敢行したのである。「世尊がこの言葉を語った途端に、その集まりにいた僧や尼僧の中で、うぬぼれの心を起こした五千人の者が座から立ち上がり、世尊の両足を頭に頂いて礼拝をしたのち、その集まりから出ていった。……かれらは自尊心を傷つけられたと思って、その集まりから出ていったのであった」（上87頁）。

この際特徴的なのは、むしろ世尊の対応である。「しかし、世尊は黙ったままで、それを許した」と書かれている。そして宣言した。「余の集まりには余計な者はおらず、気力のない者もおらず、信仰の核心に安住している者のみである。うぬぼれた輩が出ていったのは、まことによいことだ」と。教団はもともと既成の仏教僧団から分裂して出た小集団であったろうが、この教団でさらに集団の分裂が起こらざるをえなかったのである。そして世尊は、教団の「純化」としてこれを歓迎した。「乗り物はひとつ、また方法もひとつである。そして、仏の教えもまたひとつである」（上111頁）。唯一の教え、一仏乗。世尊のセクト主義だと、これを評してもいい。彼らが「会衆の中の滓」（衆中の糟糠）であることを知り、世尊は彼らが出ていくのを許した。その上で、こうまでいわれている。「ここに集まった余の会衆は清浄で、余計なものはおらず、安定している。くだらぬ輩はすべていなくなり、最も優れた精髄のみが残っている」。精髄のみが残り、以降、総決起集会は展開されていくのである。脱退した者たちは「法華経の立場から見ると、不要の籾殻、落ちこぼれなのです」、とはこの場面についての中村元先生のコメントであるが（『法華経』、東京書籍、58）、思うにいささか無邪気に過ぎるであろう。

改宗劇を演出する

さて、法華経第一類において、世尊の対話の相手として最初に登場するのは舎利弗である（方便品第二)。続いて、須菩提、迦旃延、迦葉そして目犍連(目連)が続々登壇する(信解品第四)。彼らはみな世尊が覚りを開いて以降の最初の弟子である。舎利弗は智恵第一、目犍連は神通第一、迦旃延は議論第一、須菩提は解空第一などと呼ばれ、その後仏教の長老と呼ばれる人びとである。ただ、この人びとは世尊の覚り以前にすでにして修行者であった。たとえば、舎利弗と目犍連とはもともと懐疑論者といわれるバラモンのサンジャヤの弟子であったが、世尊の説法を聞いていわば転向したのだった。この事実を逆手にとって、法華経は彼らの改宗を改めてにぎにぎしく、総決起集会において会衆の面前で演じて見せる。それも、かつてのようにバラモンからでなく、ほかならぬ現時点での小乗教派からの転向劇としてである。このような演出によって、既存の(なお圧倒的に強力な)小乗教団にたいして、差異と対立点を際立たそうと仕組むのである。いいかえれば、舎利弗などはすでに仏弟子として名高い存在なのに、強いて入門以前に舞台を戻す。しかも、これら長老たちを小乗の出家修行者(声聞や独覚)に見立てて、その転向劇を演出するのである。あざといといえばあざとい。

さて、世尊はまず舎利弗に話しかける(方便品)。仏の覚りえた智恵は深遠で見極め難く、理解しがたい。一切の声聞や独覚たちには理解しがたいものなのだ。汝のような賢者にしてしかり。これを解する者はただ菩薩のみだ。これでもかと、念を入れて菩薩と声聞・独覚の区別が繰り返し説かれている。明らかに、世尊の、これは挑発である。はたせるかな、総決起集会で冒頭に紹介された声聞僧千二百人(序品)が、たまらずに反問する。「われわれには世尊の語られた言葉の意味が分からない」。彼らを代表して、舎利弗が要請する。「これはいかなるご所存でありますか、よくご説明ください」(77頁)。しかし世尊が遮る、舎利弗よ、「もう、よせ。

その訳を説明して何になろう」。この問答が三度繰り返される。世尊がじらすのである。総決起集会の場から僧たち五千人が席を蹴って退場するのは、これに続く場面にほかならない。世尊の挑発の結果なのであり、教団の純化を狙った法華経の言説にほかならない。この分裂を「まことによいことだ」と評して、ようやく世尊の説明が始まる。

小乗の悟りを超えて

「仏の覚りえた智恵は深遠で理解しがたい」と世尊自身がいうように、ここで論点はやや錯綜して多岐にわたる。漢訳による教義的付け足しも多いが、第一に読むべきは小乗教団との対立である。対立は舎利弗の名を借りた法華経教団同盟員たちの性格付け、従って教団の組織論に関わっていた。これまで小乗が教えるところでは、修行僧はどんなに修行しても最高の覚り（アノクタラサンミャクサンボダイ）に到達して仏になることはできない。最高位は阿羅漢止まりだ。まして、在家の信者たちは覚りから遠い。ところがなんと、汝らは成仏できるのだと世尊が告げた。菩薩と同様に、「千二百の阿羅漢も、ことごとくまた、まさに仏と作るべし」と（上128頁）。

教団のいってみれば新参者の修行僧（声聞・独覚）にとっては、世尊のこの予言がまずは驚天動地のごとくに響いたのだった。長老たちをはじめとして、彼らの多くは長く厳しい修行によってようやくに阿羅漢果を得ていた。つまり世俗に紛らわされない安楽の境地を獲得したと自認している。法華経がそう性格付けている。その彼らの境地が偽りのものであり、これを脱せよと世尊は呼びかけた。彼らにしてみれば根本的な転向の命令である。後に詳述することだが、安心立命の境地を脱せよとは、「大衆のなかへ！」という呼びかけであった。これを菩薩行というが、声聞・独覚は菩薩に転身（転向）しなければならない。菩薩として大衆の中へ布教の運動に出ていかねばならない。それが仏になる道である。

世尊の説法を聞いて、舎利弗は躍り上がって喜び、合唱礼拝し世尊を仰ぎ見て、告白と誓の弁を長々と語りだす。私はかつて異端の徒の教えに従って出家した。その後世尊にお会いして世尊は私が誤った思想から離れる道をお示しくださった。だが私は真に理解し得ていなかったのだ。疑念が常に付きまとっていたのであり、あまつさえこの集会で疑義を唱えることにもなった。だが、まさに本日、世尊の御言葉により一切の疑念が晴れた。（上１４１頁）「今日、私は完全にさとりを得ました。今日、わたくしは真の阿羅漢の位に達しました。今日、私は世尊の嫡出の長男として安らかに生まれ、教えの息子であり、教えの化身となり、教えの遺産を相続する教えの後継者となりました」（上１３７頁）。

舎利弗は世尊の最初の弟子の一人であったが、ここに見られるように、当時は真の理解に達したわけでなく、今日、法華経教団の決起集会において初めて疑念を払拭した、というストーリーになっている。総決起集会では作為的に時間が現在時に二重化されているのである。世尊の最初の説法によって弟子となり、だがこれは小乗の阿羅漢止まりだったのであり、いまここに新たな宗教運動の開始とともに、舎利弗は真に仏の長子となることができた。もとより歴史的には、釈迦が入滅したのは大乗仏教と法華経成立の何百年も前のことであり、また舎利弗は釈迦の存命中に亡くなったといわれている。

長老たちの再盟約

さて、舎利弗の決意表明に応えて世尊がすかさず約束する。ここに参集するすべての会衆の前で、私は宣言する。舎利弗はこの上なく完全な覚りに到達しうるように成熟した、と（上145頁）。世尊のこのような予言を聞いて、僧・尼僧・男女の在家信者の四衆の会衆も、天・竜などの八部神衆も、帝釈も梵天も天子たちも皆、歓喜に沸き立った。天から楽音が響き花々の雨が降り注いだ。明らかに、世尊の後継者（仏の長子）ともいうべき舎利弗の再盟約劇を、法華経は鄭重に荘重に演出している。教団は小乗部派からかの「舎利弗」を獲得したのだと。教団の分派闘争と宗教運動開始に際して、これは特筆すべき第一歩であり、それにふさわしい場面設定をしたのである。

ただ、ここで注意しておきたいが、舎利弗の告白は自分個人の悟りのことに限られており、「大衆のなかへ」という世尊の説法の基調（後述）が舎利弗には響いていない。大衆のなかへという決意表明がそこには欠けている。同じことは、他の長老たちの告白にもっと明瞭に見てとれる。阿羅漢の個人的な悟りの境地から、菩薩道への転身を誓ってはいないのである。

法華経教団の総決起集会では、舎利弗に続いて、須菩提ら先の四人の長老たちが発言した（信解品第四）。世尊よ、私どもは年をとりこの集団で長老と認められているが、実は老衰していた。すでに悟りに達したと思い込み、その上に完全な悟りを得ようとする気力をなくし、また努力もしなかった。そう熱望する気持ちも起きなかった。こんな耄碌の私どもですが、今日、「声聞たちでも、この上なく完全な悟りが得られる」という予言を承って驚嘆し不思議に思いながらも、偉大な宝玉を得たのです。今日はっきりと分かりました、知りました（上225頁）。

これを要するに、小乗の教える通りに、私どもは阿羅漢位に達したことで満足し、それ以上を求めなかったと懺悔するのだった。出家して一人厳しい修行に耐え、煩瑣な教義をそらんじて、ようやく阿羅漢に到達することができる。それ以上、仏に成道する可能性は小乗では閉ざされている。いずれにしても衆生には縁のない仏教になっている。これが小乗部派仏教にたいする法華経の批判である。

もとより、仏教の教えとして小乗は根拠のない話とはいえない。ブッダの最初期の教え（原始仏教）を見ても、あくまで現世における生老病死の苦しみを逃れ、一切の執着を捨てて個々人がこの世で安心立命することが悟り（涅槃、解脱）だと説いている。衆生の救済、そのための運動は主題にならない。教団（そうぎゃ）の形成もたんに事実上のことと見なされる。「わたくしはこのことを説く、ということがわたくしにはない」という仏陀の言葉すら記録されている（『スッタニパータ』８３７）。説教がなくてどうして他人をオルグできようか。この流れから極めて個人主義的な修行の道が導かれても不思議はない。実際、舎利弗や他の長老たちは、衆生の救済や仏国土の荘厳に関心を持たなかったと告白している。自身の悟りだけが関心なのであった。繰り返すが、これが法華経の演出である。

既成仏教を分裂させ包摂する方便

有名な窮子（貧乏人）の譬え（信解品第四）もこのことに関連する。四人の長老の懺悔に続いて、彼ら自身によって語り出される話である（世尊の説法ではない）。世に金持ちの一人息子がいた。若くして家を出て、貧窮しながら世の中を渡っている。そしてようやく、金持ちの父親の住む町に舞い戻って来た。父親は一目で息子と知るのだが、今すぐ親子の名乗りを上げることはしない。何故なら、長年の貧乏暮しで息子はすっかりいじけて、根性なしになってしまっているからだ。父親はたんに人助けだといって、息子にまず便所掃除の仕事を提供した。そして徐々に仕事の程度を上げていき、二十年もかけてついに執事の仕事を任せるまでに至る。そこで初めて、父親は貴顕を招いた席上で親子の名乗りを上げる。全財産を相続させると宣言する。息子もようやくこれに応えることができるまでに成長した。こういう話である。

長老たちが語るこの譬え話で、窮子が彼らかつての声聞であるのは明白である。修行者たちがこの窮子のごとくに無知でいくじなしであり、だから仏はまず彼らに便所掃除を勧めた。彼らを徐々に完全な悟りへと導いてきた。そしていまようやく、この決起集会の会場で、仏の息子としてお披露目されるにいたったというわけである。これはいくらなんでも、あまりに自虐的な譬えだというべきであろう。だが、長老たちが語るには、私どもは窮子が毎日の賃金を求めるように、ただ悟りの境地を求めることが有難いことだと得心していた。この世において仏になろうとはよもや望まなかった。よくいって無欲だった。（上２４１頁）

しかし思うに、これがまさに仏の巧妙な手段（方便）だったのだ。仏の息子だとは知らせずに、便所掃除にも等しい境遇に私どもを置いて上で、その私どもを成仏の道へと慎重に導いて下さったのだ。ことほど左様に、かつての私どもには仏の息子たらんと望む心がなかった。仏国土のことを聞いても、衆生を教化することを聞いても、喜びはまったく感じなかったのだ。だが今日こそ、私どもは果報を得た。仏の子供であることが証明された。そして、「われわれは声聞であるが、最高の悟りを達成すると宣言するであろう」。（上２６１頁）　こと ここに至っても、彼ら元声聞にとっては、衆生でなく自身の達成だけが関心であるかのようだ。

仏の方便とは法華経の劈頭における重要な概念だが、二つの意味を負わされている。二番目の方便については後述するとして、まずは窮子の譬えで語られるような仏の方便。これは小乗の修行僧たちを自派に獲得する巧みな手段であるという。仏は深慮遠謀をもって小乗修行者(声聞・独覚)をそれとして育成してきたのであり、諸君らが小乗会派において修行を重ねてきたのも実は故あってのことであり、無碍に否定することではない。ただ知るべきである。窮子の譬えではないが、これは親子の名乗りを上げるための仏の方便だったのだ。

法華経教団の位置が部派仏教との党派闘争にあったことが、この背景にあるのはいうまでもない。新解釈の仏陀論の旗の下に相手の部隊を改宗させたい。そのためには彼らを非難して全否定するばかりではかえって彼らを遠ざけてしまう。内ゲバではだめだ。両派の根本的な対立を前提にしつつも、同時に相手を理論的に包摂する論理が用意される。長老たちはいまや声聞としての過去を全否定して世尊のもとに参じた。だが、その過去もまさしく仏のはからい、高級戦術の賜物としてあったのだと、彼らが納得するのである。

総決起集会への合流

同じことは、仏の乗り物はただ一つ、二もなく三もないという一仏乗の教えにも感じ取れる。ここで二とか三とかいうのは小乗の乗り物、それぞれ声聞と独覚、あるいは菩薩という道である。これにたいして乗り物はただひとつ、仏の乗り物(大乗)であり、この道を行くことが菩薩行だというのである。だから二も三もないとは、声聞独覚菩薩の区別の否定である。従来の仏教組織論の否定的解体であり、そこからの教団再編成の論理である。否定しておいて、なおこれは仏が方便として提供した乗り物なのだという。仏は彼らのことをよく知っている。知った上でそれぞれの育成段階に対応した適切な乗り物を用意している。だがしかし、「乗り物はひとつ、また方法もひとつである。そして、仏の教えもひとつである」（上111頁）。これもまた、従来の修行者を切り崩しかつ包摂する論理になっている。

このロジックは手が込んでいるが、しかし、あまり説得力があるようには思えない。法華経以前の（小乗）仏教には、悟りへと至る三種の乗り物があるとされていた。その内の二乗（声聞と独覚）も仏によって説かれた道である。この道に従って、われらはその最高位である阿羅漢位を得た、と舎利弗が振り返っている。これに満足していたが、しかしまた、成仏を予言された第三の菩薩の道から逸れたことを悔やんでもいた。「ああ、わたしは邪悪な考えにだまされていた」と（上139頁）。これも仏の方便であったと、今日にいたるまで気づかなかった。舎利弗はこう述懐するのだが、どうしてこれが仏による巧みな手段だったのか、しっくりいかないものがある。思うに、従前からの三乗をより高度な一乗の道（法華経）に包含する戦略が主眼に置かれており、これを二乗への批判（敗種の二乗）と同居させる包摂の論理が分かりにくいのだろう。二乗が方便、というより、この論理自体が方便（屁理屈）と取られかねない。窮子の譬え話も、この点でいささか的外れの感は否めない。

それはともかくとして、法華経派の総決起集会において舎利弗に続いて他の長老たちが、世尊の法を受け入れることをにぎにぎしく表明した。舎利弗に次いで、四人の長老にも成仏の道が予言される（授記品第六）。それぞれの仏国土の荘厳が描写された。世尊による予言（授記）

はさらに拡大されて、僧五百人に（五百弟子授記品第八）、次いで阿難ら修学中および修学を終えた者たちにいたる（授学・無学人記品第九）。成仏の予言の大盤振る舞いといっていい。

以上がすべて、法華経派の総決起集会のイベントとして執り行われたと受け取ることができる。舎利弗らの名を借りた声聞独覚らの内輪のオルグという少々内攻的な場面が、ここで野外の大集会へと合流する。菩薩中心の集会の実況放送というべき展開は先に記したところだ。これはまた元小乗修行者の参加を皆で確認し合い、彼らが世尊を前にして盟約する場面を演じるものとなった。彼らは菩薩となった。だが、もう菩薩も、声聞も独覚の別もない。われらは等しく仏の息子娘なのだと宣誓される。法華経の第一類（第二から第九まで）においては世尊の対向衆は声聞たちであったが、以上のようにして、この総決起集会はまた法華経教団の党派闘争勝利を宣言する場とし演出されたのである。このイベントを滞りなく演じ終えて、集会は改めて菩薩たちの大合唱をもって幕を閉じた。すでに指摘したように、第二類、嘱累品第二十二で展開されたフィナーレである。もはや、従前の如き三乗の区別立ては無効だ。三乗は一乗、すなわち菩薩道へとまさしく止揚された。思えばかの地涌の菩薩軍団の突然の登場こそ、三乗を一乗の菩薩行に統合する教団の総決起集会の象徴であった。だからいまや、世尊は菩薩たちに方便でなくよりストレートに一乗の法を説く。「諸の菩薩の中において、正直に方便を捨て、ただ、無上道のみを説く」のだった（上128頁）。

大衆獲得の方便

さてここからは、仏の方便の第二の意義に注目しよう。仏の巧妙な手段とは、もとより、既成の小乗修行者にたいして行使されるセクト主義のロジックにつきるのではない。方便の第二の意味として、これは何よりも衆生の教化の手段なのであり、むろんこちらに法華経の教えの根幹がある。小乗教団との党派闘争の論理と違って、こちらの方はまさしく大衆運動の運動論として理解が容易な主張というべきである。手始めに、これも有名な火宅の譬えを見てみよう(譬喩品第三)。

長者の古い邸宅が火事になった。家の中では子供たちが遊びに熱中して、火の手が迫っても覚らず驚かず、恐れず、出てこようとしない。子供たちを火宅からどう救い出したらよいか。危険を警告するという正攻法によっても、力ずくの手段でも救出できない。そこで父親の長者が仕組んだのが方便、つまり子供たちが日ごろ欲しがっていた玩具を与えると告げて彼らを宅外に誘い出そうというのである。牛車、羊車そして鹿車の玩具である。長者は子供たちのことをかねてより知りつくしていたのである。はたせるかな、これを聞いて、子供らは競うようにして燃え盛る家から抜け出してきたのだった。しかるに、約束とたがい、長者は子供たちを集めて等しく別の車を与えた。七宝で美々しく飾られ、風のように速く走る車であった。子供たちはいまやこれに乗って歓喜した。何故かといえば、この人にとって子供はすべてわが子である。分け隔てなく一つの車、大白牛車を与えたのだった。

こう語って、世尊は問うている。舎利弗よ、長者は約束した三車を与えずに別の車にしたが、この人は子供たちに嘘を言ったことにならないだろうか(上169頁)。

火宅の譬えが三乗という方便を一乗に止揚することを説いているのは明白である。しかしこの点だけならば、方便のあざとさ(嘘も方便)が目立つだけと評することもできよう。一仏乗の問題は何よりも教義に関わることなのであり、それを子供と玩具の話にするのは、阿羅漢にとっていくらなんでも幼稚に過ぎるだろう。しかし、そうではない。子供を従前からの修行者と見立て、彼らを三乗の方便で導くというセクト主義をいまや越えて、限定なくあらゆる衆生に向き合うことが肝心だと、世尊は説くのだった。火宅の譬えは衆生に向けられる。いまや仏にとってすべての者が自分の息子であり、もはや特定の者のためにそれぞれ完全な悟りに導くことはしない。「今、この三界は　皆、これ、わが有なり。その中の衆生は　悉くこれ吾が子なり」（上198頁）。三界の苦から離脱した人間たちすべてに、ただ一つの仏の乗り物を約束する（上181頁）。ここで、仏の方便論は大衆運動論へと、大きく展開していくのである。大衆の中へ！

三界は火宅のごとし

一切衆生は　皆、これ吾が子なるに
深く世の楽に着して　慧心あること無し。
三界は安きこと無く　猶、火宅の如し
衆苦は充満して　甚だ怖畏すべく
常に生・老・病・死の憂患有りて
かくの如き等の火は　熾然として息まざるなり。（上198頁）

火の燃え盛る古い大邸宅、これが火宅である。火宅はまさしく衆生の住むこの世界にほかならない。そこは人生のあらゆる苦が充満して休まるところもない。それなのに、衆生は世に執着し愛欲に耽溺しており、省みてこの火宅から解脱しようともしていない。大衆の存在様式についての、これが法華経の現状分析となる。息子たちが無邪気に遊び暮らす長者の優雅な邸宅の趣が、ここにがらりと転轍される。すなわち、長者の古屋敷は、もともと朽ち果て崩壊して、汚物糞尿に満ちていた。あらゆる獣がお互いに争い合っている。加えて、魑魅魍魎、夜叉悪鬼の類が人肉と獣類を食っている。争いいがみ合って悲鳴が耐えることはない。このような世界が、いま燃え盛っているのだ。脱出しようとして争う住人どもの阿鼻叫喚は止めどない狂乱である。法華経は執拗に火宅の有様を描写して止まない（上183-189頁）。まさしくこの世は五濁の悪世の様相なのである。

そして、この時こそ仏が世に現れたのだと、世尊は説き続ける（上89頁）。如来はただ一つの目的、仕事のためにこの世に出現する。ただ一つの偉大な仕事とは、如来の知恵を発揮して衆生に法を説くことにほかならない。そのためにのみ、私はここにいるのだ。一仏乗をもって仏の法を説くのである。火宅にも等しい悪世に苦しむ衆生、しかも苦をもって苦を除かんとするがごとき愚痴の衆生を救うことこそが、われらの使命なのだ。

舎利弗よ、まさに知るべし　われ仏眼をもって観じて
六道の衆生を見るに　貧窮にして福も慧もなく
生死の険しき道に入り　相続して苦は断えず
深く五欲に著すること　ヤク牛（みょうご）の尾を愛する（ヤクが尾で繋がれる）が如し。
貪愛（とんない）をもって自らを蔽い　盲瞑（もうみょう）にして見る所なく
大勢ある仏と　及び苦を断ずる法とを求めず
深く諸の邪見に入りて　苦をもって苦を捨てんと欲す。

この衆生のための故に　しかも大慈悲を起こせり。(上122頁)

明らかに、世尊の説法はもう集会に集う修行者たちを超えている。在家の信徒たち、そしてはるかに一切衆生にまで言葉を届かせようとする。もとよりこれは、小乗部派仏教に対抗して主張された大乗仏教の金科玉条であり、普く知られていることである。だが、法華経では、一切衆生と世尊の対向が、悪世火宅において独占的で排他的な地位を要求している。世尊の軍団としての菩薩たちと一切衆生がいまや向かい合っている。法華経教団の総決起集会が最後に整えた体制がこれであった。いまや菩薩行への準備は整った、いざ大衆の中へ。

だがしかし、かくのごとき排他的な教義と運動とは、愚痴なる衆生をどのように教化したらいいのか。その運動論が確認されねばならない。何故なら、君たちは誰もがすべて成仏できるなどと正攻法でいきなり唱えても、大衆は怖気づくばかりだ。一仏乗の教義を生のまま大衆にぶつけたって逆効果であるだろう。これは教団が大衆運動に要する当然の配慮、つまりは方便(戦術)である。火宅の譬えでいえば、火炎地獄の警告も、解脱せよとの正攻法も、衆生には届かない。そこは方便、大衆の関心をかきたて、自分の利害関心を追求するのだと思わせる必要がある。この運動論はもう、仏による現物御利益の保証すれすれにまで拡大していくだろう。大衆を玩具で誘い込むのだ。「大衆の中へ」という運動と大衆主義とは切れ目なくつながっている。実際、法華経に後代に加えられた第三類、ことにその観音信仰が、露骨に現世利益を約束したことは周知のことだ。金銭であれ生命であれ、まさかの時に、観音に請願すれば救済される。文字通り、困った時の神頼みを説く。『今昔物語集』本朝仏法編の説話群がこれである。

一切衆生悉皆成仏と大衆主義

これまで見てきたところでは、法華経は教団内外の修行者が最高の悟りに達することだけに関心を持っているように思われる。だがもちろん、それだけではない。後に漢訳を通じて強い影響を及ぼす教え、「一切衆生悉皆成仏」が、すでに教団結成の段階で主張されていたことを指摘しなければ片落になろう。方便品第二が偈をもって宣言している。精進瞑想して仏に仕え、また福徳ある所行をなす者はすべてその功徳により悟りに達する（仏道を成ずる）であろう。誰か仏に会ってその法を聞き、布施をし供養する者があれば、かれらはすべて悟りに到達するであろう。仏の滅後に遺骨に供物を捧げる者たち、泥であれ木であれ石であれ、これをもって塔を建て、仏像を造る者たちも成仏する。法華経はたたみかけるようにして、この予言の言葉を繰り返していく。子供たちが砂で仏塔を作って遊んでも、指先でちょっと仏像の絵を画いてすら成仏する。供養の催しで音楽の一片を鳴らしただけでも、気を散らしたまま供養してもかまわない。そしてついには、合唱するだけでも、一瞬頭を下げただけでも、一言「南無仏」と唱えただけでも「皆すでに仏道を成ぜり」と断言されるにいたるのである(上113‐117頁)。

これを要するに、人はみな仏になる可能性を持っている存在だというのである。この教えが部派仏教からの大乗の大きな転換点をなしたことは明らかだろう。しかしそれにしても、法華経教団の運動論という視点でこれを見れば、まさしく成仏のインフレーションであり、大衆追従主義もここに極まったと評することができよう。

同じことは法華経第二類にある常不軽菩薩品第十九からも読み取ることができる。正しい教えが消え増上慢の僧たちがはびこる時代に常不軽という求法者がいた。この人は菩薩のくせに教えも説かず、教文を読むこともせずに、ただ誰かれとなく会う人ごとに次のように声をかけるばかりだった。「われ敢えて汝等を軽しめず。汝等は皆まさに仏と作るべきが故なり」。馬鹿の一つ覚えよろしく、ただこの一言を告げるために人に近づいて行った。はた迷惑な話であり、声をかけられた者の中には怒り出し、悪口をいい、果ては暴力を振るう者も出た。「なぜこの男は、頼まれもしないのに、われわれにたいして軽蔑心を持たないというのだろう。菩薩のくせにわれわれが仏に到達するなどと予言するのは、身の程知らずにもほどがある」、と反感をもたれるのだった。だが、そうまで疎まれても、彼は相手に悪意を持つこともなく、めげずに「私はあなた方を軽蔑しない」と言い続けた。そしてとうとう、かの菩薩を軽蔑した高慢な人びと、邪教を信じた者たちなども、予言どおりに最高の悟りに到達することになった。一切の衆生には仏性があり、法華経にたいする敵対者も悪人も、みな成仏できるのだということになろう。

大衆主義もここに極まると、以上を評することができる。軽蔑され批判されてもめげることなく、大衆に近づいて行く。誰にたいしても下手に出て、誰かれなく持ち上げては成仏を予言する。常不軽菩薩とはつまり、運動組織者のうちに必ずいる(だから不可欠な)大衆オルグなのである。大衆オルグを通じて、この経を聞いて随喜した一人がまた次の人に伝えて、芋蔓式に五十番目の人をも随喜させることができるのだ(五十展転随喜の功徳、随喜功徳品第十八)。

後に浄土教は易行道を大衆に勧めた。法然の専修念仏になればなおのことであった。だが、法華経がすでに南無仏と一度でも唱えれば成仏すると言っている。『往生要集』の源信が浄土信仰を広めるに当たって法華経を引用するゆえんである。しかし思うに、こうした帰結は教義あるいは修行の実際に由来するというより、教団の運動論の顛末を示している。法華経は明らかにこの脈絡を語っている。

安楽な生活か大衆運動か

法華経教団の運動論という観点で、なおいくつか指摘できることがある。私は以上に教団の運動論として法華経第一類の方便品第二から信解品第四までを読んできたが、ここまで来て、第二類の総決起集会の進行状況にこの運動論を組み入れて見ることができる。この観点に立てば、逆に第二類からも、運動論に当たる場面を取り出すことができるだろう。

たとえば安楽行品第十四は、教団の僧院生活と大衆運動における禁止事項を列挙している。文殊菩薩が問う。世尊滅後の恐怖の時代に菩薩たちは「どのようにしてこの経説を宣揚すべきでしょうか」。これに答えて、世尊はまず布教対象から除外すべき者たちを列挙する。王族とその従者に近づいてはならない。以下、異教徒と苦行者、学者、賎民や屠殺業者、芸能人や闘技者ども、そして声聞の男女信者と昵懇になってはならない。女は誰であれ関心をもって近づくな。こうした禁止が守られるべきなのはほかでもない。菩薩はこの世の一切を空と見て、個々人が安楽に暮すべきだからだ（中249頁）。みだりに人と交わらずに、清浄でなければならない。菩薩は法を説く。だがその際、他人を非難し悪口をいってはならない。声聞僧たちにたいして、誇り敵視し争ってはいけない（中257頁）。

この章が「安楽な生活」と題されているように、法を説けといってもその口調は穏やかなものである。菩薩は空観に立脚して、あらゆる執着と煩いから解脱して行い澄ますことが理想とされているように見える。おのずと、四衆と衆生は彼の周りに集まってきて教えを請うだろう。

内閉せずに、その時は臆することなく懇切に説くがいい、といった調子である。「常に坐禅を好み、閑なる処に在りて、その心を摂むることを修え」（中２４６頁）とも言われている。この箇所を捉えて、坐禅ばかりしていては「この経を世間に弘通するに何の暇かあらん」、つまり運動論を否定するものだと聖徳太子が批判したそうである。これは矛盾だろうか。法華経教団がなお従来の僧院生活にあった名残だろうか。そうであるかもしれない。だが、「大衆の中へ」と唱える運動集団の内部規律と道徳的規範だと、以上を読むこともできるだろう。大衆運動組織だといっても、組織者のセクト主義なしで済まされはしない。大衆オルグとしての菩薩たちは、愚かな世間とは性格が別の存在でなければならない。別の存在が道徳を堅持し、悟りに達した者として「安楽な生活」を旨としている。宗教結社と布教活動とに特有の内部矛盾だと、これを見なすこともできよう。

だからまた、安楽な生活とは裏腹に、教団は排他的でセクト的な言動を暴発させるかもしれない。セクト的な共同体に凝り固まって内部に専制をはびこらせるかもしれない。この章でも、法華経は経典のうちで最も深遠なものであるが、それゆえに、愚かなすべての世間からは歓迎されないと指摘されている（中２７３頁）。それでもなお法華経を説く菩薩たちには、罵詈雑言が投げつけられるだろうが、それこそ「忍辱の鎧を着て」（勧持品、中２３８頁）「柔和忍辱の心」（法師品、中１５８頁）をもって耐え忍ばねばならない。そのための「安楽な生活」の勧めであったかもしれない。

慈悲の雨

私は一個の宗教的で政治的なパンフレットとして法華経を読んできた。これではあんまりだ、という印象を与えたかもしれない。そこで最後に、美しい一章を読んでおきたい。薬草喩品第五である。

迦葉よ、と世尊が語る。地上には実に様々な種類や色をした植物が生い茂っている。雑草もあれば、灌木や喬木もある。それぞれが固有の名前をもっている。これらすべての植物群落の上に、いま大きな雲が立ち上り、到るところに一時に雨を降らす光景を思い浮かべてみよ。雨は分け隔てなく、同じ雲から同じ味のする水を降り注ぎ、生きとし生けるもののすべてを潤す。そこに差別は一切ない。大地は一時に活気づいて、山間に、渓谷にまた森林に、あらゆる植物が生える。同じ味の水を飲んでそれぞれが思いのままに成長する。

まさしくこのように、私はこの世に出現してすべてを一様に潤すのだ。雲に雷鳴がとどろくように、私は世間に大音声を響かせてその出現を告知する。そこにあらゆる種類の人びとが教えを聞こうと集まってくる。それらの人びとすべてに、私は同じ教えを語り、ある人に説くように他の者にも説く。雲があたり一面に雨水を降らせて、一切の世間を蘇生させるように、私は教えの雨を遍く降らすのだ。私の教えに差別はない。

貴賤・上下と　持戒・毀戒と
威儀具足せると　及び具足せざると
正見・邪見と　利根・鈍根とに
等しく法雨を降らして　しかも懈倦（けけん）なし。（上278頁）

以上は、世に知られた法華経の平等主義の大慈悲である。しかしそれ以上に、この比喩は素朴で、田舎風の詩情があり、しかも美しい。この点で、作為の目立つ他の譬え話（火宅とか窮子とか）とは、比べ物にならないのである。福音書が伝えるイエスの言葉のいくつかを想起するだろう。神の国を何に譬えようか、からしの種は地にまかれた時はどの種よりも小さいが、やがて成長していかなる野菜よりも大きくなり、枝を張って空の鳥がその陰に宿るようになる（マルコ、第四章）。動植物を含めて一切衆生を救済するという仏教の宗教思想が、無理のない形でこの三草二木の譬えに表わされている。もはや我が身の悟りだけが関心ではない。仏は悟りの境地にすでに渡った者であり、かつ衆生を向こう岸に渡らせる。衆生は教えを聞くために私の下に集まり、私は彼らにその道を説く（上２６９頁）。

ひとそれぞれの意向に関わりなく雨は降り注ぐように、法の雨も聞く者の否やを問わない。衆生の救済は、仏の前世の誓願によってすでに決定されていることであり、衆生の逃れるべきことではない。このような絶対他力の思想を読み取ることもできるであろう。

もとより、同じ雨に潤されても、植生が種類ごとに成長が異なるように、同じ教えを聞いても、衆生はその気根に従って悟りに差異が出る。人びとはそれと気づくこともないだろうが、仏はその差異をことごとく知っており、それぞれの気根に応じて上手に法を説く。方便という考え方が、ここでまた繰り返されるのだが、しかしもはや宗派間のセクト主義、かの三乗の別などが問題なのではない。法の雨は声聞にも独覚にも、菩薩にも降り注ぐが、彼らを超えて一切衆生を潤すであろう。

第Ⅲ部　世俗の物語

第十二章　魑魅魍魎、跳梁跋扈す

宮中にまで現れた霊鬼

人びとの生活世界に魑魅魍魎が跳梁跋扈している時代だった。

宮中にすら現れた。小松（光孝）天皇の御代（８８４‐８８７年）のこと、若い女三人が連れ立って武徳殿のある宴の松原を帰ってくる。八月十七日の夜、月の光が明るい。すると、松の根かたに男が一人現れて、女の一人を差し招く。木陰で男女は手を携えて何やら話し込んでいる。残された二人は用件の済むのを待っていたが、ふと気付けば松の下には影も見えず物音もしない。怪しんで近づいて見れば二人の姿はなく、ただ女の足と手がばらばらに散らばっていた。女たちはびっくり仰天して衛門の詰め所に駆け込んだ。現場検証に及ぶ。切り刻まれた屍などはなく、足と手ばかりが残されていた。鬼が人形（ひとがた）になって現れこの女を食らったのだと、集まった人々が騒ぎ立てた（巻二七・8）。また、太政官府で夜明け前に政務が行われていたころの話である。上司の弁はすでに出勤しているらしい。遅参した下僚の史が、慌てて庁の東の戸を引き開ける。しかし、中は灯もなく人の気配もない。明りをかざして見れば、弁官の座には所々に髪が付着した血まみれの頭があるばかり。辺りも血だらけであった。これは水尾（清和）天皇の御代（８５８‐８７６年）のことである（同9話）。まだある。仁壽殿の放出に置いた御燈の油を夜半に抜き取っていくモノがいる。兵の家ではないが武の勝った源公忠が見張りに立ち、足音がするあたりを蹴上げるや、後に血を残してモノは走り去った。以降は、油の盗難は止んだ。これは醍醐天皇の御代（897‐930年）のことだ（同10話）。以上いずれも、まだ内裏が荒廃していない時代のことである。

霊鬼の現れ方

宮中でもこんな状態だから、いわんや京の夜の闇には魑魅魍魎がうごめいている。試みに巻二七の全四五話（一話中途で欠）の舞台を見れば、記載があるもの四一話中で京の内の出来事が三一話を占めている。一例を除いて平安時代である。巻二七は「霊鬼」譚と呼ばれているから、これにならって魑魅魍魎どもを霊鬼と総称する。では、当時の人びとに害を与える霊鬼とはどんな現れ方をしていたろうか。多彩である。昼夜の区別もない。

1．人間に害を与えるが姿は見えない（以下、カッコ内の数字は巻二七の説話番号）

遷都以前に雷電に打たれて死んだ男の霊（1）、あばら屋に雷電霹靂（7）、朝廷で姿なき殺人（9）、宮中で御燈油の盗み（10）、滝口のバックから果物を盗み取る（12）、あばら屋で隣室に妻を引き込む（17）、拾い物の銀の提（ひさげ）が失せる（28）、花の盛りに歌詠む声（28）、京の巷を引き回される（42）、山中で歌う常陸歌に「あな面白」の声（45）。

2．奇妙な物として現れる

柱の節穴から子供の腕（3）、榎木の梢に舞う赤い単衣（4）、空中を飛び来って襲う板（18）、空中を行き鍵穴に入る油瓶（19）、髻をつかんで引き上げる腕（22）、應天門に青い光（33）、山中の堂の格子天井に無数の顔（44）。

3．人の形をまとって現れる

故人―　源融（2）、伴善雄（11）、死んだ妻（24）、死んだ夫（25）、死んだ縁者の男（26）。

女―　侍を誘う安義橋の女（13）、北山科でお産をした官女を世話する老婆（15）、女と寝た空き家に元家主の女房（16）、旅で女の怨霊（20、21）、そっくり乳母二人（29）、川の中で「この子抱け」と呼ぶ女（43）。

男―　大内裏の宴の松原に男（8）、冷泉院で夜な夜な人の顔を撫でる小さな翁（5）、東三条殿の庭をさまよう太った五位（6）、陰陽師の予告通り男来訪（23）、小児の枕元に五位の小人十人（30）、古家を買った三善清行のもとに元住人（31）、主家の舎人となって下女を連れ出す（32）。

4．狐の謀りと判明

夜の狩りに名前を呼ぶ声（34）、親の遺体に忍び来る怪しき光（35）、深夜の葬列からしのび寄る者（36）、山中に見慣れぬ大杉（37）、宴の松原に深夜の美女（38）、瓜二つの二人（39）、狐憑きの女との約束（40）、馬の尻に乗り京中を惑わした女童（41）。

前夫を襲う妻の人形

以上のように、文字どおり跳梁跋扈の有様であった。霊鬼は超越的存在でなく、人の世界に住んでいる。見慣れた夫婦親兄弟や隣人でも、ひょっとして霊であるかも知れない。霊は人形、人間の姿で現れるのである。たとえ姿が見えずとも人間の声を届ける。見えない恐怖、物の気というより、霊鬼は具象的な存在としてそこにいた。確かに、日常生活で怖ろしく不可解な被害にあった後で、人は「あれは鬼か」「狐が化けて誑かしたのだ」と振り返る。本巻でも話末の「公衆の評価」で、人びとはしばしば鬼か狐かと騒ぎたてる。要するに正体不明なのであるが、それだけに霊鬼は普段人に紛れ込んでいて区別が付かない。例外的に狐の仕業がある。右の4話では霊鬼現象と戦って勝利した暁に、狐（あるいは野猪）の死体が発見されて「犯人」が特定される。しかし、狐といい鬼といい、正体不明の代名詞であったかもしれない。

ここで霊の現れ方の一つを具体的に見ておく。

近江国の生霊、京に来りて人を殺せること（巻二七・20）

今は昔、京から尾張方面に下ろうとする男がいた。ふと見れば四ツ路に青ばみた衣の女が立っている。やり過ごそうとすれば女が声を掛けてきた。「どちらへお出かけですか」、「御急ぎでしょうがどうしてもお願いしたいことがあります、ちょっとだけ立ち止まって下さいまし」。こうして女の頼みを聞き入れて、男は渋々ながら民部大夫なにがしの宅まで女を案内した。門の前で女は鄭重に礼を述べ、近江の自分の家にぜひとも立ち寄ってほしいと言い残して、門に向ってかき消すように失せた。男は恐ろしく頭の毛も太るほどの気持で立ちすくんでいると、家の内から泣き喚く声、人が死んだ気配である。後に噂を聞けば、近江にいる前妻の生霊が入り来て大夫は俄かに死んだという。男は先に女の教えた近江の家に立ち寄って見る。果たして女はおり、簾越しに、ありし夜の喜び永久に忘れることはございませんという。男は恐れながらも、そこで御馳走になり土産をもらって、さらに旅を続けた。生霊とは魂が人に取り付くことかと思いきや、なんと生身の人間として現れるとは。離縁されたことを恨んで、生霊になって大夫を殺したのだ。

されば、女の心は恐ろしいものだと語り伝えられているとか。

霊鬼に出くわして何ができるか

では、以上のような霊鬼の出現に直面して、当時人びとはどう対応しいかなる結果を招いただろうか。冒頭に言及した例からは、次のような物語の因果系列が浮かび上がる（図3-1）。人びとは人形に「遭遇」してやにわに襲われる。大内裏は宴の松原での男と女官の話（巻二七・8）がこれに当たる。主人公は危難に立ち向かわねばならないが、なすすべなく一方的に「受難」する。物語はかくて殺されるか霊力に恐怖するという結末につながる（恐怖・被殺）。これが筋書きの一つである。あるいは、霊鬼と出くわすことが即被害であり、これが受難となる。冒頭に例示した第9話（朝廟で殺害された弁官）がこれである。そしてもう一つ、冒頭の第10話、物の気を蹴とばして追い払った物語は、霊鬼との遭遇から「対決」に至り対決に「勝利」する例になるだろう。

因子の名前を使って一般化すればこうなる。物語を始動する出来事は因子「霊異出現」と「危難直面」である。「霊異出現」はごく普通に他人と出会うが、実は霊鬼や変化であることが分かる場合、あるいはまた、偶然に怪異現象や霊鬼に出くわすことである。変数は遭遇とその対象である人形、怪異、あるいは異類とする。ここ世俗編では遭遇は「邂逅」（人間同士の社会的な出会い）と区別する。一方、因子「危難直面」は受身であり、その態様を襲撃、捕縛、強盗、異類難などとする。この因子はここでの霊鬼譚以外にも、また仏法編でも使われる共通の因子である。ただし、ここでは加害者は霊鬼だから、捕縛、強盗は変数から除外している。

次いで、出来事が起きれば、これへの主人公の対応、パフォーマンスとしての行為につながる。行為因子「敵対闘争」は変数を対決とその相手となる霊鬼、狐などとする。これは武芸譚の敵対闘争因子と同一とするが、対決相手を人間以外に絞っている。因子「霊鬼被害」はこれにたいして加害者を名指す。鬼であり霊鬼である。最後に、物語の結末因子「武芸称賛」は武芸譚と共通である。ただし、変数「武道」よりここでは「勇気」のウエイトが高くなる。果敢に対決し物の気に勝利するのである。他方で、結末「霊界威力」は武芸譚の「武芸敗北」に対応するが、その場合の如く勝負して敗退するのではなく、なすすべもなく、訳も分からずに霊力に恐怖しあるいは殺される（被殺）。

因果モデルの行為因子「霊鬼被害」と「敵対闘争」では、変数に鬼や狐を用いている。「鬼にやあらむ」「狐などの所為にこそあるめれ」という話末の人びとの評価を先取りしているわけだが、結末の種明かしは聞き手にとってすでにここで予期されているのである。また、図3-1の因果モデルによれば、出来事因子「霊異出現」と「危難直面」は、両方とも行為因子敵対闘争と霊鬼被害への因果連関を示している。怪異現象に出くわせば、闘うこともありなすすべもなく受難者となることもある。訳も分からず被害にあったとしても、受難に甘んずることなく加害者と対決闘争することがある。遭遇→対決と被害→受難の物語は、宮中に出現した霊鬼譚としてすでにその一端を見た。次に、両者が交差する例をそれぞれ一つあげる。霊鬼譚のバラエティーを紹介するのにも都合がいい。

鬼に遭遇して一方的に殺される

在原業平中将の女、鬼に食はれたること（巻二七・7）

（1）発端：情愛関係（親愛・男女）

今は昔、業平という男がいた。極め付きの色好みで、官女だろうと素人娘だろうが美女あれば見境なく懸想していた。その内の一人、さる箱入り娘を口説いたが親がどうしても許さない。だが、どんな手を使ったのか、業平は娘を密かに盗み出した。ところが、京の内には隠れ家が見つからない。思い余って連れ込んだのが北山科の人も住まぬあばら家。その家の倉にうすべり一枚を敷いて女と寝た。

（2）出来事：霊異出現（遭遇・怪異）

まさにその時、俄かに雷電霹靂して天地鳴動した。起き上った業平は女を庇いながら刀を振るった。雷もようやく鳴り止んで夜が明けた。

（3）行為：霊鬼被害（受難・鬼）

この間女は終始無言、業平が見返れば、何と女の頭と衣服ばかりが残っていた。恐れおののいた業平は、取る物も取りあえずに逃げ出した。

（4）結末：霊界威力（霊力・恐怖）

あれは雷電霹靂でなく倉に住みついた鬼ではなかったのか。「然れば案内知らざらん所にはゆめゆめ立ち寄るまじきなり」。

この話は単純で単線的である。男は霊鬼から逃げおおせたが、女は殺された。危機に当たって二人の対応は分かれたが、結末は霊界の威力を蒙るという点で男女は同一化する。霊異出現

図３－１　霊鬼譚

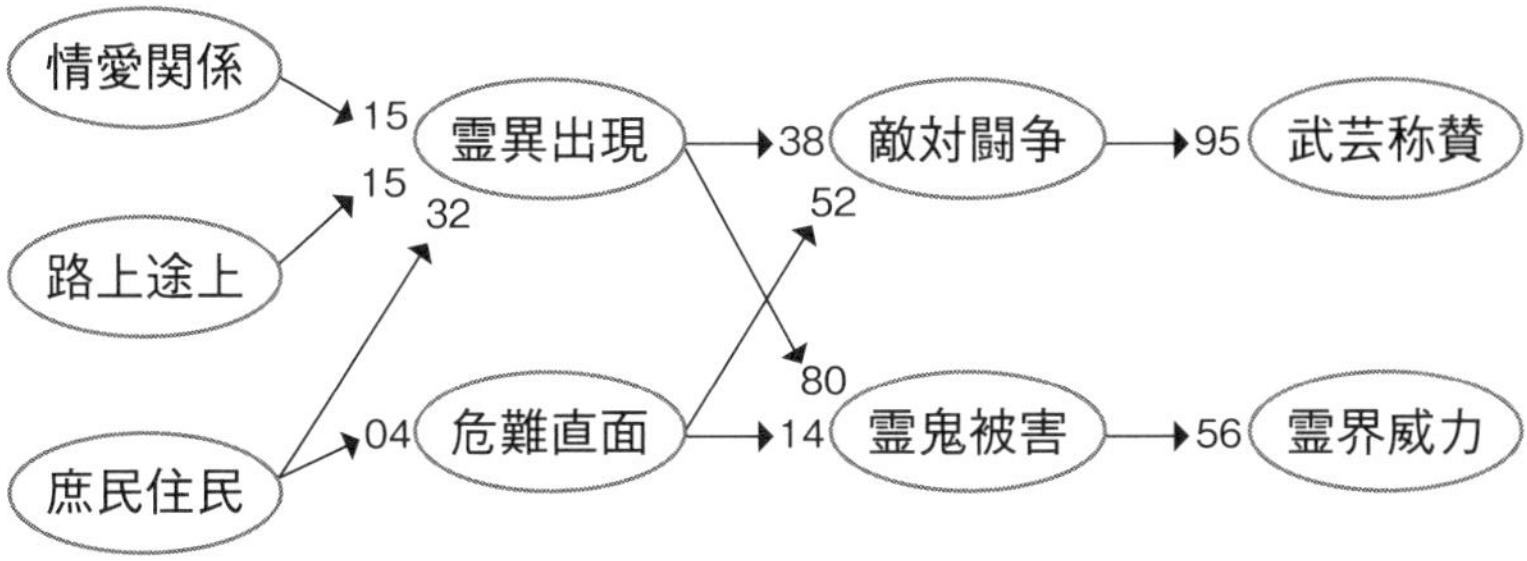

発　端：情愛関係（親愛97・夫婦48・男女50・親族54)、路上途上（旅移動99・京43・地方78）、庶民住民（住人90・在京95）

出来事：霊異出現（遭遇91・人形61・怪異70・異類24)、危難直面（被害95・襲撃60)

行　為：敵対闘争（対決81・狐28・霊鬼02）、霊鬼被害（受難24・鬼24・霊鬼71）

結　末：武芸称賛（勝利92・武道44・勇気59)、霊界威力（霊力93・恐怖69・被殺34)

カイ二乗：1181、自由度：280、カイ二乗／自由度：4.21、ＧＦＩ：0.769

（武芸称賛・霊界威力：相関－0.85、ｂ：旅移動0.95、霊力0.83）

以前の男女の仲が真っ二つに割れ、そしてもう一度、恐ろしい形で二人は霊の前に合体したのである。以上は、霊鬼との遭遇から一方的な受難へと交差する因果系列の例である。

危難に立ち向かう

高陽川の狐、女に変じて馬の尻に乗れること（巻二七・41）

（1）発端：路上途上（旅移動・京）

今は昔、滝口の詰め所で噂話の花が咲いていた。仁和寺の東を流れる高陽川（こうやがわ）（紙屋川）の辺の夕暮れ、騎馬で京に上る者の前にかわいい女の子が現れるそうだ。京まで乗せていってと女童がせがむ。馬の尻に乗せて四五町も行くと、急に飛び降りて逃げる。追いかけると、女童は狐になってコーコーと鳴いて走り去るという。

滝口たちの内に一人の若い男がいた。血気盛んで思慮深い。自分なら必ずそのあまっ子を絡め取ってくれようものをと、男は言った。できるものかと滝口たちは口々に焚きつけた。なら、明日の夜必ずと男は宣言して、一人だけで高陽川を渡った。噂どおりに女の子が出てきて、京まで御馬に乗せてってちょうだいと、笑顔が可愛い。男は乗せてやったが、予期したこと、女童を馬の鞍に縛りつけた。これは何のこと、――お前を連れて行って今夜一緒に寝るのさ。日もとっぷりと暮れた。

（2）出来事：危難直面（被害・人形）

一条大路を東に向かい西の大宮を過ぎると、向こうから松明の行列が来る。貴顕の一行と察してこれを避けて、大宮大路を下って二条へ、さらに東へ行きようやく大内裏東の土御門まで行き着いた。打ち合わせ通り郎等どもが打ち揃っている。男は泣きわめく童の細腕をひっつかんで、滝口の詰め所に引きずって行った。やんやの喝采である。輿に乗った十人ばかりが弓を引いて叫ぶ。女を放せ、こ奴の腰を射据えてやる。されば と、男は女童を打ち放つ。すると、女は狐の姿になってコーコーと鳴きながら逃げ去った。だが何と、居並んだ滝口たちも掻き消えて、辺りは真っ暗やみ。従者たちを呼んでも答えない。心惑い肝も騒ぎ、生きた心地もせず辺りを見回せば、何と、鳥部野の真っただ中に放り出されているのだった。

（3）行為：敵対闘争（対決・狐・撃退）

次の日、男は心乱れ死んだように臥せって起き上がれない。滝口たちがからかい半分で呼びに来る。狐はどうした、どうした。男は言い繕って、実は今夜やるのだという。今度は二匹からめ取って来いよと、同輩たちははやし立てた。男は言葉少なに退出して、従者の強いのを引き連れて再度高陽川に向かう。あんなことの後だ、今夜はよも出ては来ないだろう。だが、出て来たら今度こそ、だが出て来なければもう出仕はできないと思いつめる。ところが、川辺には女童が立っていた。前回の女の子とは顔立ちが違う。先のように女を鞍に固く縛りつけて、一条を京に戻る。今回は従者たちに火を灯して前後を守らせ、馬で脇を固め、あわてず先払いの声も高く行く。途中会う者もいない。

（4）結末：武芸称賛（勝利・勇気）

こうして滝口の詰め所に着いた。今度は縄を解かない。責め立てれば遂に狐の姿になった。さらに、松明の火でもって毛を焼き何度も矢を射た。そして、今後は悪さを止めよと申し付けたうえで狐を放免した。ほうほうのていで狐は逃げ去った。人を謀ろうとして辛き目を見た狐だこと。狐が人形と変ずるのは昔から常のことだ。しかし、最初は鳥部野まで京の夜を惑わされたのに、次には貴顕の車列にも会わず迷子にもならなかった。狐は人間の心を見透かして振舞うのではないか。

仏法編の鬼、世俗編の霊鬼

京の夜の闇の中で、霊鬼とおぼしきものに会う人びとも多彩である。巻二七では庶民13、武士8、官人7、貴族7、従者5など、分布は広がっている。僧籍にある者はわずかに二例にとどまる。因果モデルではこれら物語の主人公の状態を、因子「情愛関係」、「路上途上」そして「庶民住民」として捉えている。住人のウエイトは京にあり、貴族や官人のみならず武士や一般庶民もこれに含まれる。旅移動では、地方との往還で出来事に遭遇する場合があり、また京の路上を移動することでもある。さらに、因子「情愛関係」は夫婦男女、あるいは親兄弟が一緒に事件に遭遇する。男女では業平の女の話のように、被害者は女が多い。

主人公に僧が少ないのは、関連する説話を仏法編に移したためと思われるかもしれない。だが、仏法編では鬼とおぼしき者たちに遭遇する説話例は少なく、また物語の因果構造が違っている（図2－2参照）。仏法編からは鬼との敵対事例を五つほど拾うことができる。京の町中で文字どおり百鬼夜行に出くわして被害に会う例が二つ。出来事因子「危難直面」である。そして、衣服の袖に縫い付けた尊勝陀羅尼文のおかげで難を逃れる（巻一四・42）。あるいは、鬼によって隠形（透明人間）にされてしまうが、観音に祈願して元に戻ることができた（巻一六・32)。もう一つ、旅の僧二人が古家に泊まり、牛頭の鬼に襲撃されるという被害に会う。僧は法華経に祈願し毘沙門が現れて鬼を殺した(巻一七・42)。いずれも仏法の加護があり、救命・救難という結末に至る。これ以外の二例では、羅刹女が僧を襲う。そしていずれも、仏に祈願することによって難を逃れるという話である（巻一二・28と巻一七・43)。

仏法編の鬼の被害を世俗編の因果系列図3-1と比較して見よう。霊鬼による被害という出来事が共通する。しかし仏法編では、これにたいする主人公のパフォーマンスは仏への祈願であり、仏はこれに答えて加護し利生利益をもたらしてくださる。世俗編の物語のように、対決もしないし為すがままに受難するのでもない。だから結末も異なってくる。違いは物語の落ちの付け方にも現れる。仏法編では仏による救済譚として、「尊勝陀羅尼の霊験極めて貴し」、「観音の御利益にはかかる稀有のことなむある」などと話が締めくくられている。世俗編ではこれと対照的に、仏法の霊験を称揚することなどできない。大体が、難に出くわして「助け給へ」と仏に祈願する一言が記される例は二話しかない。それも特定の仏菩薩を名指すことはない。その代りに、世俗編の話末コメントは危難を避けるべき処世訓になる。

霊鬼の被害を避ける処世訓

話末コメントの処世訓、リスク予防策は次のように区分けができる（以下数字は巻二七の説話番号)。

1．人のいない所に行くな、人里離れた所に宿るな。

何といってもこの忠告が多い。「然れば案内知らざらん所にはゆめゆめ立ち寄るまじきなり。

いはんや宿りせむことは」(7)。「然れば女、さやうに人離れたらむ所にて、知らざらむ男の呼ばはむをば、広量して(うかうかと)行くまじきなり。ゆめゆめ怖るべきことなり」(8)。「然れば公事といひながら、さやうに人離れたらむ所には、怖るべきことなり」(9)。「これを思ふに、さる古き所には必ず物の住むにぞありける。……これによりてさやうならむ所には、独りまには立ち入るまじきことなり」(15)。「然れば、人なからむ古き堂などには宿りすまじきなり」(16)。「然れば、人離れたらむ所には、幼き子供をば遊ばすまじきことなり」(29)。「これを思ふに、知らざらむ所には広量して行き宿りすべからず」(30)。「然れば、人離れたらむ野中なんどには、人少なには宿りすまじきことなり」(36)。「然れば、道を踏み違え知らぬ方に行かむをも、怪しむべきことなり」(37)。

2．女には御用心

「然れば、女の賢きは悪しきことなり。……由なき争いをして遂に命を失ふ、愚かなることぞ」(13)。「然れば女の心は怖ろしきものなり」(20)。「然れば人の妻の嫉妬の心深く、そら疑ひせむは、夫のためにかく善からぬことのあるなり」(21)。「然れば、人、遠からむ野などにて独りまに、良き女などの見えむをば、広量して触れ這ふまじきことなり」(38)。

3．用心深く賢くあれ

「実に人は命に増すものはなきに、由なく猛き心を見えむとて死ぬる、極めて益なきことなり」(4)。「然れば男となりなむ者はなお太刀・刀は身に具すべきものなり」(18)。「然れば人の親の痛う老ひたるは必ず鬼になりて、かく子をも食らはむとするなりけり」(22)。「然れば、心賢く智ある人のためには、鬼なれども悪しきこともえ起こさぬことなりけり」(31)。「然ればかくやうのことのあらむには、心を静めて思ひめぐらすべきなり」(39)。「然れば、自然ら便宜ありて助くべからむことあらむ時は、斯様の獣をば必ず助くべきなり」(40)。「然れば、さやうならむ歌などは深き山中などにては歌ふべからず」(41)。

処世訓をはみ出す物語の過剰

こうして見れば、話末のコメントは、当時の実生活上の切実な注意事項であったには違いない。人びとはそれぞれに、霊鬼の被害にたいしてリスク防止の手立てと心構えを用意しておかねばならなかった。リスク予防の注意書きという性格の話末教訓は、ここ霊鬼の話にとりわけ顕著だ。しかしそれにしても、霊鬼譚のおどろおどろしさを読んだ後の話末結語は、いかにもつながりが悪く、文字通り取って付けたような処世訓なのである。他の種類の物語類型、あるいは仏法編の鬼の話に比べても、この教訓は不格好が目立つ。それだけに、当時、魑魅魍魎の跳梁跋扈は著しく、人びとの被害が後を絶たなかったのだろう。しかし、重要なことはここでも物語の過剰さであり、物語はありきたりの処世訓の枠を溢れ出て雄弁である。作品が独り歩きする。これを抑制するにはどうしても仏法の枠組みを必要としているのだろうが、作者はここでは枠を取り払ってしまっている。

作者は時にはこんな感想も漏らしている。源高明の邸宅で、夜になると柱の節穴から子供の手が出て人を招く(巻二七・3)。お経や仏絵を掛けて穴を塞いでも効果がない。ところが穴に矢を打ちこんだところ事態は収まった。これを受けたコメントに言う、――定めしモノの霊の仕業だったのだろうが、それにしても不可解な(心得ぬ)ことだ。霊が退散したのは弓矢の霊験が仏経に勝ったからだろうか、と。仏の霊験譚でおさまりがいかない怪奇と恐怖の物語だというのである。作者はこうした霊鬼譚を仏法編とは別にここに集めたのだろうが、明らかに、霊鬼そのものに関心が引きつけられている。仏伝という『今昔物語集』の系統的な編纂方針を、世俗編の物語ははみ出そうとしているようだ。

ここ霊鬼譚の因果の結末は「武芸称賛」と「霊界威力」に分かれる。一方で、怪異現象に対決する主人公の行為は、ほぼ確実に勝利をもたらす。主人公が兵の場合は勝利は武道の誉れであろうが、ここでの一般人の場合は怪異をものともしないで対決する「勇気」の賜物である。話末のコメントでも例えばこういわれる。「この弁は兵の家なむどにはあらねども、心賢く思量ありて、物恐じせぬ人にてなむありける」（巻二七・10）。また、死体に添い寝して霊鬼を迎え撃った男にたいして、「死人の所には必ず鬼ありといふに、しか臥したりけむ心きわめて有難し」（同・35）。

しかし他方で、霊鬼による被災被害という受け身の行為は、ほぼ間違いなく霊界威力にひれ伏す結末になる。端的に死につながる。食い殺されたり、霊気に当てられて程なく死亡してしまうのである。たとえ死を免れても、人びとは怪異に出会って心底恐怖するのだった。「人々皆これを見て恐じ怖るること限りなし」、「頭の毛太りて怖ろし」、「実にいかに怖ろしかりけむ」と繰り返し語られている。だから、鬼の仕業だとか狐に化かされたのだとか、怪異の本体を了解しようとするのである。「これは鬼の、人の形となりてこの女を食らひてけるなり」と、物語に「公衆の評価」が付けられるゆえんである。

猿神の危害に勝利する

最後に、出来事因子「危難直面」における変数「異類難」について注記しておきたい。蛇や鰐など畜類などに襲われ危害を蒙るケースは、それに続く敵対闘争から武芸称賛に至る武芸譚の因果系列にも含まれており、この場合は話は単純である。これにたいして、ここでの異類難とは、猿などの姿を取った地神（国神）が人間に害を及ぼすこと（生贄など）を指している。例数は少ないが物語としてよくできた作品になっている。巻二六の7と8である。いずれも諸国を遍歴する者（猟師と聖）が主人公である。国神に生贄を捧げている国に流れ着いて身代わりを買って出て、国神（猿）を退治する話である。このうち巻二六・8は本朝編で屈指の長さの物語であるが、因果モデルはこれを次のように要約する。

飛騨国の猿神、生贄を止めたること（巻二六・8）

（1）発端：路上途上（旅移動・異界）

今は昔、遍歴の僧がいたが、飛騨の山奥で道に迷ってしまった。目の前は行き止まりの滝である。見れば男が来て、滝が簾のように落ちる所を潜り抜けて行った。後を追って僧は滝の裏の道を行くと、大きな人里に出た。家からは人びとが走り出て来て、僧を我が家へと連れて行こうと大騒ぎになる。郡長の裁定で僧は浅黄上下の長者風の男のもとに招じ入れられた。男が僧にいう。心配は御無用、ここは楽しい所です。思い煩うこともなく豊かに過ごしていただきます。

こうして、男は魚肉の御馳走を食わせ、これからは髪も伸ばすようにという。夜になれば、一人娘を僧に娶わせた。ここを鬼の里かと思い、言う通りにしないと殺されることを恐れて僧は言われるままに従ったのだ。かくてよく食い肥え太り、娘と仲睦まじく暮らして、はや八ヶ月ほどもたった。

（2）出来事：危難直面（被害・異類難）

どうも様子がおかしい。家の主はのべつ男に物を食わせて、太り給え肥え給えと迫る。妻は泣いてばかり、問い詰めてもただ心細いだけですと泣きじゃくるだけである。里人の動きがあわただしくなり、不審の念が募っていった。妻が遂に口を開いた。この国におわします神は人の生贄を食うのです。初めに村人があなたを取り合ったのもそのためです。太った生贄でないと、神が暴れて不作になります。あなたは私の身代わりに連れて来られたのです。そんなことはできません、どうかこの私をあなたの代わりにと泣く。聞くところでは、神は猿の形におわします。

さて、その日が来る七日前、家主は家に結界を巡らせ、夫は精進潔斎。そして、その日になった。夫は沐浴し身なりを改めて、舅とともに騎馬の列に付いた。妻はものも言えずに泣き臥していた。

（3）行為：敵対闘争（対決・霊鬼・撃退）

一行は山中に入り、瑞垣に囲まれた大きな神殿に行き着いた。その前では数知れぬ村人が集まって宴たけなわである。もと僧の男は髻を切り裸にされて俎板の上に寝かされる。四隅に榊を立て注連縄を張る。このようにして男を瑞垣の内に引き入れて、他の者は皆戸を閉めて出て行った。すると、ギィと音立てて神殿の扉が次々に開く。そして、主神殿から猿の頭がお出ましとなる。人間と同じくらいの大きさ、白銀の牙をむき出して歩く様子は貫録たっぷりだった。なんだ、所詮はこれも猿ではないかと、男は覚悟をきめた。猿の一匹が生贄に近づき、箸と刀をかざしてまさに男を切り刻まんとした。男はそれまで股に挟んで隠し持っていた刀を掴んでやにわに起き上がり、頭の猿に突っかかって仰向けに取り押さえた。「おのれ、この神め」と叫べば、頭は手を摺るばかり。他の猿どもはこれを見て一斉に木の上に逃げ喚き喚いている。

（4）結末：武芸称賛（勝利・勇気）

男は猿の頭をしばりつけ腹に刀を突き付けて叫ぶ。「手前、己はただの猿じゃないか。神を騙って人を食うとは非道の限り。神ならば刀も立たないだろう、やってみようじゃないか」。男はこうして主だった猿どもを縛り上げて、垣の外にひっ立てた。神殿には片端から火をかけた。　男は髻を落とし裸のまま、葛の帯に刀をさし杖をつき、猿どもを追い立てながら里に戻ってきた。村人は怖れ戦いた。かの生贄男は神の御子ですらこんな目にあわせたのだ、まして、我らなどは食い殺すのではないか。舅の家ですら恐れて戸を閉てたまま、ようやく妻が夫を招じ入れた。男は舅の家、次いで郡長の家、さらに村人たちの目の前で猿どもを痛めつけて見せる。村人の長年の猿神への恐れもかくて解消に向かった。男はその後、この里の長者となり頭となって、末長く妻と暮らした。

「これを思ふに、かの僧のその所に惑ひ行きて、生贄をも止め我も住みける、皆前世の報にこそあらめとなむ語り傳へたるとや」。

語りの周到さ

さて、この話の筋書き自体は以上のように単純である。流れ者が異郷の民を苦しめる猿神を退治し、里の娘を娶った。神話以来の常套的な話の運びである。とはいえ、説話の聴衆にたいする配慮が行き届いていて、その分分量が長くなっている。作者の特徴といっていいと思うが、登場人物たちの相互関係、主語と述語、関係の時間的推移などが丁寧に書き込まれている。たとえば、生贄男が舅と妻の家に凱旋したときの場面を見る。男が門の外に立ち開けよ、早く開けよと戸を叩く、舅が恐れて我が娘にいう、神にも勝る恐ろしい男だ。もしやお前を悪く思っているかもしれない、なんとか取り繕ってくれろ。妻は恐ろしくもあり嬉しくもあり、門を細めに開けると、男が押し入った。「早く家から着替えを取って来い」、妻はすぐに引き返して、……。このように省略なしに、三人の入れ替わりの登場と関係の推移を追っていく。源氏物語などからまだ百年ほどである。作者はあいまいな余韻やぼかしが嫌いらしい。

同じことは結末でもいえる。異界の話なのになぜ知られるのだ。この里の者たちは「此方にも時々密かに通ひければ語り傳へたるなるべし」と、律義に筋を通している。かの地にはもともといなかった犬や牛馬も持ち込まれた。向こうの人は来られるが、此方の者があちらに行くことはなかった。お伽話ではない、飛騨の山奥にはかかる異郷があるのだと、作者は言いたいようである。

女の子の孤独な戦い

最後に奇妙な後味の短い話を付け加えておきたい。東の小さき女、狗と喰ひ合ひて互に死にたること（巻二六・20）である。異類との遭遇から対決闘争に至る物語に属するが、結末はどちらが勝利とも敗北とも言い難い。東国のある家に仕える十二三の女の子がいた。隣家では白い犬を飼っていた。ところがどうしたわけか、犬は女の子を見れば吠えかかり、女の子も犬を見れば打とうとする。見る人はこれを怪しんだ。そうこうするうちに、女の子は流行病に罹り重体になり、家ではこれを家の外に捨てようとした。死にゆく女の子が訴えた。元気なときですら、人が見ていても、あの犬は私を見かければ吠えかかってきました。ましてや、重い病の身で一人放置されては必ず食い殺されてしまいます。どうか、犬に知られぬ見知らぬ所に置いて下さい、と。これを聞いて家では食糧などを整えて、遠い所にまで娘を密かに運び出した。そして、毎日一二度は必ず人を見に寄こすからと約束した。次の日までは、犬は確かに隣家にいるのを見て家の者は安心したが、次の日には姿が見えない。女童のもとに人をやって見れば、犬と娘はお互いに咬みつきあって死んでいた。思うに、両者は現世だけの敵ではなかったのだと人びとは噂した。これが話末のコメントであるが、前世の因縁というより不思議に哀れな印象を残す話になっている。この話は主人公を隣家の犬と見れば、動物が人間からの危難に会って両者敵対闘争するという別の類型の物語になるだろう。

この話を含む巻二六には民俗や異郷の奇異の物語が雑然と収められているが、世俗編では珍しく「前世の宿報か」という落ちが付く。先に紹介した他所者と国神（猿）との対決でもそうだった。主人公の勝利も相方の敗北も宿報だというのである。積極的な因縁論にもとづく説教というより、話があまりに奇怪で他にコメントすべき言葉を探しあぐねている様子である。今の小娘と白犬との対決では勝負は相討ちであり、一方の敗北が他方の勝利とならない珍しい例である。しかも、人間と畜類との喧嘩である。まさしく、前世からの敵同士としてしか了解が難しかったろう。だから、これは双方にとって勝利でも敗北でもなく、ただ霊異として恐れ怪しむことしかできない見聞だと見なしてもいい。すなわち、遭遇から受難を経て、霊力への恐怖と被殺の結末へと至る物語類型である。それにしても、孤独な下仕えの女の子と隣家の飼い犬との死闘には、宿命の哀れが伴う。誰からも理解されず、いわば世間の外で短い生涯をかけて排斥しあって、最後は共倒れだった。

物語（9）

安義橋の鬼に追われて

（1）今は昔、近江の守の館で、若くて勇ましい郎等たちが集まって談笑していた。一人が噂する、「この国の安義橋（あぎのはし）は昔は人が通ったものだが、いまでは行く人も絶えた。無事渡り切る人はいないと言い伝えられているからだ」。すると郎等の一人、お調子者でお喋り、腕自慢の男がこの噂を嘲笑って言った。「おのれが渡って見せようぞ。どんなに恐ろしい鬼が出たって、この館一番の馬、鹿毛（かげ）にさえ乗っていけば渡り切れるさ」。残りの郎等が口をそろえた。「それはいい。なまじっか変な噂があるばかりに、安義橋を直行すれば済む所を回り道している。噂の真偽を確かめよう。お前の根性も示せるというものだ」。こんなふうに皆にはやし立てられて、男は引っ込みがつかなくなった。

騒ぎを聞きつけて守が来て言う。「何をぐずぐず言い争っているんだ、早く鹿毛を取ってこい」。「いえいえ、酔狂な冗談です。名馬をいただくなど恐縮です」と男。しかし皆が「卑怯者、怖気づいたか」とけしかける。「橋を渡るのが怖いんじゃない、お馬を欲しがってるみたいで気が引けるだけだ」と男が弁解する。「もう日が高い、遅れてしまうぞ」と急きたてられ、こうして馬を引き出してこられては、いくら胸潰れる思いでいてももうひるんではいられない。
(2) 男は馬の尻に油をたっぷり塗り腹帯を強く締め、鞭をしっかり握って軽装のままで馬を駆ける。あっという間に橋のたもとである。気が狂うほどに恐ろしかったがもう戻れない。日は山の端近く、心細いかぎり。人気もなく近くに人家もない。胸潰れる心地で橋の半ばにさしかかると、遠目には見えなかったのに、そこに人がいた。鬼かとおののいたが、女である。なよやかな薄紫の単衣、それに紅の長袴という姿である。女は口を覆ってひどくなやましげな目つき、いかにも哀れな風情に見えた。誰かに置き去りにされたような気色で、橋の欄干にもたれかかっている。恥ずかしいけど嬉しいといった目つきでこちらを見る。男は前後も忘れて、女を同乗させようと馬を下りかかるが、いやと思い直す。こんな所にいる人じゃない、これは鬼じゃないか。用心が肝心と念じ、男は目を塞いで急ぎ打ち過ぎようとした。
(3) 女は男が声をかけるものと待っていたが、走り過ぎるのを見て呼びかける。「や、そこな御方。どうして無情に通り過ぎるのです。こんな浅ましい所に訳もなく捨て置かれた身です。人里まで私を連れて行って」と。男はこれを聞くまいことか、全身の毛が逆立つ思いで、馬の尻を叩いて飛び過ぎようとした。だが、「この人でなし」と、女が地を響かせる声を張り上げて追って来る。「やはり出たか」。男はそう思って「観音助け給え」と念じ、この名馬にさらに鞭を打った。女は馬に飛び乗ろうとして繰り返し手を懸けるが、かねて油を塗っておいたので滑り落ちるばかりだった。

疾駆しながら男が振り返れば、まさしく鬼の形相である。朱色の顔は円座みたいに広く目が一つだ。丈は九尺、指は三本、爪が五寸の刀のように伸びている。体の色は緑青、目は琥珀、毛髪が蓬(よもぎ)のごとくにもじゃもじゃだ。心肝惑い恐ろしいこと限りない。男はただ観音を念じて馳せ続けたのだが、そのおかげか、ようよう人里に駆け込むことができた。「よくも逃げたな、だがまたの日に、きっと捕まえずにおくものか」と言い残して、鬼はかき消すように消えた。

喘ぎ喘ぎ、男はほうほうの体で舘に戻った。黄昏どきになっていた。舘の者たちは口々に次第を問うが、男は気も絶え絶えで物も言えない。皆で介抱してようやく気も静まり、男は事の顛末を余さずに語った。しょうもない争いのために無駄死にするところだったじゃないかと守が言い、かの名馬を男に与えた。それから、男は得意な顔で帰宅し家人にも事情を話した。だが恐ろしかった。

（4）その後、男の家に物の気の標が現れたので、祟りの由来を陰陽師に尋ねた。しかじかの日には厳重に慎むようにとのことである。その日が来て、男の家は堅く門を差し物忌して閉じ籠っていた。ところが、よりによってこの日、同腹の弟で母を連れて陸奥に下っていた者が上京してきて、門を叩いているではないか。男は物忌を理由に今日の面会を拒んだ。明日いっぱい人の家を借りて過ごしてほしいと。だが弟が訴える。それは困ったこと。日も暮れた。おのれ一人ならどこでも夜を明かせようが、連れの者たちをどうしよう。今日を逃せば日柄が悪い。亡くなった我らの老母のこともお話しせんと来たものを。これを聞くや、男は日頃気にかかっていた母のことを恋しく思うにつけ、胸潰れる思いにかられた。母のことを聞くためにこそこの物忌なのだ。早く門を開けよと命じて、泣く泣く一行を招じ入れてしまった。

こうして、庇の間でまずは食事をさせ、それから兄弟で語り合う。黒の喪服の弟、そして兄と、共々に泣きながら話している。一方、男の妻は簾の内からこの様子を聞いていたが、何があったのか、兄弟はくんずほぐれつの取っ組み合いを始めたのだ。男は相手を組み臥して、妻に向って枕許の太刀を放って寄こせと怒鳴る。何をおっしゃる、気でも狂ったのか、何で弟御に刀などをと妻は尻込みしている。早く寄こせ、俺に死ねとでもいうのかと男はなおも言いつのる。だが、今度は相手が逆転、男を抑え込んで、その首をぷっつりと食い切ってしまった。奴は躍りあがって去り際に、妻の方を振り向いて「嬉しや」と口走った。その顔を見るや、何とかの安義橋で男を襲ったという鬼ではないか。鬼はかき消すように消えた。その時になって初めて、妻をはじめ家の者共が皆泣き叫んであたふたするが、甲斐もないこととなった。

されば、女がこざかしいのはろくなことではない。弟が運んできた仰山な財物や馬などもよく見れば、すべてが骨や髑髏のがらくただった。由なき争いごとをして命を亡くした男も男だ。愚かなことだと、聞く人は皆この男をこき下ろした。その後、安義橋でもいろいろお祓いなどしたので、いまは鬼はいないと語り伝えられているとか。

（巻二七・13　近江国の安義橋なる鬼、人を食らへること）

第十三章　滑稽譚、上品ぶらず野卑に流れず

人気の物語

滑稽譚は今も昔も庶民の大好物である。『今昔物語集』世俗編でも巻二八の全四四話が滑稽譚を集めている（うち一話・36は中途で欠）。もつとも、四四話の内には文芸技芸の達成・失墜の物語類型に属するのも八話ほど含まれており、これらは第十五章の対象になる。本章では結末が滑稽・嘲笑・愚行に終わる話群から抽出される因果モデルを扱う。

滑稽話は聴衆がそれを聞き囃し立てる社交場を前提にしている。和歌などが演技され称賛される場所と同様に、朝廷や貴族社会がこれを提供していたのはいうまでもない。貴族と廷臣あるいは国人との間で滑稽な出来事があり、それが双方の交際の場で喜んで噂された。それ以外に、寺院における下級の僧たちの談笑の場があった。また、従者たちのサークルがあったようだ。巻二八で分かる限り時代はすべて平安後期であり、舞台のほとんどが京である。データベース（DB）の「発端の状態」では同等な身分の者たちの「文化交流」に加えて、上下関係の場合を「政治関係」とした。いずれも、廷臣や国人の状態にある。意外なことに、（従者を除けば）平民たちが主人公の話はほとんどない。

滑稽な行為として嘲笑の的になるのは、おおむね以下のようであり、滑稽話のネタは古来変わらないようである。ただし、素直に庶民の間の冗談話といえるものは、巻二八には見当たらない。

（1）主人公の容貌や田舎者の振る舞い。
　老人の禿げ頭（6）、内供僧の異常に大きな鼻（20）など。また、馴れぬ女車に乗って酔ってしまった武士たち（2）、五節を請け負った尾張国司をからかう殿上人（4）、仏の供養に舞楽でなく田楽を用意した郡司（7）、能吏の目代の出自は傀儡子（26）など、田舎者あるいは下位の者が嘲笑の的にされる。
（2）社交の場での不作法
　召しなくして歌会に参加した老人（3）、放屁したりマラを出したりの不作法（10、25）、食事のお行儀悪さ（34）。
（3）社交の場でのお調子者の失敗
　季の御読経での若い僧（8）、下使いの僧の安請け合い（9）、上司への贈り物を擦り代えられた男（30）。
（4）異常な癖や貪欲
　食い意地の張った貴族（23）、猫や蛇を異常に恐れる受領（31、32）、転んでもタダでは起きない受領（38）
（5）見栄っ張りや痴れ者の愚行
　穀断ちで名高い聖人（24）、権高な廷臣の振る舞い（26）、博識の博士の油断（29）、怪異と対決する愚行（41、42）
（6）艶笑譚
　伏見稲荷で女に言い寄った廷臣（1）、間男が見事に仕返しされる（11）

滑稽譚の因果系列

滑稽譚の因果系列に沿う典型例として、穀断ち聖人の短い話を読んでみる。

穀断ちの聖人、米を持ちて笑はれたること（巻二八・24）

（1）発端：文化交流（交際・廷臣）

文徳天皇の御代（九世紀半ば）のこと、長年穀を断ち木の葉を食としている聖人がいた。天皇は聖人を召し出し神泉苑に住まわせて、帰依すること限りなかった。

（2）出来事：舞台登場（臨場・社交）

ところで、ここに若くて向こう見ず、いたずら者の殿上人が談笑ついでに、あの穀断ち聖人を見に行こうということになった。見れば聖人はなかなか貴げに座っている。聖人は穀を断ってからどれほどになりましょうか、お歳はお幾つになられますかと若者たちが問う。「すでに七十になっております。若い時から穀を断ってきたのでもう五十年にもなりましょうか」と聖人が答えた。

（3）行為：本性露呈（露見・醜態・不作法）

これを聞いた若者の一人がこっそりと耳打ちする。穀断ちの者はどんな屎（糞）をするんだろう、常人とは違っているはず、見に行かないか。二三人がすぐさま厠へ行く。何と、米が一杯混じっている。いたずら者たちは怪しんで、聖人が座をはずしたすきに薄縁をはがしてみる。すると、その下の板敷きに穴があり底の土を掘って白米の袋が埋めてあった。

（4）結末：作法顰蹙（滑稽・嘲笑）

敷物をもとどおりにすると、聖人が戻ってきた。殿上人の若者たちはこれを見て「米屎（よねくそ）の聖よ」と一斉に囃したてたので、聖人は恥じいって逃げ出してしまった。その後の行方は誰も知らない。密かに米を隠し持っていながら、人を謀って穀断ちと思わせた。天皇も騙されて帰依し、人びとも貴んでいたのだ。

ここで「出来事」は聖人が天皇の帰依を受けていること、また穀断ちを貴んで集まってくる人びとと否応なく接することである。社交における芸能の披歴と同じ因子「文化交流」を当てている。この公の場に立たされて、主人公のパフォーマンスが称賛へ向かうのか嘲笑の的になるのか。芸能の「舞台登場」と同じ因子が使われる。次いで、パフォーマンスとその失敗として、行為「本性露呈」（露見・醜態・不作法）が来る。醜態が笑い物にされること「作法顰蹙」（滑稽・愚行・嘲笑）が物語の結末になる。聴衆はいまの穀断ちの話に、高位の者や聖なる者のうわべを剥ぐ愉快を感じたかもしれない。ただ、語り口自体に風刺の趣はない。むしろ劣位の者への嘲笑という話がこの巻の主流なのである。主人公たちの地位身分を見れば明らかである。高位の者の前で臣下や国人が笑いの的になる話が大部分だ。右の話でも、天皇の帰依があるとはいえどこの馬の骨とも分からない聖法師と、怖いもの知らずの殿上人の若者たちのやり取りである。

滑稽譚の語り口

だから、滑稽譚は語り口次第で下品な蔑視を表に出すだけとなる。そうかといってお上品に構えては笑い話にならない。野卑にならず、しかも風刺でもないとしたら、穀断ち聖人の話を何が救っているだろうか。明らかに、暇を持て余した殿上の若者たちの、屈託のない行動力が

図３－２　滑稽譚

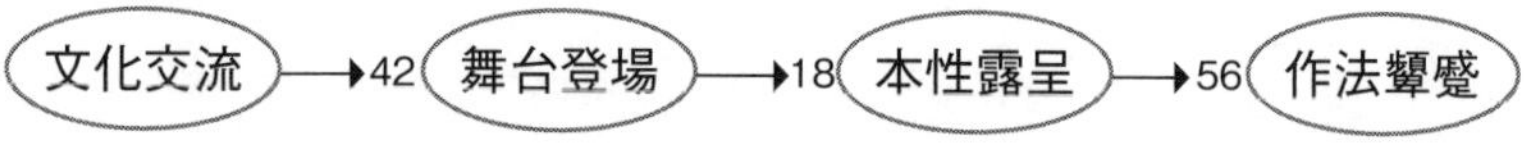

発　端：文化交流（交際87・廷臣50・歌人52・知人14）
出来事：舞台登場（臨場99・競合48・社交61・離別37）
行　為：本性露呈（露見84・醜態79・正体50・不実22）
結　末：作法顰蹙（滑稽95・嘲笑64・愚行55）
カイ二乗：419、自由度：78、カイ二乗／自由度：4.19、ＧＦＩ：0.877、ｂ：臨場0.85

おかしみを誘っている。冗談がすぐに行動に結び付く明るさを読むこともできるし、逆に、生まれながらの貴族の悪げのない残酷さをここに感じ取ることもできるだろう。この意味では、主人公は彼ら上流階級の若者なのである。すると若者たちが社交の場で相手（聖人）と「対立」して、「対決」「勝利」する因果モデルを構成することになるだろう。

滑稽譚の語り口が下品を救う例はほかにもある。圓融院が主宰する盛大な野外園遊会の場、上達部（かんだちめ）（公卿ならびに参議）と殿上人が居並ぶ末席に歌読みの座が設けられた。そこに歌人として少しは知られた老人（曽禰好忠）が平服で着座した。彼は召されていない、ということで大臣をはじめ参集した貴顕が騒ぎ出し老人を追い出した。若い者は踏みつけにし笑い者にして囃したてた。しかし、話はこれで終わらずに、最後は追い出された老人の大音声の啖呵を記録している。「汝らは何事を笑ふぞ。我は恥もなき身ぞ。言はむ、聞けよ」。この好忠は院が歌読みを召すと聞いて参上した。着座してかち栗をぼりぼり食う。次に追い立てられ、そして蹴飛ばされた。これが何で恥なんだ、と。好忠の大演説がまた万座の笑いを買ったというのである。たしかに、話末のコメントは「下姓の者はなをつたなきなり。……召しもなきに参りて、かかる恥を見し」と締めくくっている。それでも、この話が下賤の者の不作法を笑うことに止まらないための糸口は、語り口に籠められている。以上は第3話である。

有名な「鼻」の物語の終わり方もある（20話）。やんごとなく権勢もある内供僧がいたが、その鼻が異常に長く垂れ下がっていた。食事時には専用の弟子が短冊状の板きれで鼻を持ち上げている。ある時この使いなれた弟子が病に臥したので、仕方なく走っこそうな小坊主が代役で朝粥に奉仕した。ところがしくじって、内供の鼻が粥の中に落下して、粥が両人の顔に飛び散った。この時の両人のやり取りが話の最後に記されている。「お前は何とうっかり者のくそ餓鬼か。私は構わないとしても、もっとやんごとない御方の鼻を持ち上げてこんな粗相をしたらどうする。不覚の痴れ者め、さっさと出て行け」と内供。小坊主のほうも黙ってはいない。「世の中にこんな鼻の持ち主が他にもいるんなら、そこで粗相もできようというもの。嗚呼のこと仰せらるる御坊かな」。これを聞いて弟子たちが皆笑った。「童のいとをかしく言ひたること」と、話末も締めくくっている。物語は異常な鼻の様子をあくどく描いているが、最後に小坊主の物云いによって滑稽譚にずらされているのである。そして、権勢ある者にたいする風刺にもなっている。

物云いのおかしさ、という点での傑作は、第11話「祇園別当戒秀、誦経（ずきょう）に行われたること」を上げることができる。富裕な受領の妻君の元に、祇園の別当戒秀が読経を名目に密かに通っていた。受領は薄々感づいていたが知らんぷりを決めていた。さてその日も、受領と入れ替わりに戒秀が来てしたり顔、そこへ受領が戻ってきた。女主人も女房たちも妙にそわそわしている。さてはと察しがついた。見れば唐櫃に例ならず錠が差してある。受領は唐櫃を人夫二人に担がせ、これに年長の侍を付けて祇園に運ばせた。誦経のお礼の料物として持参したと言わせた。これは大変なお宝だと祇園の僧たちが惑う。これを開けるのは別当戒秀のお役目だ、別当なしで開けるわけにはいかない。しかし別当は探しても見つからない。使いの侍がじれて早く開けよとせっつくし、僧共はどうすべきか迷うだけ。その時、唐櫃の中からか細く情ない声がした。「今回はかまわない、所司に開かせよ」（タダ所司開キニセヨ）。所司とは別当の下の役僧である。かくて櫃は開かれ、別当の頭が差し出てきた。周りの者はみな目と口を塞いで離れて行った。

受領の守は間男の現場で戒秀を引きずり出して折檻することもできたものを。外聞悪しと考えて、戒秀にただ恥を見せようとしたのだ。賢いことだ。また、戒秀ももともと極めたる物云い（冗談が得意）だったので、唐櫃のうちからあんな風に言ったのだろう。以上は話末のコメントである。

笑い話の種、受領たち

これまでに例をいくつか見たように、滑稽譚の主が受領層のケースが目立つ。武道の勝利・敗北の物語類型にも見られることだが、その場合は武門の受領への関心だった。これと比べて、受領を笑いの的とするのはこの階層の貪欲や富と権勢が蔑視と嫉妬の念を呼び起こしていたのだろう。巻二八だけを見ても、尾張の守（4）、近江の郡司（7）、受領（11）、伊豆の目代（27）、大和の国人（31）、山城の介（32）、信濃の守（38）などが滑稽譚に属する。

　これらの内から、猫怖じ大夫（たいふ）の話として知られる31話を、会話部分を中心に再現してみる。藤原清廉（きよかど）は山城・大和・伊賀の三国に広く田地を有する徳人（富者）であったが、猫を異常に恐れる性癖があり猫怖じの大夫として知られていた。一方、大和の守藤原輔公（すけきみ）は任期もあとわずか、何とかして大夫から年貢の未納分を取り立てようと腐心していた。その時ちょうど大夫が来た。守は引き戸一枚の壺屋に馬鹿丁寧に大夫を迎い入れた。以下二人の対話である。

「さあさあ、大蔵の大夫殿、こちらにお座りを」。清廉はかしこまっていざり寄る。

「大和の任も今年ばかりになった。ところで、官物が未進になっておるが、どうするおつもりかな」。

「そのことでございます」と清廉が応じる。「この国だけではございませんで、山城・伊賀も未進が多くてご迷惑をおかけしております。この秋こそはと心積りしております。他の御方ならともかくも、殿の御在任をどうしておろそかにすることがございましょうか。弁済がここまで遅れてしまい、心中耐え難い思いでおる次第です。今は仰せの通り、何としても数を揃えて完済するつもりです。なんとまあ、千万石なりとも未進などいたしましょうか。これまでに応分の蓄えもございます。そんなふうに殿のお疑いを招いているとは、何とも心外の限りです」。

　だが、しおらしさは上辺だけ、太夫は内心でこんなふうに毒づいていた。「言うにこと欠いた貧乏国司だこと、屁でもひりかけてやろうじゃないか。帰って伊賀の東大寺領荘園にでも腰を据えてやろうか、おえらい国守の殿でも手出しはおできになるまいて。一体にどこの馬鹿が大和の官物を納めたというんだ。これまでだって、作物は天の分与だ地の恵みだと屁理屈をこねてやり過ごしてきたんだ。それをこの御仁は完済せよという、嗚呼のことよ。大和みたいな貧国の守におなりなど、どうせろくな後ろ盾もなかったせいだろうよ。笑止千万」。もとより、こんなことはおくびにも出さずに、太夫は畏まり手を摺って居住まいを正している。

守がさらに言いつのる。「盗人猛々しいぞ、そなた。ここではうまいことばかり言って、帰ったらこちらの使いにも会わず、何にもしないつもりだろう。だから今日こそは弁済の件に決着を付けよう。約定なさずに帰すわけにはいかないぞ」。帰って月の内に処置しますと大夫が言うが、守は許さない。「お互いに知り合って何年にもなるじゃないか。情なしの仕打ちはお互いできはしない。だからここはひとつ誠心誠意、完済することだ」。帰ってから文書で処理しますと、清廉はなおも抗弁するが、とうとう守の堪忍の緒が切れた。やにわに立ちあがり、腰を揺すりながら怒気もあらわに宣告した。

「そなた、では今日は納めぬというのだな。この輔公は今日そなたに会って刺し違えて死ぬ覚悟だぞ。いまさら命を惜しむものか」。だが、清廉はいささかも動じない。

こうして、大和の守は大夫の面前に、灰毛斑の大猫を五匹放つこととあいなった。逃げ場のない部屋である。そのドタバタが次に描かれている。太夫はとうとう降参した。以下がその顛末である。

「未済分は〆て五百と七十余石。内七十は家に戻って調えよ。余の五百は確かな下し文を書け。伊賀の国の納所宛てではないぞ、お前のような者は偽文書を作るにきまっている。そうではなく、大和の宇陀郡にある稲・米を弁済するよう下し文を書くのだ」。守はこのように命じて、郎等を太夫同道で宇陀に遣って、下し文通りに完済させた。

「猫こわい」のドタバタ劇はそれだけでも田舎風で面白い。だが、以上のようにその背景がよく描かれていて感心する。大夫がふてぶてしければ守のほうもしたたかである。清廉は道長と同時代、有名な伊賀黒田荘の主である。東大寺の荘園経営と結託していた様子がうかがえる。財に物をいわせて大蔵省から五位（大夫）の官を買ったのだろう。一方、大和守輔公は道長の家司であったという。大和の受領として私的にも任期中に財を積まねばならない。二人の間で強欲がぶつかりあう場面もあったであろう。そこに猫怖じと猫を用いた計略である。巻二八では次の32話には蛇を異常に恐れる山城介が登場する。これも受領層であるが、話は蛇を見て逃げ惑う大の男の姿を誇張して描くだけである。なお、これら二つは因果類型では「出来事」として（舞台登場でなく）「遭遇」を起点としている。因子では「霊異出現」（遭遇・異類）である。異類と出くわして、醜態を露呈するという滑稽譚である。しかし、猫怖じ大夫の話では、滑稽譚の因果におさまりきれない背後の暗闘がある。大和の守を主人公とすれば、大夫との「対立」と「対決」を経て「勝利」を獲得するのだし、裏返せば大夫にとっては敗北である。

物語（10）
稲荷の初詣にナンパする

（1）今は昔、初午（はつうま）の日には昔から貴賤とりまぜ、京中が大挙して伏見稲荷に詣でる。さてその年は、例年になく大勢の人が稲荷に参詣していた。
その日、出身地もまちまちのやんごとない近衛の舎人たちも、酒肴などを用意してぞろぞろと稲荷詣である。一行が中社のあたりに近づくと、行く人帰る人でごった返す中、えらく着飾った女がいた。濃い紫の上着に紅梅や萌黄などを重ねて、なよなよと歩いていてなまめかしい。女は木立の下に引き下がったが、舎人たちは近づいて野卑な言葉を投げかけてからかう。女の顔を拝んでやろうと腰をかがめるなどしてうち過ぎていった。

（2）さて、舎人たち一行に茨田（まった）の重方という男がいた。根っからの好色漢で、日頃女房から浮気を詮索されては責められ、その都度言い逃れをしては夫婦喧嘩が絶えない男である。早速女に目を付けた。一行を先にやって、一人で女の傍によってまめまめしくかき口説いた。女は答える。

「奥さまがいらっしゃるでしょうに、行きずりの出来心におっしゃることなど、聞いたら馬鹿を見ますわ」。声が色っぽい。

重方、「ねえねえ貴女、たしかに女房はおりますよ。でも面は猿、心は物売り女って奴ですよ。去り状出したいのはやまやまだけど、着物の繕い一つにも不自由しますからね。いい人がいればね、鞍替えしたい気持ちで一杯ですよ。だから貴女にお話してるんです」。

女、「これはまた真のことやら、戯れ事ですのやら」。

重方、「この社の神様もご照覧あれ。お参りした霊験もあらたか、年来の思いがかなって貴女に出会ったのです。何と嬉しいこと。お前さまは、お一人ですよね、お住まいはどちらですか」。

女、「私も御同様、さしたる人もおりません。宮使いに出てましたが夫に言われて止めました。その人は田舎に下って亡くなりました。それでこの三年は、誰か頼みにできる人はいないかしらと願いながら、この社にも参っているのです。貴方様が誠ならば、アドレスもお教えしましょうとも。……ああ、いえいえ。私なんてお馬鹿さんでしょう、行きずりの方のおっしゃることを真に受けるなんて。どうぞお行き下さい、私も失礼いたします」、と女は去って行こうとした。

重方は手を摺って額に当て、女の胸のもとに烏帽子が届くほどに身をかがめて、

「ああ神様、お助けを。そんなつれないことをお聞かせくださいますな。このままご一緒して、わが家には二度と戻りますまい」。

重方は哀願した。すると、髷を烏帽子の上からしかと掴んで、この女は重方の頬を、山も響けとばかりにひっぱたいた。びっくり仰天の重方、「何をなさる」と女の顔を仰ぎ見れば、なんとまあ、わが妻の奴が騙しやがったのだ。

「お前さんよ、気でも狂ったか」。

「どうしてまたこんなに恥知らずなんだ、手前は。お友達がよく忠告してくださいましたよ。ご亭主には後ろめたいことがありますよと。私を怒らせる冗談だと思って信じなかったのに、あれは本当のことだったんだ。さっき女に言ってたわね。だから今日からはお前が私のとこに来ようものなら、この社の神罰もてき面だ。なんであんなことを言ったんだ。お前のその面を打ちかいて、往来の人たちの笑い物してやる、この野郎」。

「物にでも狂ったか。でもな、お前さんが怒るのももっともだ」と、重方は笑いかけてなだめすかすが、女房は許そうことか。舎人の一行は坂を登っていたが、重方の遅れに気付いて振り返る。重方があの女と取っ組み合いだ。「何やってるんだ」と引き返して見れば、女房にお灸をすえられている。「よくぞやってくれました。だから常日頃ご注意してたんですよ」と、連中ははやし立てる。「御同輩たちの前に、お前の浮気心は丸見えだよ」と、女房はようやく

髻から手を離した。烏帽子の皺をのばしなどして上の方へ遁れんとする重方に、女房がダメを押す。

「お前はさっき懸想した女の所に行くがいい。私のとこに帰って来ても、きっと必ずお前の二本脚をへし折ってやるからね」。女房は社を下って行った。

こんな具合にぼろくそに言われながら、それでも重方は家に戻って妻をなだめすかした。で、ようやく腹の虫も収まったようだ。

「お前は何と言っても重方の妻なればこそ、こんな厳しい仕打ちをしたんだろうな」。

「よくもまあ、このお馬鹿さん。私のことも見分けられず声にも気が付かない、この明き盲。馬鹿面を曝して笑い者になって、痴れごともいい加減にしなさいよ」。

この話、いつとはなしに知れ渡って、若い公達などにからかわれ、重方は逃げ隠れするようになった。その後、重方の死後、女房も女盛りになって誰かよその人の妻になって暮らしたそうだ。

（巻二八・1　近衛の舎人共稲荷に詣して、重方女に会へること）

第十四章　あちらにもこちらにも悪事と不義

念仏聖、強盗に早変わり

三宝（仏法僧）を害すれば必ず現報を受ける。仏法編における悪因悪果である。これに対応するのが、世俗編では悪事をなせば懲罰を受けるという因果である。現報は端的に死であったが、ここ懲罰の物語では死の罰もあるが世の非難と追放の場合もある。悪事から懲罰への因果も単純で直線的だが、ここの物語はバラエティーに富み力作が多い。まず、典型的な例を上げる。ここでは三宝毀損の罪どころか、ほかならぬ僧が人を殺す。

阿弥陀聖、人を殺してその家に宿り殺されたること（巻二九・9）

（1）発端：路上途上（旅移動・地方）

今は昔、回国の念仏聖がいた。鹿の角を頭部に、二股金具を尻に付けた杖をつき、金鼓を叩いて山中を行くときに、荷運びの男と同行した。男は親切に食事を法師に分け与えた。

（2）出来事：罪業実行（悪事・盗み）

ところが、法師は人も通わぬ山中をいいことにして、杖をもって男を撃ち殺しその持ち物と着物を奪い取って、飛ぶがごとくに逃げ去った。さて、法師はようやく人里に出て一夜の宿を求めた。主人は用事で留守をしているがと言って、家の女が承知してくれた。下衆の小さな家である。法師と差し向かいで、家の女はふと気が付く。法衣の袖口からのぞいているのは我が夫が着ていった布衣ではないか。そうに違いない。

（3）行為：本性露呈（露見・正体）

家の女は隣家に相談に行く。夫から盗んだものかどうかは分からない、だが衣の袖口はまさしくそれですと女がいえば、隣人が勧める。法師が逃げ出す先に早速問い糺すべきだ。村の屈強な男ども四五人を呼び集めた。一方、法師の方は晩飯に与りゆったりと臥せっていた。それが縛りあげられて問い詰められた。法師は抗弁に努めなかなか落ちなかったが、持ち物の袋からこの家の夫の所持品がぞろぞろと出てきた。法師は観念した。さてはここはあの男の家だったのか。何と己は天の責めを蒙ってしまったのだ。

（4）結末：罪業処罰（懲罰・被殺）

さて、夜が明けて、村の者は法師を先に立てて現場検証に臨んだ。遺体はそのままに放置されていた。連れ帰っても致し方なしと、村人はその場で法師を立たせて射殺した。「法師の身にて邪見深くして、物を盗み取らむとて殺したるを天の憎み給ひて、外（他所）へも行かずしてやがてその家に行きて、現にかく殺さる、哀れなることなり」。

悪人は懲罰される

今上げた例では、主人公の法師は懲罰として村人に処刑されたが、処刑の前に正体の露見がある。聖法師は仮面がはがされて悪が露見に及んだわけだ。露見も懲罰も主人公にとっては受身になるが、これを罰する者の側から見れば悪人の正体暴露であり、結末は能動的な「処罰」である。データベース（DB）で、結末を主人公による悪人の「処罰」とした例は少ない。というのも、この場合悪人とはほとんどが盗賊であり、武力対決によって強盗を退ける物語である。主人公は盗賊に勝利するのである。これらは「敵対闘争」から「武芸称賛」（勝利）の因果系列として別にモデル化している（第七章）。これにたいして、ここに「悪人が懲罰される」という受け身の物語を独立の因果系列としたのはほかでもない。悪事を暴露され（正体が露見し）処罰を受ける者を主人公としたのも、処罰されることになる者たちの行為に生彩があり捨てがたいからだ。その悪行ぶりを説教抜きに即物的に描いている。いま上げた例では、宿の女や村人が正体を暴露する者であり、暴露され処罰されるのは法師である。しかしこの物語の主人公を前者にするわけにはいかない。

それでは本系列における悪人悪事とはどのようなことか。当然、例話のように悪事が盗みである話が多い。盗みをなすのはむろん盗賊だけでなく、聖法師だって強盗に豹変する世の中である。盗みの他に、悪事には不義がある。男であれ女であれ、姦通、継子いじめ、殺生、近親者の犠牲や迷惑を引き起こすことなどが、「不義」としてコードされている。これが出来事となる。因子は「罪業実行」、変数は悪事と不義である。そして、これら罪業が悪事たる由縁が物語の進展とともに露呈する。行為因子の「本性露呈」であり、露見・正体・愛欲・不実などをコードとしている。先の聖法師の例では、行為：本性露呈（露見・正体）である。そして最後に、主人公は罰を受ける。その態様は処刑（被殺）、追放、（世の）非難を受けることなどである。因果系列はこうして、出来事「罪業実行」（悪事・不義）↓行為「本性露呈」（露見・醜態・正体・愛欲・不実）↓結末「罪業処罰」（懲罰・被殺・追放・非難）となろう。以下、実例を読みながらこの系列を肉付けしていこう。いずれにしても、ここ悪事と懲罰＝処罰の物語では、主人公と副主人公（相方）の関係が具体的で濃密であり、関係の展開こそが物語の構造になる。

盗みと不義

物語を始動させる「出来事」として悪事の中心は盗みである。盗みという悪事は実に多彩だ。そのうち懲罰に結び付く例を巻二九から摘要すれば以下のようになる。放免どもが受領の部下の富家を襲い、密告によって一網打尽となる（6）、受領の部下だった藤大夫の財を狙った隣家の者たちは、同家の小者の気転により一網打尽（7）、下野守の家に押し入った強盗は女房を人質にして逃げたが、検非違使平時道に疑われて捕まった（8）、伯耆の国府の倉に押し入ったはいいが、出られなくなり飢え死にしかけて助けを求めた哀れな盗人、処刑される（10）、瓜一つを盗んだといって父に勘当された子供は、父の予見通りその後に盗みを働いて禁獄された（11）、捕らえた盗人の家から糸を着服した検非違使の男、同僚に暴露された（15）、などである。盗みは専門の強盗だけでなく、先の聖法師から隣家の者、飢餓から逃れようと盗みに入り逆に飢えてしまった田舎者、さらに役人（検非違使や放免）までが犯す。つまり誰でも盗人になりうる世の中だった。話末のコメントも泥棒にご用心、財を人に見せびらかすなといった盗難防止の勧めになっている。

懲罰の因果系列にはもう一つ、男女の関係（情）から悪事・不義につながる因果がある。たとえば、**修行僧、人の家に行きて女の主を祓ひして死にたること**（巻二六・21）を見る。夫が長く家を空けて猟に出ている留守宅に、托鉢に来た修行僧があった。読経の声は貴く容貌もハンサムだった。ただの乞食ではあるまいと、猟師の妻は招じ入れた。陰陽道のほうにも通じていると僧は請け合う。無病息災、家内繁盛、神の祟りもなく夫婦円満、よろず思うようになる祭りができる。俄然関心を持った女は、いわれるままに僧と一緒に奥山に入った。旗を立て廻

図３－３　悪報譚（世俗編）

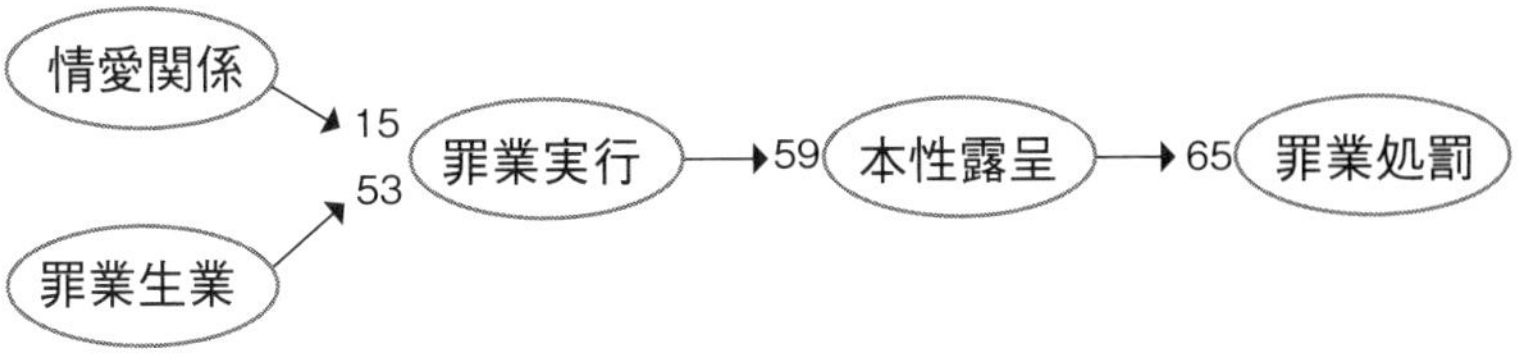

発　端：情愛関係（親愛91・夫婦52・男女54・親族58)、罪業生業（悪行98・殺生78)
出来事：罪業実行（悪事96・盗み72・不義62)
行　為：本性露呈（露見87・醜態48・正体66・不実37)
結　末：罪業処罰（懲罰97・被殺35・非難50・追放41)
カイ二乗：821、自由度：122、カイ二乗／自由度：6.73、ＧＦＩ：0.752、
ｂ：悪行0.9、懲罰０.７

らせ供物を添えて、ことごとしく祭文を読んだ。女は至極満足して急ぎ家に戻ろうとしたが、僧のほうは愛欲に舞い上がってしまった。われ未だ女を知らずとも、君を見て三宝の思しめしだと知った、どうか本意を遂げたいと口説く。かくて、女を脅して藪に連れ込んで懐抱に及んだ。ところが天の定めか、猟師の夫が帰宅の途次そばを通る。藪ががさごそと鳴る。鹿かと狙い定めて矢を放った。矢は女の上に重なった法師の背中を射ぬいた。猟師はびっくり仰天したが、僧の死体を谷底に投げ込み妻を引きずって家に戻った。「あさましかりけむ法師を、三宝の憎しとおぼしめしけるにこそはあらめ。また前世の宿業の招くところと知るべし」。これが作者のコメントである。加えて、よく知らない者の言いなりに「女の独り行くはとどむべきなり」と用心を

呼びかけてこの話は終わる。ＤＢではこの話は路上途上（旅移動・地方）↓一期一会（邂逅・女）↓本性露呈（露見・愛欲・返報）↓罪業処罰（懲罰・被殺）という因果になる。ただし、路上途上から一期一会へのルートは悪報譚では例数が少なく、因果系列からは除かれている。

受領たちの強欲

さて、先にも例示したが強盗の被害に会うのは受領の家（京と国もとの館）が目立つ（巻二九・6－8話）。財を貯め込んでいると見られていたのである。これとは別に、結末が「罪業処罰」の系列に属する物語では、受領たちの殺伐たる暴力が即物的に描かれていて強い印象を与える。殺生や自己本位の強欲がこれであり、共に悪事・不義とする。たとえば巻二九・27は、主殿寮長官の源章家が肥後の守だったころの話である。この者は兵の家ではないが、性極めて粗暴、昼夜朝暮に殺生に明け暮れた。以下続けて、物狂いというべきこの男の行状が記される。章家の愛児が亡くなったときのこと。一族郎等泣き悲しむ中、この男は児が死去すると見るや否や狩りに出て行った。また、正月に観音の寺へ参る途次、野の中に焼き残した草叢を見つけるや、中に必ず兎がいるぞと追い立てて、走り出てきた兎の子六匹を捕まえた。なら親もいるはずだと章家。寺詣りの途中ですよ、せめて帰りにしたらと咎める声もなんのその、火を付けて親兎を追い出して殺した。捕まえた六匹の子兎は家に持って帰り、我が子よ我が子と両手に乗せてあやしたかと思うや、年の初めに狩りの初ものを食わずに生かしておくとは忌々しとばかり、いっぺんに石に打ちつけて殺してしまった。狩り好きの郎等共もさすがに見るに堪えずに逃げ出したが、章家は子兎を焼いて食った。

まだある。国に狩り場があった。ただ足場が悪くて、鹿を逃すことが多かった。そこで守は領民三千人を動員して、石を除き穴を塞いでその場所を平らに均した。その後は追い込んだ鹿は一頭も逃すことがなくなった。皮を剥いだ鹿肉は舘の広い庭に隈なく並べ置いた。しかしさすがに、死ぬ時には罪をいかんせんと嘆いたと家の者が語ったそうだ。最後に加えられた一文からは、「さてどうだろうか」という作者の嘆息が聞こえてくる。この話はもちろん悪事が露見するのでなく、悪事を狂ったまでの罪業に高めたというのである。その結果、周囲の者すべての「非難」を浴びた。罪業処罰（懲罰・非難）という結末である。

続いて、日向の守の悪事である（同26）。国司の交代時期を迎えて公文書の改竄を書生に命じた。有能なので重用してきた地元採用の書記である。書生は軟禁されて仕事をこなし、守はねぎらいの言葉をかけ絹を禄に取らせた。だがその口裏で、郎等に書生殺害を命じた。書生は初めから感づいているが、主命はいかんともしがたい。郎等に頼み込んで自宅に立ち寄って、老いた母と妻子に別れを告げる。妻子はやがて再婚するでしょうが、母上の身を思えば殺されるよりも堪え難い悲しみです。郎等は男を急きたてて栗林の中に連れ込み、射殺して首を持ち帰った。

終始理不尽な話である。だが、守の反応について物語は何も語らない。主人公は実質的には書生のほうだが、何の躊躇もなくその殺害を命じた守の沈黙が、いま読めば終始物語の緊張を作りだしている。標題も「日向守、書生を殺せること」だ。ただ物語は最後に、「日向守いかなる罪を得けん。……これ重き盗犯に異ならずと、聞く人憎みける」と、公衆の非難を加えている。

受領の不実の話はまだある。平氏の祖となる貞盛が丹波の守だった時の出来事であるが、これは物語（11）として別に掲げておいた（巻二九・25）。本書の因果モデルは単線的だが、物語（11）は見られるとおり因果が二重になっており、それだけに物語の出来が上がっている。物語の大枠は、主人公貞盛の悪事と謀略とが、結末で世の非難という懲罰を受ける筋書きである。加えてこれに入れ子状に副主人公（貞盛の息子）の応答行為が語られる。すなわち、息子は貞盛の謀略の裏を掻いて子供と医師の命を救う。これはもう一つの物語の系譜、「工夫策略」によって「利生」を得る筋書きになっている。しかしそれにしても、初期武士の非道振りを淡々と書き連ねていくこの物語の語り口はすごい。

貞盛は朝廷の追捕史として平将門を打ち取った者であり、武門貴族の走りと見なされている。その剛勇ぶりは同じ巻二九の第5話にある。ひと財産こしらえた法師が、陰陽師の勧告で固く物忌している所に、陸奥から上った貞盛が訪ねて来る（丹波の次の任地が陸奥である）。二人は昵懇の間柄、やむなく法師は貞盛を家に入れる。案の定、夜半に盗賊団が押し入って来た。貞盛は巧みに盗賊を誘導しては一人ひとり射殺していった。物忌を破ってでも貞盛を泊めなければ、法師は殺されていただろうという。この話は、武道力業（武芸・兵）→危難直面（被害・強盗）→敵対闘争（対決・盗人・撃退）→武芸称賛（勝利・武道）であり、勝利・敗北の物語に属する（第十八章）。

物語（11）

矢傷の治療のために孫の肝を強要した平貞盛

（1）今は昔、平貞盛という兵がいた。天禄年間に丹波の守だった時に、矢傷を負ってそれが腫れて悪化した。そこで名の高い医師を京から呼び寄せて診断させた。医師の見立てによれば、極めて重症。「胎児の肝で治療すべきです。秘密の薬ですが遅れては薬効も落ちます。早く手に入れるのが肝要です」と医師は勧めた。そこで、貞盛は息子左衛門尉を呼びつけていう。「えらいことになった。医師はこれが矢傷だと見抜いてしまった。治療に児の肝が必要だが、世間に知られてはまずい。そこでだ、ちょうどお前の妻が子を孕んでいるだろう、その子の肝を俺によこせ」。息子は目も眩み呆然自失するばかり、だが拒むわけにはいかない。では今すぐにと答えると、貞盛がいう。嬉しい限りだ。では、お前は暫く席をはずして子の弔いの準備をしてくれ。

（2）息子は泣く泣く医師に相談を持ちかけた。医師ももらい泣きして言う。これは実にあさましいことだ。私にお任せ下さい。医師は舘に行く。かの薬は手に入りましたか。それが難しいことでな、と貞盛。仕方なく息子の妻の腹の子を頼んだところだ。それはいけませんと医師が答える。血の繋がりがあっては薬になりません。別途工面してください。じゃあどうすればいいんだと困り果てた貞盛に知らせる者がいた。料理女の一人が懐妊六月になります。なら早くそれを取りだせと貞盛は命じるが、腹を裂いて見れば女の子だったので捨てさせ、どうにか他に児の肝を求め得て、貞盛は命拾いした。

（3）さて、貞盛は馬、装束、米などの礼物の数々を持たせて医師を送り返す。だが、密かに息子に命じた。「矢傷が悪化したので児の肝で治したなどと世間に知れてみなさい。ちょうど、朝廷も我を信任して、次は夷の乱れた陸奥に派遣されることになっている。それなのに、貞盛は人に射られて傷が膿んだなどと聞こえては、ゆゆしきことではないか。武名に泥を塗ることになる。そこでだ、医師をなきものにしなくてはいけない。今日、上京の途上を待ち伏せして射殺せ」。息子が答える。「たやすいことです。途中の山で待ち伏せて、強盗の仕業と見せて殺しましょう。今夜にも医師を出立させるべきです」。準備がありますからと息子は退出した。

その足で息子は医師に忍び会う。こんな無体な下命です。どうしたものでしょう。絶命の境地で医師が答える。ここは貴方様の才覚次第、どうかお助け下さい。息子は策を授ける。山道にさしかかったら見送りの判官代を馬に乗せ、あなたは徒歩で山を越えて下さい。先日の件は死んでも忘れ難いご恩です、だからこう申すのです。医師は手を合わせて喜んだ。

(4) さて、医師の一行は酉の刻限(午後六時)に舘を出立した。示し合わせたごとく、山道に入ると医師は馬を下りて自ら従者に見せて行くと、はたして盗人どもが出現した。もとより、騎乗の判官代を主人と思わせる策だから、盗人はこれを射殺した。従者たちは逃げ延びて、医師は無事に京に戻った。

息子の左衛門尉は復命し、貞盛も安堵した。ところがその内に、死んだのは判官代で医師は京に存命との話が聞こえてきた。どうしたことだと貞盛が問い詰めると、医師が従者のように歩いているのに気付かずに、騎乗の判官代を誤って射殺してしまいましたと息子は釈明した。貞盛はそうかと思って、その後もこの件に触れることはなかった。かくて、息子は医師の恩に報いたのだった。

「貞盛の朝臣の、婦(よめ)の懐妊したる腹を開きて、児の肝を取らむと思ひけるこそあさましく恥無き心なれ」。

（巻二九・25　丹波守平貞盛、児の肝を取れること）

一番長い物語

次に、『今昔物語集』全体を通じて最長の一編を取り上げねばならない。長さばかりでなく、作品としても出色の出来になっている。大筋は継子いじめ（悪事）とその露見という単純な物語なのだが、幾重にも入れ子状の構造が込められており、それらが巧みな伏線で組み合わされている。加えて、登場人物たちが「……と思う」という心理がふんだんに書き込まれており、為すことと本音の違いを随所で指摘している。以下長くなるが、物語の構造の腑分けを試みる。以下で（1）〜（4）は因果系列の「発端」から「結末」に対応する。ただし、系列は大きく二筋からなっているので、必要に応じて継母Aとこれに対決する叔父Bとに分けて物語を追っていく。また、因果の各段階を要約した後、寸評を付け加えてある

陸奥国の府官、大夫の介の子のこと（巻二六・5）

（1）物語全体の発端：情愛関係。国府介の一族（介と弟、継母と継子、郎等）の関係

陸奥国の国人に財も権勢もある兄弟がいた。何事にも兄のほうが勝れており、国府の介を勤めていつも家を留守にしていた。年取ってからようやくに男の子を授かり、いたく可愛がって育てていた。しかしほどなくして、子の母が亡くなった。弟にも子がなく、ただこの児を頼りに、兄弟して愛しみ育てていたのだった。

さて、子供は十一二歳にまで成長した。見目ばかりか気立てもよく、家人たちの人気も上々

であった。ところが、ここに押しかけ女房が登場する。近在の勢家のやもめである。かねて後添えなど要らぬとしてきた介であったが、男の子をいたく可愛がる女の様子を見て、やがて妻にしてよろず家政を任せるまでになった。妻には連れ子の娘がいたが、この男の子が老後の頼みだと妻は言うのだった。

物語の冒頭で、陸奥国府の介の一族とその関係が導入される。これは主人公の「発端の状態」として、どの物語にも共通している。ただし、後に登場する郎等も含めて役者が多彩であり、誰が主人公になるのかはまだわからない。ただし、兄と比べて目立つ所なく、ただ兄の子を可愛がるだけの弟というキャラクターがさりげない伏線となり、物語の後半を大きく動かすことになるだろう。加えて、継母は継子を親身になって愛したと指摘されており、これも物語の伏線になる。ただし、作者は連れ子の娘のことには無関心である。

悪事の企みと決行

（2A-1）継母の悪だくみ

さて、男子は十三歳となり父の介はすでに七十歳。明日はどうなることかと、不安と下心が後妻に萌すようになった。継母には日頃手名付けている郎等がいた。新参者で思慮もなく取り込みやすいと見抜いた男である。実際、生きるも死ぬも御方様の意のままにと、男は誓うまでになった。継母が言う。私の本意を汲んでいてくれて嬉しい。これからも露隔てなく頼みとするから、そのつもりでいなさい。さらにご褒美として、継母は娘の乳母子をこの郎等に娶らせた。すでに妻がいるのに、これで俺も縁者だと郎等はご満悦である。

その乳母子の妻が郎等にいう。自分が世話している御方様の娘は心映えもよく、介殿も可愛がって下さる。亡くなる前に夫を世話してやりたいとおっしゃっている。「もし介殿の全財産を娘君が相続したとしたら、お前さまも我が世の春を迎えられると思うが、どうしたらいいだろうか」。俺の決心次第だと郎等が答える。御方様がお許しになるなら、誰の仕業と分からぬままに男の子は「行方知れず」というわけだ。夫がそう答えると、それそれ、御方様もそう思っておられると妻。なら、良きように申し上げろと夫は答えた。翌朝、心得た継母は二人を片隅に呼び寄せて、忠誠の誓を改めて確認する。お許しあれば今日にでもことを起こしますがいかがでしょうと男が問う。継母は上着を脱いで男に与えながら、「然らばともかくもせよ。どのようにやる」と問う。万事お任せをと男。

ここから、継母を主人公にした物語の大筋が展開し始める。そして、物語の展開は本章の主題である悪事→懲罰の因果系列を踏んでいく。すなわち、DBでは発端：情愛関係（親愛・親族）→罪業実行（悪事・不義）→本性露呈（露見・正体・返報）→罪業処罰（懲罰・追放）という大筋である。悪事決行の動機は夫の死後の自分と娘の将来である。継母は遺産を一人占めしたいというより、母と娘の地位の不安定を自覚して、行く末に不安と疑心暗鬼が高じていく。この部分には原文に欠字があるが、それでも不安は十分に伝わる。しかし、一大事の決行である。ことは慎重に運ばねばならない。手な付けた手下とはいえストレートに上位下達とはいかない。まずは手下の郎等に娘の乳母子を娶わせてこれをそそのかし、間接的に郎等の決意を促した。それも腹の探り合いと、以心伝心である。「男の子を殺す」などとは誰も口に出さない。会話体でこれが丁寧に描かれている。

（2A-2）郎党の悪事決行

郎等は一人遊びをしている男子に近づいて、介の弟すなわち叔父様の所に連れて行こうと誘いを懸ける。喜んで継母の許しを求めに走り行く後ろ姿、髪がタソタソと揺れてかわいい。男の気持は揺れるがここは木石の心を起こして、男子を山の中に連れ込む。山芋を取ると見せかけて穴を掘って子を埋めた。さすがに空恐ろしく子供の仕草に心惑い、よくよくは踏み固めぬままに慌てて引き返した。報告を受けた継母も慙愧の念を禁じえない。叔父さんのとこへ行ってきますと、首にすがって言った子の表情が心から離れない。「何を狂ってこんなことを思い立ってしまったのか。実母を亡くしたこの子を哀れがり、これからも孝養をつくすべきであったのに。娘の他にはこの男の子しかいないのだ。もしも事が露見したら、自分ばかりか、ためを思ってしたこの娘もどうなることか。あの郎等は子供っぽく単純、少しでもことが違えば白状に及ぶのではないか」。

継母の企みをその手下が実行に移した。ここでは省略したが、着物を剥いで子を穴に埋める場面、驚いて泣き喚く子と男の気持ちの動揺が記述されている。だが、ともかくも事はなされたのである。悪巧みがうまく行こうが露見しようが、物語はこの「出来事」をもって始まってしまったのである。そしてここに副主人公として男の子の叔父が登場して、事の成否は継母側と叔父側との対決が決することになる。ここで両方の筋書きAとBを絡ませてあらかじめ示せば、次のようになるだろう。

A主人公継母
情愛関係（継子）↓罪業実行（悪事教唆）↓本性露呈（露見）↓罪業処罰（懲罰・追放）
郎等　―　↓殺害実行　―　↓未遂・露見　―　↓処罰・追放
B副主人公叔父
叔父甥　―　↓邂逅（甥の発見）　―　↓深慮対決　―　↓対決勝利

悪事の露見

（2B）叔父の出来事：偶然の邂逅

ところで、郎等が悪事を決行するこの時、かの叔父は俄かに男の子に会いたくてたまらなくなった。急遽、舎人一人を連れて甥の家に向かう。すると道端から兎が走り出てきた。これを見て甥っ子恋しさもどこへやら、叔父はたちまち兎を追い駆けて野に深く入って行った。すると、犬か何かか、こもった声が土の下から聞こえてきた。土を埋めたばかりのようだ。死人が蘇ったんじゃないか。供の舎人は尻込みするが、これが人ならば救えば功徳は大きいと、二人して掘り始めた。慌てて埋めたのだろう、土は柔らかく底には木や草が投げ入れられ隙間ができている。取り除けてみれば、声の主は何と急いで会いに行くはずの甥ではないか。

叔父は裸の子供を肌に抱いて一心に介抱する。仏助け給えと念じたおかげか、意識朦朧ながら、ようやく生き返ったようだ。叔父は兄の家でなく自宅へと甥を連れて帰った。

継母と郎等による悪事の決行の裏で、もう一つの筋書きが密かに始動する。冒頭で取り柄なしと思われた叔父が、新たに副主人公として登場する。これは対立↓対決↓勝利の因果系列に属する副主人公の物語である。しかし、武による勝利と違って、ここでは心理戦と知能戦の謀略が悪事を砕くのである。叔父なる男の思慮が余すところなく描かれていて、仏法編でのように継母の悪事が「宿報」や「現報」のせいで暴かれ懲罰されるという直線的な帰結にはならない。もう一つの物語がこれに絡んでくるのである。

副主人公・叔父にとっての「出来事」（2B）が一期一会（邂逅・男）である。国人らしく外出には弓矢の備えを欠かさないが、半面、甥のこともそっちのけで兎を追っかける。兵の習いともいえるが、甥の救出という偶然のわざとらしさを、これが幾分なりとも消している。そして、ここからが継母と対決する叔父の知能戦と、継母の防戦の有様が展開される。父親に急報することもなく、救出した甥を秘密裏に自宅に連れ帰る叔父の対応が次の伏線になる。

（3AB）叔父と継母の対決

叔父は舎人に固く口止めして、甥を部屋に寝かせる。夜半、ようやくに目覚めた甥がすべてを語る。郎等一人の仕業ではあるまい、黒幕は継母だと叔父は見当を付けた。夜が明けて、甥を家に押し留めたまま、叔父は供を引き連れて兄の家に行った。兄は国府で留守、弟と継母が対面する。

叔父：子供も国府に？

継母：おかしなことをおっしゃいます。昨日そちらに参ったのに、どうなさったのです。私を担ごうとでも？

継母はただ泣くばかり。なんとも憎らしい女の心かと思うが、叔父は素知らぬ顔を決め込む。

叔父：そちらこそおかしなことを。冗談にも程があります。しばらくぶりに子供の顔を見たくて参ったのです。

これを聞いて、子供は一体どこに、いざ探せとばかりに家中騒然となる。下手人の郎等も出てきて、ことさらに泣き騒いでいる。父の介も急ぎ戻って、臥しまろびながら継母が告げる。

継母：お年を召したあなたにいつまでも添うことはかないませんが、この子とはその先も暮らしていくのです。だからこの子こそ私の宝です。どうしていなくなったのですか。殺したいと思う敵などいるはずもありません。もっとも、かわいい子だから京にかどわかして、法師の稚児にでも売ろうとしたのかしら。ああ、悲しい、悲しいことと大声で泣くばかり。

介もまた泣くに泣けず、嘆息して崩れ居るばかり。叔父はなおも素知らぬ顔を崩さずに兄を自宅に連れて行った。さりげなくお供の者たちに目をやって、例の郎等が一緒なのを確かめて、信頼おけるこちらの郎等に監視を命じておいた。その一方で、手下を派遣して継母のいる家を固めた。

子供の失踪と発見というAとBの出来事が、ここで交錯する。偶然のことから子供を発見救出した叔父（2B）と、しらばくれる継母（2A）との対決である。叔父は生き証人を握っているのだから、証拠を突き付けて直接かつ有無を言わせずに継母を懲らしめることができただろう。だが、継母は悪事を隠し叔父は証拠を秘したうえで、両者の騙し合いが始まる。物語は会話体でこの有様を描いている。京の法師に稚児として売り飛ばすために子供はかどわかされたのでは。継母の言い分に不自然はない。何も知らない父親の介は半ばこの危惧を女と共有して、腰を抜かしてしまう。叔父はこの介を素知らぬ顔して自宅に確保した。介の家の郎等もほとんどが移動した。子を埋めた郎等が含まれていることも見落としたりはしない。こうして、いわば作戦基地が弟宅に移り、叔父が完全に事態を掌握した。後は悪事を暴いて、下手人を処罰するだけという体制が整った。

悪事の裁き

（4AB）叔父による処罰と、母娘が受ける懲罰

さて、こうして叔父の家で父と子は対面し、事情はすべて判明した。郎等が縛られ引き据えられる。怒った介は切りつけようとするが弟が押し止め、郎等を責めて一切を白状させた。一方、本宅の方でも事情はすぐに知れ渡った。だが、子は死んだものと信じ込んでいる継母は、「一体どうしたことか、不思議なこともあるものだ。子が出てきてこの私が殺したとでも告げたのかと」とまだ言っている。

介はあの女に目を合わせたらどうなることかと、代わりに弟を本宅に遣わした。弟は継母とその娘を追放し、二人は構う者もなく姿を消して行った。子を埋めた郎等を斬首しその妻は口を裂くべしとの声も上がったが、子のためを思えば由なきことと弟が押し止め、彼らも追放とした。その後、子供は成人して父と叔父の財を受け継ぎ、自身も国府の介となってことのほかに有力な者として繁栄した。

子が生きていたのは郎等が慌てて草や木切れを被せたからだ。生きるべき前世の報が子にあったのだろう。それにしても、継母の心は愚かだ。我が子のごとくに育てていけばいいものを。なまじ迷い心を起こしたばかりに、現世と後世と、二つながらフイにしてしまったのだ。これが結末のコメントである。

悪事の犯人たちの処罰は以上のように寛大であったという。叔父の慈悲心を示すのではない。父なき後の甥の将来を見据えた冷静な処置だったろう。全編を通じて、兎が出れば反射的に追い駆けるというユーモアはあるが、叔父の冷徹な行動が貫かれる。兄はカヤの外、あるいはうろたえるだけである。出世した兄に比べて取り柄がないという冒頭の特徴づけが、こうして見事に裏切られるのである。そして、生き埋めの子が死ななかった理由を結語でもわざわざ繰り返すなど、律義なまでの作者の丁寧さが目立っている。その分話が長くなる。上記の要約ではそのほとんどを省略した。また、継母は現報を受け仏法に罰せられたとも言っていない。わが身の不安定さに迷い、愚かな女が処世を間違えたのである。

継母という境涯

ちなみに、仏法編にある継子いじめの話（巻一九・29）と簡単に比較しておきたい。これは亀の報恩譚であるが、継母の悪事を亀が暴いたのである。醍醐天皇の御代に、藤原山陰の中納言という貴族がいた。男の子の一人を溺愛していたが、継母もまたこの子に孝養を尽していた。ここまでは、陸奥の介の子と継母の関係と同じだ。さて、一家は任地の太宰府へと向かって船出した。その途次、継母は子を海に投げ込む。やや間を置いて、若君が落ちたと泣き叫んだ。

継母の動機は不明だが、たぶん介の後妻と同じような疑心にかられたと推察できる。ただ介の場合のように子飼いの郎等は登場せず、継母が直接に手を下す。記述はあっさりしたものである。

さて、父親は船を止めて捜索するが子は不明のまま翌朝となる。見れば、大きな亀が背に乗せて子を連れてくるではないか。しくじったかと継母は思うものの、内心を深く隠して子の無事を泣いて喜んだ。だが、その夜の父親の夢に亀が登場して、継母が子を海に投げ捨てたこと、かねての恩に報いるため子を救ったことを告げた。継母の所業を暴き子を救う役目が、ここでは亀である。その分、介の弟に当たる役者を欠き、だから継子いじめの話としては肩透かしになる。

しかし、ここでは父親中納言の対応が冷淡である。父は継母を憎んだが、一言もなく子供を別の所に移しただけだった。一度は失った子だとして、父は子を出家させた。子は僧都にまで出世し、継母の方は中納言が亡くなった後はこの僧都に養われた。「ことに触れていかに恥かしく思ひいだしけん」とコメントされているが、加えて、亀は仏菩薩の化身ではないかと、これが仏法編の報恩譚であることを強調している。それにしても、報恩譚を取り除けば継母の話は単純であっさりしたものにすぎない。悪事が露見しただけである。しかし、一度は殺そうとした継子に老後を養われて、針の筵に座らされるような毎日であったろう。これが継母に下された懲罰なのだった。先の話で誰かまう者もなく追い出されて、さまよい行く介の後妻と娘の境涯も似たようなものであったかもしれない。総じて、継母継子関係の顛末はこの当時ごくありふれた話であったに違いない。それをドラマにした所に、陸奥介一家の物語の卓越を認めるべきであろう。

第十五章　社交の場で芸を演じる

芸能物語の類型

この物語類型は芸能を披歴して評価を高める、あるいは評判を落とすというものであり、巻二四にまとめられている。ここで芸能とは医術、陰陽術、相術（占い）、工芸そして漢詩文と和歌である。芸能といっても、『今昔物語集』では田楽や傀儡などのいわゆる庶民芸能は話題になっていない。芸能ではないが、庶民が当意即妙の応答をして名を上げる少数例もこの類型に入れる。これは滑稽譚を集めた巻二八などに見られるが、応答に失敗して滑稽を嘲笑される話の対極をなす。

このように巻二四は、当時の芸能（職能）のヴァラエティーを教えてくれるのであるが、因果モデルではこれらを主人公のパフォーマンスの成功と失敗の物語として読んでいる（図3-4）。結末は「芸能称賛」と「芸能失格」に枝分かれする。「芸能称賛」は芸道・医占（医術と陰陽道）の達成でありその結果評判・繁栄がもたらされる。「芸能失格」は同じく芸能披歴の失態としてコード化される（失墜・芸道・嘲笑）。これら成功・失敗を結果するのが、主人公の行為である「芸能披歴」とした。芸のパフォーマンスとしての演技であり、これは芸能一般・技芸・和歌・漢文（文芸）に分類されている。次いで、演技を演じる行為の場に立たされることになる「出来事」が、舞台登場、一期一会、難儀直面と分けられる。何といっても主な系列は舞台登場（臨場）から芸能披歴（演技）に至る因果であり、係数も0.50と高い。芸を演じ

図３－４　芸能譚

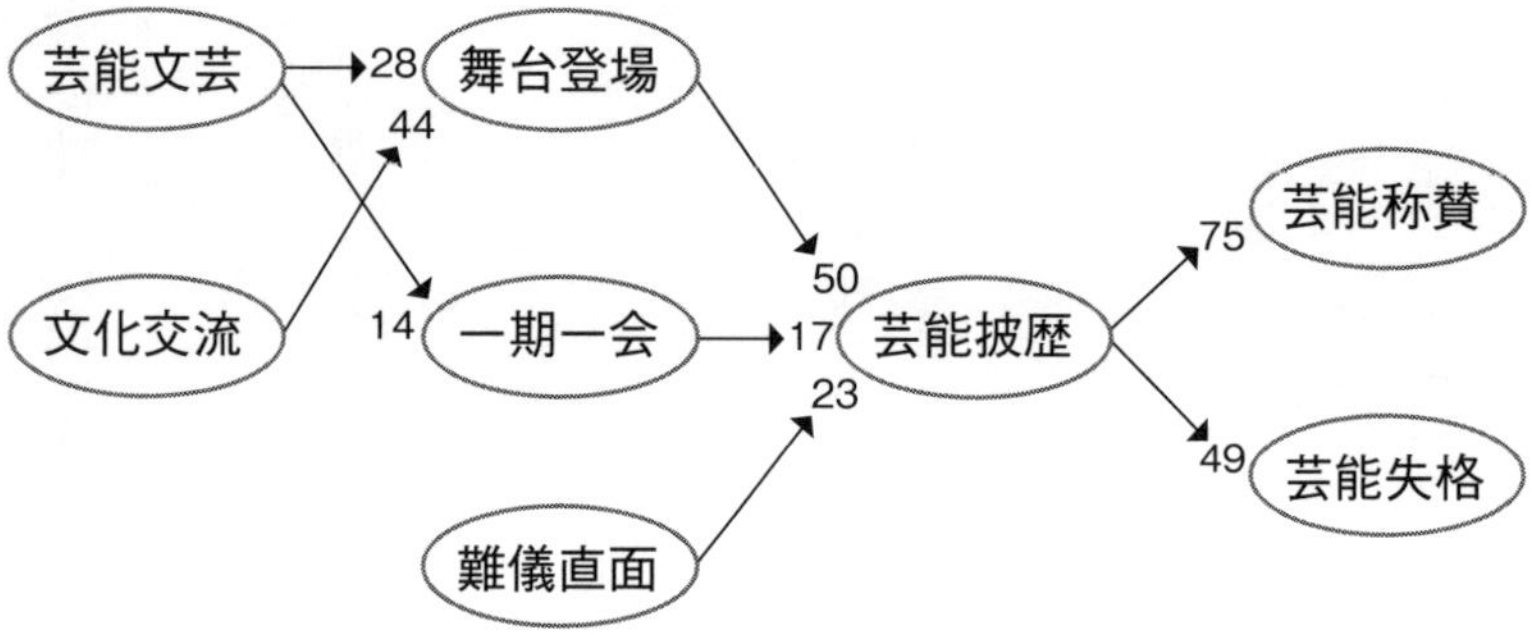

発　端：芸能文芸（諸芸95・芸工37・医占59・和歌27)、文化交流（交際66・廷臣57・歌人72)

出来事：舞台登場（臨場96・競合50・社交63・別離38)、一期一会（邂逅100・女32・男59)、難儀直面（難事86・災難63・困難67・病苦39)

行　為：芸能披歴（演技98・技芸59・文芸27・和歌58)

結　末：芸能称賛（達成100・芸道53・医占25・繁栄16・評判45)、芸能失格（失墜60・嘲笑46)

カイ二乗：1955、自由度：318、カイ二乗／自由度：6.14、ＧＦＩ：0.703、

ｂ：諸芸0.9、達成0.7

る場所では「社交」がありしばしば技芸の「競合」も起きる。さらに、伝統的な歌物語のスタイルでは、主人公が親しい者との「別離」に直面して別れと望郷の和歌を読む。

芸能披歴に比べて因果のウエイトは下がるが、出会い（一期一会）と難事に直面すること（難儀直面）が芸能披歴に至る物語を始動させる。一期一会とは人と人との出会いであり、ここでは男女がまみえることである。難儀直面は他の因果系列同様に難事・災難・困難・病苦に出くわすことであり、見事に芸を発揮して難局を乗り切る（まれには犠牲になる）物語だ。そして、主人公の発端の状態は、「芸能文芸」の達人であるか、芸をめぐる「文化交流」の仲間（交際・廷臣・歌人）の一員である。以上をまとめれば、諸芸能人が晴れ舞台・出会い・あるいは難局に立って芸を遂行し（芸能披歴）、評判を高めあるいは芸道を辱めるという展開である。

芸能披歴の舞台、京と地方

芸能披歴の物語はそれを迎え評価する場の存在を前提にする。芸能人はその場に臨んで（臨場）、芸を披露するのである（演技）。いくつか例をあげてみよう。ある日、典薬寮の医師たちが助手まで入れて大勢で宴会を開いていた。そこに五十がらみの女が入ってきた。真っ青な顔で体中がぶよぶよに水膨れしている。医師たちの診察が始まる。まずは問診。年来身体の腫れに悩んでいるが田舎住みのため往診を願うわけにもいかず、今日の集まりを聞きつけて参りましたと女は訴える。これは寸白（条虫）だろうと医師たちの診断が一致する。すぐに治療にかかるが、（肛門から）白いそうめん状の物が引き抜かれて延々七八尋にもなった。引き抜くにつれて患者のむくみもおさまり、色つやも戻った。次に、予後はどうしたらいいか。はと麦の煎じ汁で患部を温めるのがいいだろうと一決、言い渡して女を返した。かように昔は下々の医師でも病を見事に治す者たちがいたのだ、というのがこの物語の結語である（巻二四・7）。

見られるとおり、医師には同業仲間がおり、そこで術を披歴しあうのだった。伝え聞いて公衆も医術を称賛する。物語の連鎖は、医師が患者と出会い（出来事：邂逅・女）、患者を供覧し治療して見事なパフォーマンスを発揮したのであり（演技・技芸・成功）、仲間内だけでなく世人の称賛を得た（達成・医占術）のである（ここで医占術は医術と陰陽道と占いとを合体したコードである）。同様な同業者仲間を前提にした芸能披歴は、他に工芸、管弦、そして陰陽道・占いがある。

次は文芸である。漢詩文と和歌が主題であり、いうまでもなく宮廷を中心にして現代風にいえば文壇があり、歌を交換する歌壇が存在した。むろんたんに書き物を通じてでなく、人と人との交際の場サロンである。サロンでの詩文や歌の交換が評判を呼ぶ、あるいは評判を台無しにする。巻二四の全五五話は大部分が平安時代、舞台が京である物語が圧倒的に多い（四三話）。

たとえば、巻二四・32「敦忠の中納言、南殿の櫻を和歌に読めること」。三月中旬のころおい、左大臣藤原実頼は公事があって参内して陣の座に着いていた。上達部も二三人ばかり参上していた。南殿（紫宸殿）の御前に櫻の大木が、神さびえもいわれぬ趣である。枝が庭まで差し覆い咲き乱れている。花びらが隙なく散り積って、風に吹き立てられては花の波を見せていた。大臣がおっしゃる。「えもいわず面白きものかな。こんなに見事に咲いたのも珍しい。土御門の中納言（敦忠）が参らぬかしら、これを見せたいものだ」。すると、先追う音が聞こえて、敦忠が参内したようだ。大臣は早速中納言を呼び寄せて、座る暇もあらばこそ、「この花の庭に散りたる様は、いかが見給ふ」と問いかけ、せき立てた。この右大臣も聞こえた歌読みなので躊躇した末に、敦忠が歌を差し出した。

殿守のとものみやつこ心あらば、この春ばかりあさぎよめすな（主殿寮の掃除夫たちよ、風流心があるならば、この春ばかりは朝の清掃をしないでほしい）。

この歌は大臣の絶賛を浴びた。敦忠はもともと名手ではあったが、この「殿守のとものみやつこ」の歌によって、「いみじく世に褒められけりとなむ語り傳へたるとや」。

和歌をめぐる社交は庶民にも見られ、また田舎風ながら地方にも及んでいた。「播磨国の郡司の家の女、和歌を読めること」（巻二四・56）はこんな話だ。高階為家が播磨守だった時（承暦五年、一〇八一年まで）、従者にさしたることもない男がいた。あだ名で佐太と呼ばれていた。小さな郡の税の収納を任されて郡司の家に滞在した。家には京の遊女でかどわかされてきた女がおり、郡司夫妻が憐れんで繕い物などをさせて養っていた。佐太はこの女のことを聞きつけて、郡司の家に行き、ずかずかと女のもとに押し入った。女はしかしいうことを聞かない。怒った男は着ている水旱を脱いで、衝立越しに女に投げやった。ほころびを縫って寄こせというのである。だが、女が戻してよこした水旱は繕いがなされておらず、ただほころびに和歌を書いた紙がくくり付けてあった。

我れが身は竹の林にあらねども　佐太が衣を脱ぎ懸くるかな

佐太は解せぬままに怒り狂った。女風情で佐太呼ばわりとは何事か。お前のあそこを何してくれようか。郡司は恐れ入るし女は泣くばかり。佐太は舘に戻りおのれの恥を守の名折れとばかりに言いふらした。やがて、話は守の耳にまで届き、佐太は呼び出された。さてはわが訴えが聞き届けられたかと勇んで出頭したが、あにはからんや、人にも非ず、不覚人だと非難されて追放されてしまった。守は女を哀れがり着物などを取らせた。郡司も喜んだ。

この歌はサタつまり薩埵太子が、飢えた虎に我が身を与えるべく竹林に着衣を投げかけた古事を引いている。私の身はそんな竹の林ではありませんよ、と。国の守と田舎家に身を寄せた京女とが、和歌を介して身分の隔たりを縮めたという話である。

風流の交歓

先の敦忠中納言の例にも見られるとおり、和歌は作品であると同時に宮廷の社交に供する演技なのだった。作品はそれゆえ歌物語の風流を踏んでいる。愛する者との離別の場面で歌が詠まれることもある。こうした短い歌物語の定型が二十篇以上も集められて、巻二四の中心をなしている。取り立てて作品といえるような物語に乏しいが、中でも出色のものを、因果系列に沿って読んでおく。ただし、主人公は歌人伊勢に使いした藤原伊衡とした。裏の主人公はもちろん伊勢でその振る舞いも称賛の対象になる。

延喜の御屏風に伊勢の御息所、和歌を読めること（巻二四・31）

(1) 発端：文化交流（交際・廷臣）

醍醐天皇の御子の着袴の儀に屏風を作るに際し、一か所、桜の山路を女車が行く絵の色紙に、和歌が欠けていた。天皇は急遽殿上人藤原伊衡（これひら）を派遣して、伊勢御息所にこれを要請した。伊勢は醍醐の父宇多天皇の寵愛を受けた歌人だが、宇多の出家とともに籠居する身であった。

（2）出来事：一期一会（邂逅・女）

伊衡は五条のあたり伊勢の屋敷を訪ね当てる。木立ほの暗く見事な前栽、庭は苔に砂で青み渡っていた。寝殿の南表の簾がところどころ破れている。神さびた趣に、ちょうど三月のこととて櫻が咲いている。伊衡は招じ入れられる。空薫(そらたきもの)の香りが冷やかに芳ばしく、内からほのぼのと匂い出る。きれいな女房が二三人、簾越しに透けて見える。伊衡は簾のもとに寄って天皇の依頼を伝えた。

「まあ、何という仰せごとでしょうか。前もって御依頼があってすら、躬恒・貫之のように読むなどとんでもないことでございます。ましてにわかの無理難題、思いもよりませんでした」と、驚いて御息所が言う。ほのかな気配がいかにも風流と聞こえた。

（3）行為：芸能披歴（要請・和歌・成功）

さて、歌を待つ間、女童に運ばせて酒が出る。女房もにじり寄ってきて果物を差し出す。いける口なのをちゃんと御存じなのだ。どんどん盃が差される。遠慮するが、存じておりますよとばかりに盃が満たされ、酔いが進んだ。もともと見目のいい伊衡が顔にほんのり赤味がさし、櫻の花と匂い合うような趣だ。これがまた女房たちをさざめかす。

やがて、歌ができた。紫の薄紙に歌、それを同じ色の薄紙に包み、さらに女の装束一式が伊衡への引き出物である。車の音が聞こえなくなるまで、女房たちが惚れぼれと伊衡の後姿を見送った。屋敷は元のものさびしさに戻ったが、男の姿、移り香がいつまでも残るようで、名残も尽きない。伊勢の歌、

散り散らず聞かまほしきを故里の　花見て帰る人も會はなむ

（4）結末：芸能称賛（達成・芸道・評判）

宮中では殿上人たちが大勢群がって、今や遅しと伊勢の歌を待っていた。天皇はたいそうお気にめして、御前に集まった人々は朗々とこの歌を詠じた。そして、小野東風がこれを色紙にしたためた。

以上、伊勢の歌はめでたく天皇や宮中の人のたちの評価を得た。同じことはお使いの伊衡の成果でもあったろう。物語の結末は両者とも評判を高めた形で終わっている。それにしても、類型的ながらこの作品は貴族社会の風流の一場面を鮮やかに切り取っている。そして同時に、すでに盛りを過ぎた伊勢の住まいのたたずまい。訪れる人とてない屋敷に、若い公達が来て、久しぶりに華やいだ一瞬であった。時ならず女たちはときめいたが、公達と共にそれも去っていった。時代の文化も爛熟の時に差しかかっていたのだろう。

退廃の気配

時代の爛熟といえば、恐ろしげな呪術を扱ったはずの次の物語にもそれが感じ取れる。「俊平の入道の弟、算の術を習へること」（巻二四・22）である。時代も長元年間、十一世紀も半ばにさしかかっている。閑院実成とともに大宰府に下った男がいた。官位もなく「ただある者」であった。そこで唐人（宋人）と会って算（算）を習う。宋にもないというほどの才能を唐人から認められた。日本にいてもうだつが上らないから、ぜひ宋に渡ろう。そう約束させられた。算は病人を治すこともできれば憎い相手を病気にすることもできる。この術にできないことはない。すべて汝に伝えよう。ただし、一緒に宋に渡ると誓約せよ。男は習いたいばかりに生半可に約束した。ただ、人を殺す術だけは渡航の船の上で教えるという。

ところが、乱闘事件（大宰府の安楽寺事件）を起こして主人実成が京に呼び戻された。唐人は引き止めたが、主人のことゆえと、男は堅く渡航を誓った上で実成に付いて上京した。ところが、育ち馴染んだ京の水に忽ち染まってしまい、渡航の意志をすっかり失って鎮西には戻らなかった。謀られたと思った唐人は、男を呪った上で宋に帰って行った。

初めはとても賢い男であったが、唐人の呪い以降は呆けたようになり、法師になったがさしたることもなく兄の家と山寺を行き来していた。そうこうしている時、さる庚申の夜、徹夜の眠気を防ぐため何か物語して笑わせてと、兄の屋敷で女房たちにせがまれた。私は口下手で人を笑わせる物語などできない。けど、ただ笑わせろというのであればそうして差し上げましょうと、男は言った。物語はせず、ただ笑わすだけとおっしゃる、猿楽でもなさるのかしら、それでしたら物語よりなおいいわと、女房たちがはしゃぐ。いやいや、ただ笑わせて差し上げるだけですよと、男。

そこで、男は算木を手に捧げ持って、お前さま方、されば笑わせて差し上げようという。初めはからかい気味の女房たちだったが、そのうち皆、「えつぼ（笑壺）に入りにけり」で、笑いが高じて止まらなくなってしまった。腹がよじれて死ぬ思いで笑う。笑いながら涙を流す者もいる。物も言えず、ただ手をすりあわせてついに降参した。だから申し上げたでしょう、そろそろ笑い飽きましたか、降参ですねと、男がさらさらと算を置けば、ようやく女房どもは笑いから覚めた。このまま笑い続けたら死んでしまったと、女房たちは寄り集まって病に臥したような有様だった。「かく算の道は極めて怖しきことにてあるなりとぞ、ひと語りしとなむ語り傳へたるとや」。

この物語はたしかに宋国伝来の算術の威力と恐ろしさを伝えているかもしれないが、別の響きがある。この男は丹後の前司高階俊平の弟である。摂関期も末、中流貴族の次男坊だ。来日した宋人が驚くほどの才能に恵まれながら、人の生死を操る術にまで道を究める気にもならなかった。中途半端な男である。約束違反で宋人から呪いをかけられたせいかもしれないが、京に戻って呆けたように暮らした。ただ、女房たちをぶっきらぼうに術にかけて笑わすくらいだ。皆笑いが止まらないのに、まったくのところ、この場面は面白くもおかしくもない。退屈と虚無の気配がする。術の恐ろしい効能をもって締めくくる物語とは到底いえない。

なお、この物語は古井由吉の小説『仮往生試文』(一九八九年、講談社文芸文庫)が題材にしており、そこにこんな一文がある。「唐人の呪いがなくとも、この男、同じような結果になったのではないか」(二四五頁)。同じような結果とは、この男が唐人との約束を裏切って京に戻りいみじく呆けて、ものもおぼえぬようになったことを指す。この読み方は上の私の場合も同じである。古井はその上で、男の術により笑壺にはまった一度の経験が、女房たちのその後の年月に長く跡を引いた有様に想像をはせている。

跋扈する物の気に対処する

その呪術のことだが、芸能物語の類型には呪術師が何人か登場する。陰陽師の術や密教僧の加持祈祷が重んじられた時代である。仏教が貴族層に浸透して著しく密教化していた。物の化、怨霊、鬼神などは現実の存在と感受されていた。だから害から逃れるための構えが、法術呪術として求められてもいた。弓削是雄、賀茂忠行、和気清麿、智徳法師など陰陽師の術の成否が物語になっている。これらの呪術の威力は、その反面で対決すべき相手（モノの気）の得体の知れなさ、恐怖を浮き彫りにしている。呪術師を主人公とする物語を二つ取り上げて、むしろ、この時代の物の気の雰囲気を見ておきたい。

慈岳川人、地神に追われたること（巻二四・13）

文徳天皇が崩御された時（天安二年、八五八年）、その御陵を定める役を大納言安陪安仁が承った。並びなき陰陽師の慈岳川人（しげおかかわひと）をして選定させ終えて、一行は帰途に就き、嵯峨野深草のあたりに差し掛かった。すると川人が何事か言いたそうな気配で大納言に馬を寄せてきた。「これまで大した功績もなしとはいえ、それでもこの道に仕えて今まで誤りを犯したことはございません。それが、このたびは大きな過ちを犯したようです。この地の地神が追って来ます。貴殿とこの川人が罪を負わねばなりません。どうしたらよろしいでしょうか。逃れ難きことです」と、懸念いっぱいの気配を見せた。

そのうちに日が暮れた。為すすべもございませんが、ともかくも隠れて策を構えましょうと、供の者を先に行かせて二人は馬を下りる。川人は田に刈り置きした稲を大納言の上に被せて、呪文を唱えながらその周囲を廻った。それから稲のうちにもぐってわななき震える気色である。これを見て大納言も半ば死ぬ心地であった。

二人は稲の下で音も立てずにいると、しばらくして、千万の人の足音が通り過ぎた。と思うと、ただちに戻ってきて二人のめぐりに立ち騒ぐ。人の声に似ているが人の声とも違う。「川人らはこのあたりで馬を下りたようだ。しらみつぶしに探し出せ。そうすれば逃げおおすことはできないはずだ。川人は古の陰陽師にも劣らぬ奴だから、姿を隠す術を使ったのだ」などとののしり合っている。だが、どこにも見つからぬ由、彼らは口々に報告する。そこで、頭とおぼしき者の声がした。今日は隠れおおせたとはいえ、奴ばらが逃れ通すことなどできはしない。次の十二月晦日の夜半に、天下をしらみつぶしに探索しよう。いざ、その夜に集合せよ。こうして、連中は去っていった。

さて、その大晦日の夜、二人は二条と西の大宮との辻で密かに落ち合って、嵯峨寺へ行き天井に這い上った。川人は呪を誦し大納言は三密を唱えていた。夜半になると、いやな臭いのなま暖かな風があたりを揺り動かして過ぎた。二人は恐ろしさに震えてこれをやり過ごし、朝を迎えて無事に帰宅した。

「これを思うに、なお、川人やんごとなき陰陽師なりとなん、語り傳えたるとや」。

天皇陵を勝手に選定したことで、その地の地神の怒りを招いた。怒りを察知した陰陽師川人は、策を講じて二度にわたって地神の襲撃を逃れた。怒涛の足音を響かせて、目に見えぬ異類が迫り来る。陰陽師は遁甲の術を使って逃げおおせた。これは陰陽師が異類の難に遭遇したが、その術を演技して難を逃れて「やむごとなき陰陽師なり」と称賛された話である。危難に遭遇しての救命救難の物語と読むこともできよう。同時に、誰に知られることもなく無音の闘いに臨んだ二人の恐怖が印象的である。次いで、物の気と身を呈して闘う物語を見よう。

人の妻悪霊となりしを、その害を除きたる陰陽師のこと（巻二四・20）

夫は長年共に暮らした妻を捨てて家を出た。妻はこれを深く恨んでついに死んだ。父母縁者もいないので死体は葬ることもなく、家のうちに放置されていた。だが、髪は落ちず、骨は骨格を保ったままであった。隣家の者によれば、部屋うちで怪しい光や物鳴りがある。これを知った夫は、自分を恨んで死んだ者なれば妻の死霊が必ず取り付くものと恐れて、陰陽師に策を依頼した。陰陽師は男によく言いくるめて部屋に送った。男は屍の髪をしっかりとつかんで、背中に馬乗りにまたがって夜を迎えた。死人は「あな重しや」と言って男を載せたまま走り出た。「いざ、奴を探し出そう」と言って、どこかはるかに連れて行く気配だ。恐ろしいなどというも愚か、しかし男は陰陽師に指示された通りに死人の髪をつかんで離さず、朝を迎えた。陰陽師がやってきて死人に呪文を唱え、男を安心させて連れ帰った。「これ近きことなるべし」、近年の出来事であるという。

変化の碁打ち女

もう一つ、技芸には碁打ちの例があり、類型的ながら芸をめぐる化身との対決の話がある。陰陽師の対決相手と違っておどろおどろしくはないものの、当時の人びとのすぐそばに、変化の者が人の姿そのもので存在したことを次の物語は言外に語っている。

碁打ちの寛蓮、碁打ちし女に会えること（巻二四・6）

(1) 発端：芸能文芸（諸芸・芸工）

醍醐天皇の御代に寛蓮という碁打ちの上手がいた。天皇のお相手で寵愛も著しい。

(2) 出来事：一期一会（邂逅・女）

さて、あるとき内裏から退出して一条から仁和寺へと、西の大宮を行くほどに、いやしからぬ女童を通じて誘いがあった。粗末だが風流な小家に案内された。寛蓮が縁に上がって見れば、磨き上げた如何にも立派な碁盤が置いてあり、傍らに円座が一つ。寛蓮が円座に座ると、御簾のうちからいかにも奥ゆかしく可愛げな女の声がした。

「当代に並びなき碁をお打ちになるとお聞きしましたので、どれほどの芸かと拝見したくなりました。私も父から少しばかり教えられましたが、もう長いこと打っておりません。それがたまたま、あなた様がお通りになると聞いて、失礼ながら、……」。

（3）行為：芸能披歴（演技・技芸）

簾のうちより空薫の芳ばしい香りが流れ出てくる。さて、何目ほどお置きになりますかと寛蓮。すると、几帳の合わせ目から二尺ばかりの棒が差し出されて、私の石はまずここに置いて下さいましといい、中央の聖目を差した。かくて碁は進んでいったが、驚いたことに寛蓮の差す石は悉く女の石により殺されてしまう。手向かいすべくもなかった。「これは稀有に奇異のことかな。人にはあらで変化の者なるべし」と、恐ろしく思った碁の達人は取るもの取りあえず仁和寺の宇多院のもとに逃げ帰ったのだった。

（4）結末：芸能失敗（失墜・芸道）

寛蓮から有様を聞いた宇多院が翌日使いの者をかの家に走らしたのだが、もぬけの殻であった。時の人びとは噂した。「いかでか人にては寛蓮に会ひて皆殺しには打たむ。これは変化の者などの来りけるなめり」。

変化と対決する話は多いが、珍しくこれは碁打ちである。女の碁打ちという趣向も利いている。変化・鬼神が人間の写しであることは、このように最高の技芸の競演においても成り立っている。変化の者という表象が現実の人と物の秩序に一致することを当然の前提にして、物語が進む。物語論がいう類似の原理である。

物語⑿

老医師、女患者を取り逃がす

（1）今は昔、典薬頭にしてやんごとなき医師がいた。世に並びもなき医師だったので、人びとはこぞって重用した。

（2）さてある時、この医師の家に女車が入ってきた。派手な女房装束の端が覗いている。これはどこの車かと問うに答えもせず、女車はどんどん押し入ってきた。雑色どもは牛を外して頸木を蔀（しとみ）に懸けて、門の脇に寄って立った。これはどなたで、御用は何事ですかなと医師が車に声をかける。それにも答えず、しかるべき所にお部屋の準備をと、可愛く品のいい気配の女の声がした。この医師の翁、もともと色好みのすき者なので、早速家の奥の離れを掃き清め、屏風を立て薄縁を敷くなどして設えた。では、そこを離れて下さいと言うので、医師は車から離れて立っていると、女は顔に扇をかざして車をいざり下りる。供の者が同乗していそうなものだが、誰も乗っていない。お伴は十五六の女童だけ、車から蒔絵の櫛の箱を運び出した。雑色たちが牛を付けるや、車は飛ぶように去って行った。

医師が部屋に入る。屏風の後ろに隠れるようにさっきの女の子が櫛の箱を抱き隠している。「これはどなたさまで、どんな御用かおっしゃって下さい」と医師が問えば、「こち入り給へ。恥聞こゆまじ」と女が簾のうちに請じ入れる。差し向いで見れば、三十歳ばかり、頭から目鼻立ちに至るまで欠けた所とてなく端正で、髪はとても長い。香ばしくえもいわれぬ衣を着ている。それが恥ずかしく思う気色もなく、連れ添った妻などのように落ち着きはらっているのだった。

「これはまたどうしたことか」。医師は長年連れ添った妻をなくして三年余り、歯もなく顔もしぼんだ年寄りだが、この女は自分がいかようにもすることができるとばかりほくそえんで、女の近くににじり寄る。女が訴える。「人の心のあさましさ、命惜しさに身の恥も顧みず、ただどんな手立てでも命だけは助かりたいと思って参ったのです。今は生かすも殺すも先生の御心次第。お任せしとう存じます」としきりに泣くのだった。

（3）医師は実に哀れなことだと思い、どうなさいましたと問う。女は袴の脇を押し開く。雪のように白い股、肌に少々腫れがある。これではしかとはわからない。袴の腰紐を解かせてさらに先を見れば、毛に隠れて見えない。手でそこを探ると、なにのほとり近くに麻疹のようなものがある。左右の手で毛をかき分けてみれば、まさに由々しき障りだ。さすがは医師、典薬頭は心から同情した。多年の名声と腕前にかけて、あらゆる手だてを打たねばならない、老人は張り切って、その日から他人も寄せつけず自ら襷掛けで夜昼治療を尽した。

こうして七日ばかり、女の病もようやく快方に向かう。医師は至極喜んで、「暫くは逗留させよう、退院は身分を明かしてもらってからだ」などと思案する。患部を冷やすのはやめにして、いかなる処方か、茶碗に入れた摺り薬を鳥の羽根に浸して、日に五六度ばかり患部に貼付する。もう大丈夫と、医師は至極満足の様子である。女が言う。ただただ浅ましい有様をお見せしました。ひとえに親ともたのみ奉るばかりです。帰りに車でお送り下さい、その時にどこの誰とも申し上げましょう。これからもここへ常に参って診ていただくことにいたします、と。あと四五日は逗留する気だなと、医師はこれを聞いて安心したが、実はその暮れ方、薄い綿の寝間着のまま女は童を連れて逃げ去ってしまった。医師はこれに気付かず、夕食を膳に盛って自ら持参するが誰もいない。ちょうど用足しにでも出たのだろうと、医師は膳を持って引き返した。（4）日が暮れた。まずは明かりだと、医師は燈火を持参する。見れば着物などが脱ぎ散らかしてある。例の櫛箱も残っている。屏風の後ろで何してるのだろう、「いつまでそこに」と言って覗けば、女がおればこそ、女童の姿もない。重ね着していた衣と袴もそのまま、薄い綿入れだけがなくなっていた。あれは患者に着せた寝間着だ、女はあれを着たままで逃げたに違いないと合点して、医師は胸も潰れ万事休すと思うのだった。

それでも、典薬頭は家の門を閉じさせ、灯をともして家中を探索させるが、見つかろうことか。女の顔や様子が面影にちらつき、恋しい悲しい。患者だからと遠慮せずに本意を遂げておけばよかったものを、どうしてためらったりしたのだ。悔しくもあれば腹も立つ。自分はいまはやもめの身、誰はばかることもない。あの女が人妻だったとしてもかまわない。妻にというのではない、時々は通うことになるだろうからこれ幸いと期待していたのにと、つくづくと思い悩む。それがまんまと一杯食わされた。手を打ち足を踏んでは悔しがり、爺面に口をへの字にして、べそをかいている。

様子をうかがって弟子の医師たちが密かに笑う。世の人も伝え聞いて物笑いの種にするので、典薬頭は怒るやら陳弁これ努めるやら。思うに、あの女も賢い女だ。どこの誰とも、ついに知られぬままだったという。

（巻二四・8　女、医師の家へ行きて瘡を治して逃げたること）

第十六章　才覚と策略が福を招ぶ

現世利益、世俗編

『今昔物語集』仏法編では、財産良縁や救命救難という「利益利生」はすなわち信心の賜物、現世利益であった。信心という因果を外してしまっている世俗編では、それでは利生は何がもたらすだろうか。また、仏法編では利益利生の物語は法華経や観音信仰の巻にまとめられているが、ここでは全編に散らばっている。

まず、「財産良縁」（福徳・富・結婚）をもたらす主人公の行為は二筋が抽出される。「工夫策略」と「苦境逆転」である。工夫策略とは具体的には謀略や瞞着（騙し）、つまりは（仏の他力でなく）自力・才覚によって福をつかむことである。別項物語（13）「都の夢幻」には『今昔物語集』第一ともいうべき作品を翻訳してある。ここでは騙された男の立場から夢幻のごとき恋物語として読んでいるが、盗賊の頭の女を主人公と見れば、策略によって男と結婚し強盗団の一員として財を集めさせる物語になる。もっと短い物語を例に上げる。悪名高い盗賊、袴垂の策略であり、福徳というより強盗の成功譚というべきか。

袴垂、関山にして虚死して人を殺せること（巻二九・19）

禁獄されていた盗人袴垂は大赦（永承七年、一〇五二年か）により釈放された。だが、尾羽打ち枯らしたのか、逢坂山に行き素っ裸で道端に臥せっていた。そこに、供を大勢連れた武士が通りかかる。あれは傷跡のない死人ですと郎等が報告する。すると武士は急に隊伍を整え弓を構えて、死人から目を離さずに通り過ぎた。見物人たちが手を打ってはやし立てた。「一族郎等を引き連れた兵が死人に用心とは、大した武将だわい」と。それから後、人通りも絶えた折、また騎馬武士が一人。今度はぐいと近づいて弓で死体をこづき回した。すると、死人はやにわに弓を掴んでおき上がるや否や、武士の太刀を引き抜いて、このたわけがとばかりに相手を刺し殺した。袴垂は武士の衣服弓矢と馬を奪って飛ぶがごとく東へ逃げ去った。そこに牢仲間が寄り集まってきて、かくて敵なしの強盗団が結成されたのである。

武士の二人が対照されているが、袴垂からすれば謀略が成功して盗人再起するための「富」を得たことになる。袴垂を主人公とした物語りの因果系列は、発端：路上途上（旅移動・地方）→出来事：一期一会（邂逅・男）→行為：工夫策略（謀略・瞞着・殺害）→結末：財産結婚（福徳・富）となるだろう。

騙しのテクニック

同じく盗人の成功譚だが、もっと本格的な物語を次に紹介する。

摂津の国の小屋寺に来りて鐘を盗めること（巻二九・17）

（1）発端：路上途上（旅移動・地方）

摂津の小屋寺に八十歳になろうかという法師がやって来て、住持に訴えた。西国から旅して京に上るつもりのところ、寄る年波、もう一歩も進めなくなってしまった。寺の片隅にでもしばらく置いてはくれまいか。生憎なことと住持が断る。すると、鐘つき堂の下はどうか、雨風もそこならしのげると老法師が食い下がる。それはいい、ついでに鐘をついてもらいましょうと住持は承諾した。

（2）出来事：一期一会（邂逅・同法）

さて、二夜ばかりが過ぎて、もともとの鐘つき役の僧が鐘堂を訪ねてみれば、かの老法師が長身を長々と伸ばして死んでいた。これはどうしたものか、鐘つきは慌てふためいて住持に報告する。どこの馬の骨か、老法師を宿らせたばかりに、とんだ穢れを寺に招いたものだ。寺の僧たちは腹を立てるがしょうがない、村人に捨てさせようと依頼する。だが、いまは村祭も近い、穢れはごめんだとばかり誰一人引き受け手がない。すでにその日も午後になる。

（3）行為：工夫策略（謀略・瞞着・強奪）

とかくするうちに今度は三十ばかりの男二人が訪ねて来た。下々の者の格好だが、きちんとした身なりで敏捷そうだ。もしかしたら老僧が訪ねては来なかったでしょうかと二人が訊ねる。ことの顛末を知るや、これは大変と二人は泣き崩れた。その老法師は我らが父親に相違ございません。これまでにも、老いのひがみ、我意が通らないといっては姿を消していました。それがこの度は一日たっても戻りません。手分けして探しておりました。我らは明石の在のもので、決していやしいものではございません。持てる田は十四町、ここの隣の郡にまで下人が数多くおります。どうか、確かめさせて下さい。確かに我らが父ならば、今夕にも葬りとうございます。

さて、老法師の亡骸と対面して、「こんなところで亡くなって、我らは死に目にも会えなかった」と二人は泣きじゃくりかき口説く。鐘堂の外では寺の僧たちももらい泣きして哀れがった。葬式の準備にと、二人は鐘堂の戸を閉じて去って行った。

夜になると、四五十人にもなる一団がやって来て大わらわで老法師を運び出した。寺の僧たちは穢れを恐れて房に引きこもっている。物音からすれば、どうやらここから十町ほど離れて山裾の松原で、夜もすがら念仏をとなえ金鼓を叩いて送葬している様子だった。

(4) 結末：財産良縁（福徳・富）

さて、寺の僧たちは穢れを忌んで三十日間は鐘堂に寄り付かなかったが、喪が明けて見ると、何と大鐘が失せていた。謀られたかとばかり、僧と村人の一団がかの葬送の地に行って見る。松の木を焼いて鐘を鋳潰したらしく、残骸が散らばっているばかり。何という用意周到な奴ばらかと罵り合うが、もうどこの誰とも行方も知れない。この寺には以降鐘がない。万事なるほどと思えても、見知らぬ者のすることにはよくよく用心することだ。

なお、この物語は古井由吉が取り上げている（『仮往生伝試文』、前掲第四章）。とりわけ、死んだ真似をした老法師が盗賊団の首領であり、物語の陰の主役としているところが面白い。鐘つき役の僧が鐘堂の戸を押し開けて見れば、「年八十ばかりなる老法師のいみじげなるが丈高き、賤しげなる布衣を腰に巻きて、差し反りて死して臥せり」という場面は、この物語の帰趨を決める瞬間だが、これを老法師一代の演技として古井は次のように敷衍している。「死人役の老法師にしても、ただただ死人となって横たわっていたのではあるまい。戸がひらいて、相手の視線がこちらへ届くか届かぬか、恐怖の色が点るか点らぬかの境で、目から口から手足までじわじわっと開けてみせた。死んでいるところではなくて、死んだところを見せつけなく

図３−５　利益譚（世俗編）

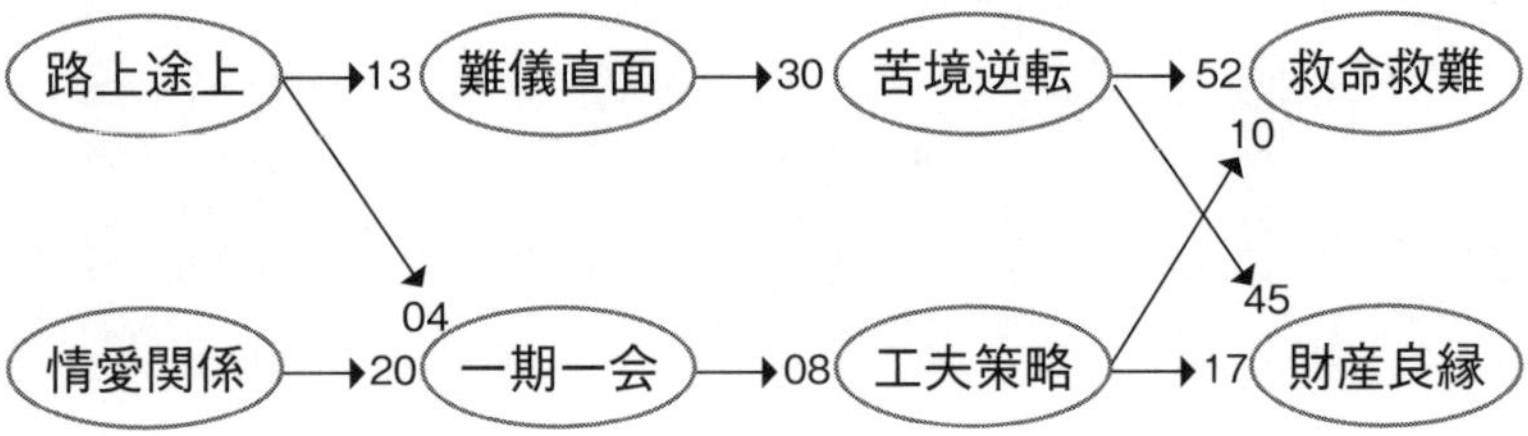

発　端：路上途上（旅移動98・京45・地方79）、情愛関係（親愛87・男女57・夫婦58・親族58）
出来事：難儀直面（難事91・災難63・困難67）、一期一会（邂逅50・女83・男94）
行　為：苦境逆転（発見83・宝物62・因縁49・異人46）、工夫策略（謀略82・瞞着96）
結　末：救命救難（避難98・救難61・救命49）、財産良縁（福徳91・富75・結婚57）
カイ二乗：699、自由度：255、カイ二乗／自由度：2.74、ＧＦＩ：0.845、ｂ：避難0.95

ては、一瞬の内に相手を圧倒できない」。なるほど。

以上紹介した例は盗人がまんまと財をつかむ話だが、この同じ系列には策略によって結婚する物語も含まれている。たとえば、藤原氏列伝に含まれる左大臣時平の物語（巻二二・８）。時平は周到な計画をめぐらして、老齢の伯父国経の若き妻を正月の宴の引き出物としてもらい受けた。策略の実行過程が詳しく描かれていて、列伝の中では出色の物語である。

苦境逆転の因縁

福徳をつかむ物語にはもう一つの系列がある。上記の策略が自力であるとすれば、こちらは多分に偶然の発見と、発見への対処によって富をなし妻を得る。まず、発見が宝物の場合は話が単純だ。兵衛佐で通称上緌の主という男がいた。ある時、西の八条京極の畑の中に建つ一軒家に雨宿りした。家の中に碁盤のような平らな石があり、引掻いて見ると銀のようである。男は素知らぬ顔をして、家主の老婆に石を請う。どうせ邪魔な物だからと媼は承知、お礼に男が渡した上着にしきりに恐縮した。その後、男はこの石を打ちかいては売りに出して、やがて米も絹も手に入るようになった。

商売上手の話がまだ続く。兵衛佐は西の四条あたりに人も住まぬ湿地を一町ばかり安く買いたたいた。その後、佐は摂津に出かけて葦をたくさん刈り集めて、鴨川尻まで船で搬送した。これを湿地に敷き詰め土を盛って宅地に造成した。人夫が大勢必要だったが、そこらの通行人どもに酒を飲ませて働かせた。この宅地はいま、大納言源定の屋敷があるところである。要約すれば単純だが、上手の商売のやり方がいつものごとく丁寧に書かれている（巻二六・13）。この話が属する因果系列は、発端：路上途上（旅移動・京）→出来事：一期一会（邂逅・女）→行為：苦境逆転（発見・宝物・返報）→結末：財産良縁（福徳・富）となる。

苦境を逆転して財や妻を得るもう一つの道筋は、思いがけない因縁を知ることである。結果として、吉縁であることが判明して、福徳を得る。次の話がこの系列にある物語として心に残る。

世を隠れし人の婿に成りたること（巻二九・4）

（1）発端：情愛関係（親愛・夫婦）

今は昔、両親に先立たれて妻もなく、先々の世渡りに思い悩む男がいた。どこか財のある妻はいないものかと人に尋ねていたが、程なく身一つで裕福そうな女がいるとの知らせだ。男は懸想し女も受け入れたので結ばれた。女は立派な家に住み、家内はにぎやかだ。見苦しからぬ女房たち、若く働き者の下女たち。それにどこから取り寄せたのか、豊富な物資で男にも不自由させない。それに何より、妻は二十歳ばかり、髪の長い美人で宮仕えの者にもこんな女はいない。あれやこれや、男は満更でなく夜枯れもせずに通い住むうちに、いつしか月を重ねた。そして妻が懐妊して三ヶ月、悩ましげである。

（2）出来事：一期一会（邂逅・男）

そんなある時、男が妻と一緒の所に、思いがけず裏口からそっと、見知らぬ男が入って来た。紅の衣に蘇芳染の水旱、髪を後ろに束ね烏帽子もない。それに何より男の顔立ち、舞の落蹲（らくそん）の鬼面のごとく恐ろしげだ。これは昼盗人かと男は声を上げるが、妻のほうは何故か夜具を掻き寄せて冷や汗を流している。

（3）行為：苦境逆転（発見・因縁・贈与）

「どうかお声を立てずに」。落蹲男がすっと近寄っていう。こんな面相で驚かれるのはもっともですが、どうか私の話をお聞きくださいと、男はさめざめと泣いた。妻も泣いている気配だ。どうしたことか、夫は不審に堪えないが居住まいを正した。実に申しにくく言い難いことですがと男が切り出す。「そこの者は実は私の一人娘です。母親もおらず不憫でいとおしく、良き人に巡り合えたらとこうして一人住まいをさせてきました。そこへ貴方様が。初めは一時のことかと見ていましたが、こうして志も愚かならず、娘もあなたの子を宿しました。いずれはわかること、もう隠れたままではいけない。そう思ってかく参上した次第です。ようやく、心からほっとすることができました。しかしもしもです、こんな親の娘だからと疎んじて離縁なさったならば、世の中生きて渡れるとはおぼしめすまい。きっとお怨み申します。でも心変わりなくておいでならば、何一つ御不自由はおかけしません。娘の親のことは誰も知りませんし、おのれも今日限り参上することはいたしません」。そして、お気遣いなくお使い下さいと蔵の鍵束を差し出した上に、近江の所有地の地券まで与えるという。もう参りませんが、陰ながら見守っておりますから、もし離縁して出ていかれる時には必ず参上しますよ」。父親は最後にこう念を押して去って行った。父は出て行ったが、男の気持ちが心配で妻はさめざめと泣いている。男はあれこれと思いなやむ。何事も命あってこそだ。去れば必ず殺される。妻だって別れがたい。どうせ逃れられないし、逃げたっていつもびくびくしていないといけない。さあどうしよう。そして結局、命惜しさに決心を固めた。

(4) 結末：財産良縁（福徳・富）

男はこうして楽しく暮らした。そしてある暮れ方近くに一通の手紙が届いた。仮名交じりでこう書いてあった。お目通りして以来、娘と仲良く暮らしているご様子、この喜び申す術もございません。私は近江のしかじかの者でしたが、ある人に騙されたのです。この者が盗賊だとも知らず、てっきり仇討ちとばかり思い込んで使われておりました。けれどついに捕らえられてしまいました。なんとかそこから逃げおおせはしましたが、世間に顔向けできない辱めを受けたわけですから、それ以来、人に隠れて過ごし、ただ死にたいとばかり思って参った次第です。かつて世にある時は財も土地もありました。娘の夫に使ってもらいたいと思って取っておきました。思い通りにしていただき感謝しております云々と、細々としたためてあった。

男は蔵の物を使い近江の土地の上がりで安楽に暮らしたが、それにしても少々気心の置けない妻だこと。

見られるとおり、父親が突然現れて、娘大切と馬鹿丁寧な物言いでかき口説き、合わせて男を脅すことも忘れない。正体不明の父親の口説きがこの物語の圧巻である。最後に手紙で素性を知らせる。これだって本当かどうか。本人が盗人だったのであり、蔵も土地も盗品に違いない。この父親と対照的に、娘の夫は優柔不断、終始何の行動も起こさない。偶然の縁を受け入れて因縁に従うばかり。女盗賊の言いなりになる男(「知られざる女盗賊」:物語(13))と同じである。この二つの物語は隣り合って巻二九に置かれているが、夢幻のような作品のトーンも似ている。

盗賊の難を逃れる工夫

さて、次に「救命救難」の物語。これも「観音助け給へ」の祈願でなく、偶然の発見・因縁を奇禍とした救難、あるいは自らの才覚による救済である。発見→救命救難の物語には異国探訪記が含まれる。こんな具合だ。佐渡の人が乗る船が突然の暴風により北の島に吹き寄せられた。見れば人がいる。頭に白い布を巻き背が異常に高い。実にこの世の人とも思えず、船人は恐怖に震えた。この異人は島へ上陸すれば必ず良からぬことが出来すると警告して去った。我らを殺すつもりだと恐れたが、暫くすると同じような異人が十人ばかり出てきて食物を運んで来た。これで食いつないで風待ちをすればいいと言う。佐渡の船人たちはかくて生還した。あれは鬼ではない、神の類ではあるまいか（巻三一・16）。この話は、路上途上（旅移動・地方）↓難儀直面（難事・災難）↓苦境逆転（発見・異人・援助）↓救命救難（避難・救難）という系列である。

発見による苦境逆転に比べて、自らの才覚による救命救難の物語は多彩である。たとえば、盗賊をだまくらかして難を逃れる話がある。さる下級役人（史）で、短躯ながら肝っ玉の据わった男がいた。ある時、公務で遅くなり夜更けに牛車で大宮大路を下った。それが何を思ったか車中で着物を脱いで畳の下に隠した。本人は冠ばかりの真っ裸になった。こんな姿でさらに二条を西に行くと、脇から盗賊がばらばらと襲ってきた。盗人は驚き呆れたが、男が言う。先ほど大宮の東でかくのごとくに相成り申した。皆さんのようなやんごとなき御方たちが寄って来て、わが装束をみんな召し上げて行かれた」。笏を取り、貴顕に物云うがごとく馬鹿丁寧、男はしゃあしゃあと返答し、盗人は笑い捨てて去って行った。家に戻って報告すると、どちらが盗人ですやらと妻は笑った（巻二八・16）。これは、路上途上（旅移動・京）↓危難直面（被害・強盗）↓工夫策略（謀略・瞞着・成果）↓救命救難（避難・救難）の系列である。

次も同音異曲だが、話の筋が凝っている（巻二九・12）。前の筑紫の守源忠理が方違えのため自宅近くの小屋に移った夜のこと。寝所の外で足音がした。次いでもう一人、示し合わせて大路のあたりから合流した様子。さては襲われるかと身構えたがさにあらず。強盗の相談である。どこに入るのかと聞き耳を立てれば、何と我が家だ。心許した家の侍がどうやら手引きしているらしい。夜が明け、方違えが明けるのをじりじり待って、守は家に帰った。

守はどう対処しただろうか。近頃の者ならば警備怠りなく、かの間者の侍をひっ捕らえて吐かせ、盗人どもを検非違使に引き渡すことだろう。だがこの話のころは、人の心もまだまだ古代風である。守はさりげなく侍を用事に送りだし、そのすきに家の中の一切合財を運び出してしまった。さて、その夜が来た。手引き侍が門を開け、盗人共が十人以上も侵入した。だが、どこを探しても露ばかりの物もない。盗人は腹いせに侍を柱にふん縛って去って行った。最後の評語に作者はコメントしている。この前司は確かに賢く振る舞った、とはいえ「これいと吉きことども思へず」、不便なことだ。ともかくも、昔はこんな古代の心を持った人もいたのだというのである。もっとも、この話の主人公忠理は藤原親任（万寿三年伊勢守、一〇二六年）の舅だというから、それほど「古代」の人でもなかったろうに。盗難を検非違使に届け出る「近来の人」のやり方とは、つまりは都の治安を信頼することである。これにたいして「古代の心」とは国（朝廷）の法に頼らないということだろうか。

美人局を逃れる

最後になるが、同じく救命救難の物語とはいえ主人公の才覚によるとはいえず、契った女の犠牲のお陰で助かるという話を摘要する。主人公は危難に会ってむしろ受身、すなわち「霊鬼被害」（受難・盗人・逃亡）という「行為」によって難を逃れる。ただし、因子は霊鬼に襲われる話と共通だがここでは霊鬼でなく盗賊の害である。この因果系列の典型例というより、一種冒険物語の面白さ、京は清水あたりの当時の雰囲気を彷彿とさせる叙述に引かれて、以下を読んでおく。

清水の南の辺りに住みし乞食、女を以て人を謀り入れて殺せること（巻二九・28）

（1）発端：路上途上（旅移動・京）

若くてハンサムな公達中将がお忍びで清水に参詣した折、二十歳ばかりのきれいな女が通り過ぎた。どこの誰だろう、このままほっといてはなるものかと、従者の童に女の後を付けさせた。童が報告に戻る。お宅は京ではなくて、南方、阿弥陀が峰の北です。お伴の女房に事情を話したところ、取次ぎを承知したという。中将は勇んで文を遣り、女もまた筆先もよく文を返してきた。かように度重ねて手紙を交わした末に女から誘いがあった。山里に住んでおり京へは行き難く、貴方様にこちらに来ていただければ、御簾越しにお話もできましょう、と。中将は舞い上がってしまい、夜になってから先の童ほか小人数の供をつれて、忍んで行った。屋敷は堅固な筑垣を回らし、門は高く庭には深い堀に橋が渡してある。堀の内には男一人で入り、調度も立派な客室に通された。

（2）出来事：一期一会（邂逅・女）

さて、夜も更けて女主人のお出ましである。男は几帳の内に入って寝た。近くで見ればいや増しにろうたげな女である。交わす契りの言の数々、でも女の様子が変だ。物思いに沈んで忍びやかに泣いている様子である。問えば「何となく哀れに思えるだけ」と答える。だが、ただならぬ気配がある。さらに繰り返して問い詰めると、女はようやく身の上を語りだした。私は京のしかじかの娘でした。それが父母を失し一人身のころ、拉致されてここに連れて来られたのです。ここの主は財を貯め込んだ乞食の頭です。それで、私を装い立てては清水に送りだし、懸想する男を貴方様のように謀り寄せ、共寝の時をねらって天井から鉾を打ち下すのです。男を殺して着物を剥ぎ取ります。従者もろともに殺します。こんなことがもう二度、いままた同じことが起こると思えばもう耐えられません。今度ばかりは貴方の代わりに私が鉾に当たって死ぬつもりです。どうかお逃げください。でも、今生ではもうお会いできないと思うばかりが悲しくてと、女は泣き続ける。

（3）行為：霊鬼被害（受難・盗人・逃亡）

男は驚いて、一緒に逃げようと頼む。いえ、鉾の手ごたえがないとすぐに追手がかかり、二人とも殺されてしまいます。ここは私に構わずに、どうか後は私のために功徳を積んでください。もう二度とこんな罪を犯すことができましょうか。女は逃げ道の仔細を教えた。さあ早く。男は泣く泣く引き戸を潜り、堀の畔をたどって築垣の水門をやっと這い出た。そこにかの童が現れた。不審に思い庭の藪に隠れていたのだという。二人して、京を指して走り出た。やっと五条河原に辿り着いて振り返れば、先の家のあたりから猛烈に火の手が上がっている。逃げた中将の口からここがばれると考え、火を懸けて遁走したのだ。

（4）結末：救命救難（避難・救命）

中将は童に固く口止めし自らも沈黙を守っていたが、毎年欠かさず誰の為とも知らせずに仏事を設けて功徳を修した。思うに、女の心は実に稀有のことだ。それにしても、美人に魅せられうつけ心のままに知らない所へ行くのは止めるべきだ。

舞台は清水坂、そこにはすでに乞食のギルドが存在した。名だたる葬送の場、鳥部野に隣接する場所である。物語の乞食の棟梁はすでに十分に富を積んでいたはずである。それなのに欲をこいたのか、美人局にまで手を出した。五条の端から阿弥陀が峰の方角を振り仰ぐ。猛火が清水坂から鳥部野辺りまで暗い光を投げかけていただろう。『今昔物語集』には盗賊はもとより、乞食もちょくちょく顔を出す。ギルドの頭目であることが多い。

それにしても、『今昔物語集』世俗編の現世利益譚を通読して、主人公が旅や移動の路上途上で危難に出くわす例が多いのに気付く。地方ばかりか、京の町中でも危険がいっぱいだった。危機に直面して本人の力量才覚で見事乗り切るのは物語の常套であり、これ以外にも、武力闘争や霊鬼譚に共通する。そのことではなく、危機が路上にあるということが印象的なのである。京の夜は暗い。盗賊が文字通り横行している。阿弥陀が峰の麓にある乞食の隠れ家の夜のたたずまい、五条河原から鳥部野の先に猛火が見える。今回は主人公が路上で遭遇する危機は、それでもまだ人間による危害である。話は容易に霊界からの危機へと繋がっていくだろう。人びとは霊鬼と出くわして戦い、あるいはなすすべもなく倒れていくのである（第一章参照）。

物語（13）都の夢幻

（1）今は昔、いつ頃のことであったか、人に仕える男がいた。名乗るほどの身分ではない。年のころ三十ばかり、丈高くやや赤鬚である。

さる暮れがた、男は外出して京の街のとある辺を過ぎると、傍らの半部（はじとみ）から手を差し出し、鼠鳴（ねずな）きをして差し招く女の声がした。男は声のほうに近づいて、

「お呼びでしょうか」といえば、女の声がいう。

「申し上げたいことがございます。そこの戸は開きます。お入りください」。

思いがけないことに驚きながら、男は戸口を押して入ると、戸を閉ざすよう言いながら先程の女が現れた。

「どうぞお上がりください」。

男は部屋に上がり、簾のうちに呼び入れられた。見ればよく整えられた部屋に女がただ一人でいた。年は二十歳ばかり、清らかで奇麗な顔立ちである。女は笑みをこぼして男を招いている。こんないい女と睦み会う機会を、男たるもの逃すべくもないことだ。そんなことで、男と女はそのまま共寝にいたったのだった。

（2）この家には他に誰も見えない。ここはどんな所かと男は訝しく思うが、女と睦み合って後も女を思う心が深くなるばかり。日が暮れるのも知らぬ心地で、女とともに臥せっていた。すると、門をたたく音がした。他に人もいないので男が起き出て扉を開けると、そこに侍ふうの男が二人と女房めいた女がいた。下女を伴っている。この者たちは部屋の蔀を下して灯をともし、銀の器に贅沢な料理を盛って二人に給仕してくれるのだった。男はまた不審に思う。先ほどは戸を内から差してきたはずだ。その後女が命令したわけでもないのに、この者たちはどうしてこの俺にまで御馳走を持ってきたのだろう。もしかして、女には他に男がいるのではないか。そうは思っても空腹だったので、男は御馳走を平らげた。女のほうも男に遠慮することもなく食事を進めているのだが、作法がとても上品である。こうして食事が終わると、女房めいた女が後片付けを済ませて出ていった。女は男に部屋の戸を差させて、また二人してに寝た。

さて、その夜が明けると、また門を叩く者がいる。男が出て開けると、昨夜とは別の者たちが入ってきて、蔀を上げて部屋のあちこちを掃除した後に、粥とおこわの朝食を運んできた。

朝食の後は、珍しいことに昼食が供された。二人が食事を終えると、世話する者たちがみな去っていくのも、昨夜に変わりがない。

こんなふうにして二三日、男は女のもとで暮らしていたのだが、女が言う。

「どちらか行くところがありますか」。

「少々、知人のもとに行って話したいことがあります」。

男がそう答えると、

「それなら、すぐにいらっしゃいませ」と女が言う。

そのまま暫くすると、水干装束の雑色が舎人を連れて、立派な馬に見苦しからぬ鞍を置いて引き出してきた。女は隣の衣裳部屋から取り出して、男に似合った装束をさせた。その装束で身を固め、かの馬にまたがりお伴の者を引き具して、男は外出した。従者たちは忠実で使いやすいことこの上もない。用事を済ませて帰宅すれば、女の指示があるでもなく、馬と従者たちは去って行った。女が言い置いたわけでもないのに、どこからとなく食事が運ばれてくるのも、いつもとまったく変わりないのだった。

(3) かように女と添い暮らして、不足することもなく、二十日ばかりが過ぎた。女が男に言う。

「思いがけないことで、かりそめのことに見えましょうが、でも、しかるべきご縁があってあなたはここにいらっしゃるのです。ですから、生きるも死ぬも、私が申すことをお断りなさらないで」。

「まことにいまは、生かされようと殺されようと、私はお心のままのつもりです」、と男が答えれば、

「何と嬉しい御言葉でしょう」と女が応じる。

その日も、食事をすませ後片付けがなされ、いつものように昼のうちは人の気配もなかった。女は「さあ、こちらへ」といって、男を奥なる別棟へ連れていく。そこで、男の背中をむき出しにし、罪人の磔台に髪を縄でくくりつけ、両足も縛り上げて屈んだ格好をさせたのだった。そして女は、烏帽子と水干袴という男装束となり、片肌脱ぎに鞭をもって男の背中をきっちり八十回、したたかに打つ。

「どうかしら、痛くないかしら」と女、

「なに、これしきり」と男が答える。

「さすがですこと」、と女は応じて、竈の土を煎じた薬湯や薬用酢を男に飲ませ、よく掃いた土の上に横にならせた。やがて一時もすると、男は回復して床を離れることができた。その後はいつもより御馳走の食事が運ばれてきた。

さて、よくよく介抱されて、三日ばかりがたつと背中の傷跡も少しは癒えた。するとまた、女は別棟に男を連れ込んで、同じように磔台に括りつけて鞭打ったものだから、傷口は破れて血が走るのだった。かまわず、女は鞭をふるって八十回。「我慢できるかしら」と問う。男はいささかも顔色を変えずに、「大丈夫」と応ずる。女は一層ほめそやして、その後は先にも増して親身に介抱をするのだった。するとまた四五日して、また同じような鞭打ち。大丈夫と答えれば、今度は背を返して男の腹を打った。これにも「大したことありませんよ」と男。女はいよいよほめそやして、いよいよ養生を施し、いくばくもなく男の傷跡はすっかり癒えた。

(4) さて、ある日の暮れ方、女は墨色の水干袴、また下したての弓とやなぐい、脚絆と藁靴を取り出してきて、男の装束を整えさせた。その上で、女の指示があった。

「これから蓼中（たでなか）の御門に行って、密かに弓の弦を打ち鳴らしなさい。応じて、弦を打ち返す者がいるはずです。近寄れば誰かと問われます。ただ「ここだ」とだけ答えること。それから連れられるままに行き、言われたとおりの所に立って、もし邪魔者が出て来ればそこでよく防御すること。ことが終われば、そこより船岡山のもとに行き、盗品の分配があるでしょうが、わが分を決して受け取ってはいけない」など、よくよく教え込んでから男を派遣したのだった。

教えられたとおりに男が行き着けば、指図どおりに呼び寄せられた。そこには同じ格好の者二十人ばかりが群がり立っていた。それと、やや離れた所に、色白の小柄な男が立っており、皆の者はこの男にかしこまっている様子である。その他、郎等二三十人ばかりがいたろうか。そこで指図があり、一行は打ち連なって京の町に入っていった。そしてとある大きな家の近辺、二十人ばかりが二三人の組に分れて、それぞれ警戒すべき家々の門に見張りに立った。その他の者たちはかの大きな家に押し入っていった。試験のためであろう、男はことに警戒すべき家の守りに組みに入れられて立哨した。その家から男たちが出てきて防戦したが、男は首尾よく戦って射殺した。他の組の者たちの戦いぶりにも、男はよく目を配っていた。

こうして、物取りは終わった。一行は船岡山に引き上げて、盗み取った財の分配を始めた。男にも取り分を与えようとするのだが、「いや、わしは要らぬ。見習いとして参加したのだから」と、男は辞退した。群れから離れて立つ首領とおぼしき白面の男が、これを見て肯う気色である。やがて、皆はそれぞれ別れて散っていった。

男が本の家に帰り着くと、湯を沸かし食事の用意が整っていた。済ませれば、女と二人して寝るのだった。女のもとを去りがたく愛おしく思えて、盗賊の所業に加担したことを男は疎ましいとも思わない。こんなことがすでに七八度に及んだ。ある時は刀を取って押し入る組みに入れられ、ある時には弓矢を持って外の歩哨の役を命じられた。そして、すべてに合格の振舞いを見せたのだった。

かくの如くに過ごす間、女は鍵を一つ男に渡して言う。これを持って六角の北、しかじかの所に行くこと。そこに蔵がいくつかあります。最寄りの蔵を開いて、入用の物をしっかり荷造りして、近所から車借を呼んで積んで来るようにと。男が指示されるままに行ってみれば、なるほど、蔵が並んでいる。教えられた蔵を開けてみれば、必要なものは皆揃っていた。「何たることか」と男は思いつつ、いわれるままに積荷を運び込んで、好きなようにこれを使った。かようにしてまた、一二年が過ぎた。

そしてある時、女はいつになく心細げな気色で泣くのだった。こんなことは例のないことなのにどうしたかと、男が怪しんで問う。

「なぜ、泣いておられるのです」。

「心ならずもお別れすることもあろうかと思えば、辛くて」とだけ、女が答える。

「いまさら別れるなどと、どうしてお思いですか」と問えば、

「はかない世の中ですもの、こういうこともきっとあるのです」と、女が答える。

ただ言ってみただけだろうと、男はたかをくくっていた。

さて、男が用足しに外出すると言えば、これまでどおりに支度が整えられた。二三日かかる用件だったので、その夜は、伴の者も馬なども例の通り待つようにとそのまま留めておいた。ところが、次の日の夕方、この者たちはちょっと外出するだけと見せかけて、そのまま戻って

こなかった。明日帰る予定なのに、これはどうしたことかと、男は探してみるのだが、一向に見つからない。驚き怪しんで、馬を借りて急いで帰宅する。だが、かの家は跡形もない。何とこれは、と不思議に思い、蔵のある所に行ってみるのだが、これも跡形もない。問いただすべき人もいないのだから、どうしようもない。このとき、はたと、男は女が泣きながら言ったことに思い当るのだった。

さてこうして、男はなすすべもなく思うばかり。以前の知人のもとに身を寄せてみるのだが、女のもとでの習い性で、今度は一人で決めて盗みを働いた。それが二三度と重なって、男は捕縛され尋問されて、これまでのことをありのままに白状した。

不思議な話である。女は変化の者でもあったのだろうか。一日二日で家屋敷ばかりか、蔵までも跡形なく消滅させてしまうなど、ありうることではない。あれだけたくさんの従者や財物を引き具して去ったのに、評判が全然立たないというのもおかしい。また、男は思い出す。女はかの家にいて、指示もないのに望むがまま、時を失せずに伴の者たちが振舞っていた。二三年も女と添い暮らしたのに、合点がいくと思ったこともないままになってしまった。盗みに出る間にも、一緒に働く者たちが誰であったのか、まったく知らないままだった。しかし、ただ一度のことだが、行き会ったことがある。盗賊の群れから少し離れた所に立って、皆がかしこまっている様子の者のこと。男とも思えず、灯影にほの白く美しい顔が浮かんでいた。目鼻だちや面ざし、あれはおのれが妻(め)ではなかったか。そうであったに違いないと思うのだが、それも確かめるすべもなく、訝しいままになってしまった。

世にも珍しい話である。

（巻二九・3　知られざる女盗人のこと）

第十七章　女と男、再会と愛別

『今昔物語集』巻二二から最後の三一までは後に世俗編と呼ばれるように、仏法編とは区別される。内容から細部にまでわたって区別は明瞭であるが、そのひとつに男女の恋愛譚がある。確かに、仏法編にも道成寺物語のように、愛欲に身を焦がして蛇と化し男と無理心中をとげる女の話がある。ただこの場合も男は若い僧であり、話の後半は法華経の功徳によって二人して兜率天に転生するという落ちになる。データベース（DB）でも「転生」の物語とした。またあるいは、「痩せ枯れて、色青み影のように」なって果てた六の宮の姫君の哀切な幕切れがあるが、これも夫の出家譚になっている。これと対照的に、もう抹香くさいところは影もない。明らかに平安時代の王朝文化の影響のもとにあるだろう。伊勢物語を典拠とした話もある。それゆえに、というべきであろうが、充実した作品になっているものが多い。それればかりか、盗賊物語群に含まれる「知られざる女盗人のこと」などは愛恋譚として読めるものであり、私見では仏法世俗の両編を通じて最高の出来栄えになっている。第十六章の物語(13)「都の夢幻」を読んでいただきたい。

さて、世俗編の愛恋譚は図3－5に示すとおり筋書きは単線的だが、別離して再会するだけでなく、愛しながらも再び離別する（愛別）という因果の起伏を特徴としている。互いに「情愛関係」にある夫婦や男女が別れ別れになる。これが出来事「離別離縁」として物語を始動させるのだが、ありきたりの歌物語と違って、別離は再会「復縁交流」につながる。離別離縁と

図３－６　愛恋譚

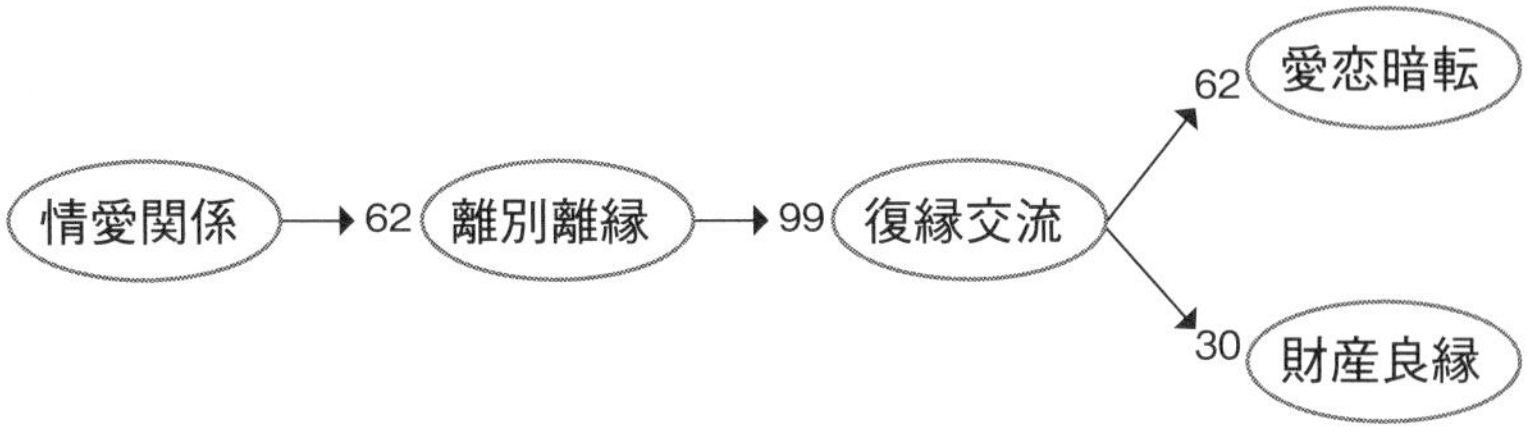

発　端：情愛関係（親愛73・夫婦72・男女60）
出来事：離別離縁（離別84・女46・男16）
行　為：復縁交流（再会89・交流76）
結　末：愛恋暗転（悲恋97・愛別97）、財産良縁（福徳88・富70・結婚68）
カイ二乗：329、自由度：58、カイ二乗／自由度：5.67、ＧＦＩ：0.861、
ｂ：悲恋0.8（愛恋暗転・財産良縁：相関−0.38）

復縁交流はほぼ排他的につながっている（因果係数0.99）。そして、再会した男女の交情や風流が主人公（たち）の「行為」（パフォーマンス）をなし、それが再度の別離「愛恋暗転」という悲劇的な結末をもたらすのである。もっとも少数例ながら、再会がめでたく復縁、ハピーエンドに終わる話もある。「財産良縁」（福徳・富・結婚）がゴールだ。この結末へは別種の因果系列があるが（利益譚、第十六章）、ここ愛恋譚の結末でも財産良縁因子を共通に用いている。

再会もつかの間、暗転する愛恋

以上の因果系列をなぞりながら次の物語を読んでみる。愛恋譚は総じて描写が細やかで、紹介も細部を逸することができない。

中務太輔の娘、近江の郡司の婢となれること（巻三〇・4）

（1）発端：情愛関係（親愛・夫婦）

今は昔、さる中務太輔（なかつかさのたゆう）に一人娘がいた。兵衛佐を婿に迎えていたが、父母が相次いで亡くなり暮らし向きがますます困窮した。妻が夫にいう。「親が在世のうちはともかく、今ではあなたのお世話もままならず、役所勤めも見苦しい格好をさせておりましょう。お気の済むように自由になさってください」。男は拒んでなお一緒に住んでいたが、困窮の度は増すばかり。「他のお方と一緒になっても私は構いません。ただ、いとおしいとお思いの時はいつでもいらして下さい」と妻が勧めるので、夫はついに去っていった。

（2）出来事：離別離縁（別離・男）

世話する者もみんな去り、女はただ一人、さびれゆく屋敷にひっそりと暮らした。別れた夫は女をいとおしく思うが、他の人の婿の身となって、音信も絶えてしまった。女のもとには時々訪ねてくれる尼がいたが、この者がしきりに再婚を勧めた。近江の郡司の息子で、気に入れば国に連れて帰り妻にしたいという。「そのようなことはどうでしょうか」と、女はぐずぐずしていたが、男は御執心でついに契を受け入れた。こうして馴染みを重ねて別れがたく、男は女を近江に連れて帰った。ところが、男には国に妻がおり、これがやきもち焼きで、男は京下りの女の許には寄りつかなくなった。そして、女は男の親の郡司に使われる身となってしまった。

（3）行為：復縁交流（再会・交流・風流）

さて、近江の国に新しい守が着任する次第となった。これを迎えて国は上を下への大騒ぎ。

郡司の家も果物食べ物を取りそろえて守の館に運ぶ。京下りの女も運ぶ役に使われた。大勢の男女が出入りするなかで、守はかの女の故ありげな様子に目をとめて、夜の世話にと所望した。郡司は驚いて、京の女を湯浴みさせ髪を洗わせ、着飾らせて守に進上した。守はこの女をどこかで見たのではと訝しく、また添い寝すればしっくりと睦まじく身体が馴染む。守はしきりに来歴を女に問いただした。実はこの守こそ、女が別れた元の夫、兵衛佐の出世した姿だったのだ。しかし女は気づかず、京の出であると短く答えるばかりだった。

（4）結末：愛恋暗転（悲恋・愛別）

こうして男と女は夜を重ねた。その都度、「京はどこに住んでいたのか、お前をいとおしく思えばこそ訊ねるのだ、隠さずに言ってくれ」と、守は女の素性を問い詰めるので、ついに女は元の夫のことまでを物語って泣いた。やはりそうだったか、これはわが元の妻だったのだと、守は縁の不思議に涙するのだが、強いてさりげないふりをしていた。折りしも、二人の耳元に湖の浪の音が聞こえて、女は怖いわとすがる。男が答えて歌を詠む。

これぞこのつひに近江を厭ひつつ　世には古れども生けるかいなし

我が身はまさにこの通りではないかと男は泣き、これは元の夫だと女もはたと気づくのだった。今の我が身を思えばまことに堪え難く、女はものもいわずに、ただもう身を冷えすくませるばかり、ついに死んでしまった。

これを思うに、女の身の哀れなことである。身の宿報が思いやられて耐え難かったのであろう。男も男だ。心ない男である。気づいてもおくびにも出さず、ただ女を世話してやればいいものを。

この物語には男と女が位置を代えたバリエーションがある（巻三〇・5）。やはり年若い夫婦が貧しさに耐えかねて合意の上で別れた。その後、今度は妻の方が摂津の国司の妻となって、守に付いて国の巡察に回った。そして、浪速の浦に葦を刈る労働者たちのうちに元の夫を発見するのである。女は物など食わせ衣を与え、次いで男と歌の交換をする。これで互いの素性が割れ、男は恥じて姿を消してしまう。ここでも、悲劇は「宿世の糸」であり、みな「前世の報」のしからしむところだと、作者は物語を取りまとめている。歌の交換と宿世の嘆きはいかにも王朝物と思わせるが、しかしそれを超え出る物語の過剰が作品を作品たらしめている。そのような作品を類型的な物語群のうちから発見することができる。

恨みを呑んで命を絶った女

愛恋譚のうちでもとくに印象深いのが、右少弁師家朝臣、女に会ひて死にたること（巻三一・7）である。ここでは珍しく女主人公の仏法信心が表面に出ているが、とはいえ信心がその運命を変えるわけではない。女は（そして男も）ただ死んでいくのである。

（1）発端：情愛関係（親愛・男女）

今は昔、右少弁の職にある藤原の師家という男がいた。男には言い交して行き来する女がいた。女の心映えはとても優しく、役柄からいやなことの多い男の心を慰めてくれていた。男のほうも、女からつれないと思われることのないようにと振る舞っていたのだが、いつしか公務の忙しさにまぎれて、また時に遊び女のところで夜を過ごすこともあり、女との仲は途切れがちになった。

（2）出来事：離別離縁（別離・男）

女はこんなことに慣れてはおらず、心わびしいことと思いつつ、安らかな気分を失っていた。かくて、男の訪れも疎遠になっていった。相手を憎むほどではないのだが、心塞ぐ毎日で気持ちが悪い方へとばかり向かってしまい、お互いを疎む心はないのについに関係は絶えてしまった。

（3）行為：復縁交流（再会・恨み）

さて、こうして半年ばかりたったある日、女の家の前を通りかかった男を、たまたま外出帰りの女中が見つけて主人に注進した。そこで女は、「申しあげたいことがあるので、ちょっとお寄りいただけませんか」と、男に言わせたのだった。ああここはかの家だったかと、男は思い出した。

女は経箱に向かっていた。上等な衣に美しく清げな袴を着けており、急に取り繕った様子には見えないちゃんとした格好である。見目や顔つきなどもいつまでも見ていたいほどに趣があった。だから男は、今日初めて会った人のごとくに、何で疎遠にしてしまったのだろうかと、返す返すも我が心を悔やんだことだった。読経を押しとどめて抱き臥せたいと欲するのだが、年来の疎遠が憚られて無理強いもしかねていた。いろいろと物を言いかけるのだが、女は頑なに読誦を続けて答えもない。読経を終えてからすべて話そうという気色である。打ち仰ぐ顔は匂い立つように美しい。できるものなら、いまここで過去を取り返したいと、男は取り乱すまでに思いつめている。このままここに留まって、これから先この人を疎かにするようなことがあれば罰は何なりと受けようとまで、心うちに誓の数々を思い続けた。このところあなたを放って置いたことが返す返すも残念ですと男は口説くのだが、女は返事もしない。法華経の薬王品を繰り返し三度ばかり誦み返している。どうしてそんなにまでして読み続けるのか、早く読み終えてください、言うべきことどもが沢山あるのですと男がかき口説くのだが、女は次の個所を読誦して、眼から涙をほろほろとこぼすばかりであった。

於命終（おしみょうじゅう）　即往安楽世界（そくおうあんらくせかい）……

「なんとまあ、尼なんぞのように道心がお付きになったのですか」と言えば、女は涙を浮かべた眼でじっと見つめる。霜か露に濡れたかと思える風情である。何やら不吉だ。これまでいかにつれないことと思っていただろうかと、男もまた忍びかねて、「もしもこの人をまた失ってしまったらどうしようか」と、返す返す切なくわが心ながら責めるのだった。

（4）結末：愛恋暗転（悲恋・愛別）

女は経を誦み終わって、琥珀で飾った枕香木の数珠をまさぐり念じ入っていたが、しばらくたって男を見上げた。その有様は打って変わって異様な目つきであった。「今一度対面せむと思ひて呼び聞こへつるなり。今はこれを恨みて」と言いさしたまま、なんと女はその場で死んでしまった。

女の情念という罪

これに続いて、男の愁嘆場の短い描写が続く。死穢を憚って男は泣く泣く帰って行くのだったが、それからほどなくして病の床について死去してしまった。女の霊が付いたのだろうと同僚たちが噂した。続いて、話の落ちには珍しく仏教的な教訓が書かれている。「其の女最後に法華経を読み奉りて失せにければ、定めて後世も貴からむと人も見けるに、弁を見て深く恨みの心を起こして失せにけるこそはいかに共に罪深からむとぞ思ぼゆる」。毀誉褒貶半ば、といったコメントである。

　コメントの前半では、法華経読誦の功徳による女の後世往生をほのめかしている。「定めて後世も貴からむ」。本文中で女が最後に唱える経文を書き下せば、「ここにおいて命終して、即ち安楽世界の阿弥陀仏の、大菩薩に囲繞せらるる住処に往きて、蓮華の中の宝座の上に生まれむ」となる。薬王菩薩本事品でこの箇所は、釈迦仏がまさしく女人にたいして言われたことなのだった。「若し女人有りて、この経典を聞きて、説の如く修行せば」、女でも安楽世界の蓮華座の上に生まれることができるというのである。そしてコメントの後半、女の色恋の恨みの罪深さ。この罪にたいしても、法華経はいま上げた偈に続いて救済を保証している。「復、貪欲のために悩まされず、亦復、瞋恚・愚痴のためにも悩まされず、亦復、驕慢・嫉妬の諸の垢のためにも悩まされずして、菩薩の神通と無性法忍とを得む」と（法華経、岩波文庫下二〇四頁）。

　けれども、法華功徳が宥めることができるには、女の恨みは過剰なのだと物語は思い知らせているようだ。後に近松門左衛門が、心中して死にゆく女の表情仕草を描写したのに似た視線で、この物語の作者は切羽詰まった女を美的対象として捉えている。表題では右少弁師家が女の死に目に会うこととあるが、むろん、主役は死にゆく女である。時代はまだ平安時代、藤原師家は永承三年（一〇四八年）十二月七日右少弁に任じ、康平元年（一〇五八年）九月三日に三十二歳で卒したという。すでに従四位下、将来を約束された身だったのであろう。

物語構造を溢れ出る過剰

愛恋譚のもう一つの結末はハッピーエンド「財産良縁」に至るが、このタイプの物語は少々戯作ふうになる。いずれも、男が妻を身勝手に離縁する。そして、歌の交換を通じて復縁する（巻三〇・11）。新しい女が風流を解せぬことで愛想を尽かし復縁する（同・12、13）。

また、有名な色好みの平定文（通称平中）の話が巻三〇初めの二話に収められている。この男は、「人の妻・娘、いかにいはむや、宮仕へ人は、この平中にもの言はれぬはなくぞ有りける」というほどであった。第一話では、その平中が侍従の君という女房に懸想するが、女の策略にさんざんに振り回されてしまう。その度に平中の執心は高じるばかり、ついにクライマックスを迎える。いよいよ追い詰められた男は思い定めた。いかにいい女だろうと、出す物は我らと同じはず、それに触れるなら諦めもつくだろう。平中は女の排泄物を始末する樋洗の女童に狙いを定めて、彼女が局を出たところで持参の筥を奪い取った。漆塗りの立派な筥の蓋を恐る恐る開けてみる。何と、丁子のいい香りが立ち昇る。中には親指ほどの太さで長さ二三寸ばかり、黄黒ばんだ物体が三切れほど、薄い黄色の水に浮いている。木切れでつついて見れば、えもいわれぬ合わせ香の芳ばしい匂い。平中は夢中で筥の水をすすり、物体の端を舐めてみる。苦くして甘く、馥郁たること限りなしであった。これで諦めが付くどころか、「いかでかこの人に会はでは止みなむ」と、平中の思い惑いは掻き立てられるばかり、かくして病に伏して死んでしまった。これも物語の結末は「愛恋暗転」（悲恋・愛別）に属する。

とはいえ、平中の恋狂いの話はまた達者な艶笑譚になっている。ここでも、物語作者が顔を出して、こうコメントを付けている。「極めて益なきことなり。男も女もいかに罪深かりけむ」。総じて、話末のコメントは世俗編ではそれこそ取って付けたような教訓になっているのだが、ここ愛恋譚では恋に狂う本文の過剰さにたいして何とか拮抗せんとしているみたいだ。逆にこれが、物語の過剰さを教訓の枠組の外に溢れ出させてしまう。先に引用したが、男女の色恋の行方もそれぞれの宿世の糸を引いているのだと、コメントは話を付けている。宿報という点では、とりわけ女は罪深い。「男も女もいかに罪深かりけむ。されば女には強(あながち)に心を染むまじきなり」（巻三〇・1）、「女の前の世の報あれば、これによりてかく出家したるにこそはあらめ」（同・2）、「これは女の心の極めてにくきなり」（同・3）、「女、身の宿世思ひやられて、恥ずかしさに堪へで死にけるにこそは」（同・4）、（男は）「前の世の報にてあることを知らずして、愚かに身を恨むるなり」（同・5）、「されば女は、従者なりとも、男には心許すまじきなり」（同・8）、そして、「これを思ふに、昔の女の心はかくなむありける。近来の女の心には似ざりけるにこそ」（同・13）。

宿世、宿報といわれて見ても、恋情を前にして道理はいかんせん無力に思わせる。仏法編の物語ではそうではなかった。前世の因果が現世で数々の難事として人びとに現れ出た。そう、仏法が教えた。悪道に堕ちた身を転生させるべく、死者は法華経の供養を求めた。前世の因果は目の当たりに露見して、現世の人びとに懺悔の心を起こした。仏法譚であればこそ、仏法によるコメントはその所を得ているということができるだろう。世俗編では世俗編たるゆえん、コメントはむしろ物語の過剰の引き立て役とすら思えるのである。コメントを欠くこともしばしばになる。事例は、愛恋譚以外でも見られる傾向である。

本章の最後に物語（14）として翻訳した話は、出来事も行為も定型とは異なるとはいえ、結末はこれも悲恋物語である。ここでは、女は見も知らぬ従者に拉致されて、こともあろうに陸奥の山奥で暮らす。ある日、変わり果てた我が身を井戸に映し見て、「思ひ死に死にけり」（思い詰めたまま死んだ）という。

物語（14）思い焦がれ、姫君を陸奥の山中に拉致した男

（1）今は昔、さる大納言のあまたの子供の中で、ことに美人で様子のいい娘がいた。父大納言は娘を溺愛して片時も傍を離さない。行く行くは天皇にと心づもりしていた。ところがここに、大納言家に仕える侍で内舎人（うどねり）（随身）の男がいた。縁あって宅の内部にまで出入りして仕えるうちに、この姫君をちらりと見る機会があった。容貌も姿かたちもたたずまいも、世に二人となく美しい。この男はたちまちに深く愛欲の心を起こしてしまった。

（2）もとより高嶺の花である。それでも、姫君のあり様ばかりが心にかかって、寝ても覚めても思うは姫のことばかり。どうしてもお会いしたいと狂おしく思い続けて、果ては病になり食も喉を通らず、死んでしまうばかりとなった。こうして返す返す思い悩んだ末に、姫の側に仕える女房に会って頼み込んだ。殿に申すべき大事があります、まず姫の御前でお話すべきことと存じます。どうかお伝えをと男はいった。一体何のお話ですと女房が聞く。男が答える。ことは重大な秘め事だから言伝というわけにはいかない。私は長年殿にお仕えして内外となく

出入りを許されている者、かたじけなくも縁近くにお出ましくだされば、姫君に直に細かく申し上げる所存です。女房はこれを聞いて密かに姫に伝えた。どんなことかしら。その者は実際親しい使用人ですから、憚りはないでしょう。私が会いましょうと姫がいい、女房はこの由を伝えた。男は喜んだものの心乱れて思う。もう生きていても仕方ない身だ。同じ死ぬのならこの姫君をさらって本意を遂げたうえで、身を投げて死のう。とうにそう得心している身だからこそ、かの女に取り次ぎを頼んだのだ。

（3）こうして、男は人生も残り少なく万事心細くはかなく思う一方で、姫を思う心止みがたく、お側仕えの女に会ってせっついた。例の件はどうか、急ぎの用件なのだと。これを伝え聞いて、姫君の方は疑うこともなく部屋の片隅に出て、妻戸の簾の内で男の申すことを聞こうとした。夜のこととて辺りに人はいない。男は縁近くに寄ってしばしは無言、もともと用件などない。「とんでもないことを決意したものだ、これで私もお終いだ」と逡巡の心も起こる。だが、姫に思い焦がれるこの心は焼けるがごとく、えいままよと、男は簾のうちに飛び込んで姫を掻き抱き、飛ぶがごとくに家を後にして遥かに人もなき所まで拉致し去った。

姫君が見えないと、大納言をはじめ一家の上から下まで大騒ぎになった。どこを探せばいいのかすらわからない、打つ手もなく惑うだけで終わった。内舎人の男が昨夜から見えないがまさかこの男がとは誰も思わない。どこかの貴人と駆け落ちしたのではと疑うばかり。姫と男を仲介した女房は現場を目撃しているのに、後難が怖くて口を閉ざし、舎人の挙動も誰か貴人にそそのかされたのだろうと疑うだけだった。一方、男は考える。ことが露見すれば我が身は破滅、京にいるのはまずい。どこか遠くに行き、野だろうと山の中だろうとこの姫君と暮らそう。

そう得心して、姫を馬に乗せ、武具を背にして馬を並べて陸奥の方へと落ち延びた。供の者は側近二人だけ、夜に日をついで陸奥は安積(あさか)の山中にまで行き着いた。ここなら見つかるまいと、木を切って庵を結び姫を住まわせ、自らは供の者と一緒に村里から食料を運んだ。

(4)さてこうして年月が流れた。男が里に出ている間は女は一人だ。女は懐妊している。四五日は男は不在なので女は一人で心細く、庵を出て辺りを散策した。山の北辺に浅い井戸を見つけて、女はわが影を映してみた。あれから鏡を見ることもなかったし、どんな顔つきになったかも知らない。それが今水の影を見れば、ひどい姿だ。我ながら恥ずかしさに堪えず、女は独り言に呟いた。

浅香山影さへ見ゆる山の井の　浅くは人を思ふものかは

(わが影さえ映す底の浅い浅香山の井戸、あなたへの私の想いはそんなに浅いものですか)

女はこれを木に書き付けて庵に戻った。父母を始め皆にかしずかれて過ごしたかの日々が思い出されて心細い。いかなる前世の報いなのかと我が身の今が堪えがたく、そのまま思い詰めて死んでしまった。男は戻って来て女の姿を認めて、何としたことかと哀れも極まる。女が木に書き付けた歌を見つけて、恋し悲しの思いが募るばかり。死んだ妻の傍らに臥して、男もまた思い詰めたまま死んでしまった。

このことは男の従者の話として伝えられたのだろうか、すでに旧事に属するという。それにしても、女は、たとえ従者でも男には心許してはならないと語り伝えられている。

(巻三〇・8　大納言の娘、内舎人に取られたること)

第十八章　武芸をもって危難に勝つ

勝利と敗北の因果モデル

物事の成否や勝敗の輪郭が、今日よりはよほどはっきりしていた時代だった。対立が対決に至り、勝負が付くという因果系列がこの世を写している。因果系列がそこから抽出された勝敗の物語は、世俗編全体に広がって存在する。なかでも、武芸の者が主役の巻二三と巻二五が本章の事例になるだろう（図３‐７）。ここで武芸とは武士とは限らず、広く芸能に属する力業のことである。

物語の主人公が対決する敵役を記述したのがデータベース（ＤＢ）の行為変数２であり、頻度の多いものだけを拾うと、同輩と敵、盗人、さらに蛇などの異類である。「対決」は対立と違って暴力的な決着を迫る闘争である。負ければ殺され、勝つために相手を滅ぼさねばならない。こうした敵役との関係の展開をＤＢでは統合して行為変数１：対決としており、変数２が対決の相手、そして対決の展開が変数３（撃退・殺害・敗退など）となる。因果モデルでもまたこれらを一個の行為因子「敵対闘争」として抽出している（ただし図３‐７のモデルでは変数３は使わない）。対決は物語的に決着が付き、それが結末因子として「武芸称賛」あるいは「武芸敗退」に分かれる。武芸称賛は武道や勇気の勝利によって得られ、武道の敗北は死を招く（被殺）。

対決によって勝敗が付く道筋はかくして単純化されているが、何が彼我の闘争をもたらしたかは二筋に分かれる。これらが出来事の因子、「競合敵対」と「危難直面」である。因子・競合敵対の変数では、対立の性格を武力、宗教、政治そして同族（家族）などに区分している。武士集団の対立は武力的、藤原氏内部とか兄弟間の対立は同族としているなど。因子・難儀直面は主人公が蒙った被害を強盗難、異類難あるいは襲撃、捕縛と記載する。主人公はここでは受身である。以上は仏法編における「競合敵対」と「難儀直面」と同一の変数とした。以下、これら因子のつながりを具体的に見ていくが、まずは相撲人である。

相撲人の勝負

相撲人は便宜的に発端因子「武芸力業」に含めてある。ここで相撲とは毎年七月に宮中で行われた天覧相撲のことで、各国から強力の者を献上して相撲人とした。まさしく剛力（強力）という技能、芸能としての相撲である。相撲の節会の様子は、左右の大関同士が凄惨な死闘を演じる物語によく描かれている（巻二三・25）。これも勝負ではあるが、宮中で技芸を演技し披歴する公事なのである。（当時の相撲催行については、長野甞一『今昔物語集の鑑賞と批評』、明治書院、一九七八年が詳しい。）ただ、相撲人はまた強力を武器として宮廷の外で勝負することがあった。相撲人の物語ではいま上げた公事以外はすべて、場外での競合敵対による勝利と敗北の話に属する。それも自ら仕掛けるのでなく、被害にたいする反撃という形を取っている。

たとえば難儀直面の異類難である。丹後の相撲人が河に棲む大蛇に襲われ、百人力を発揮して蛇を切り裂いた（巻二三・22話）。駿河の相撲人は河で鰐鮫に襲われたが、岸に投げあげてこれを射殺させた（同23話）。相撲人だけでなく、強力の人は高僧にもいて、強盗の被害にあったが見事撃退した（同19、20話）。珍しいのは女の強力である。聖武天皇の昔の話だが、美濃の狐

図３−７　武芸譚

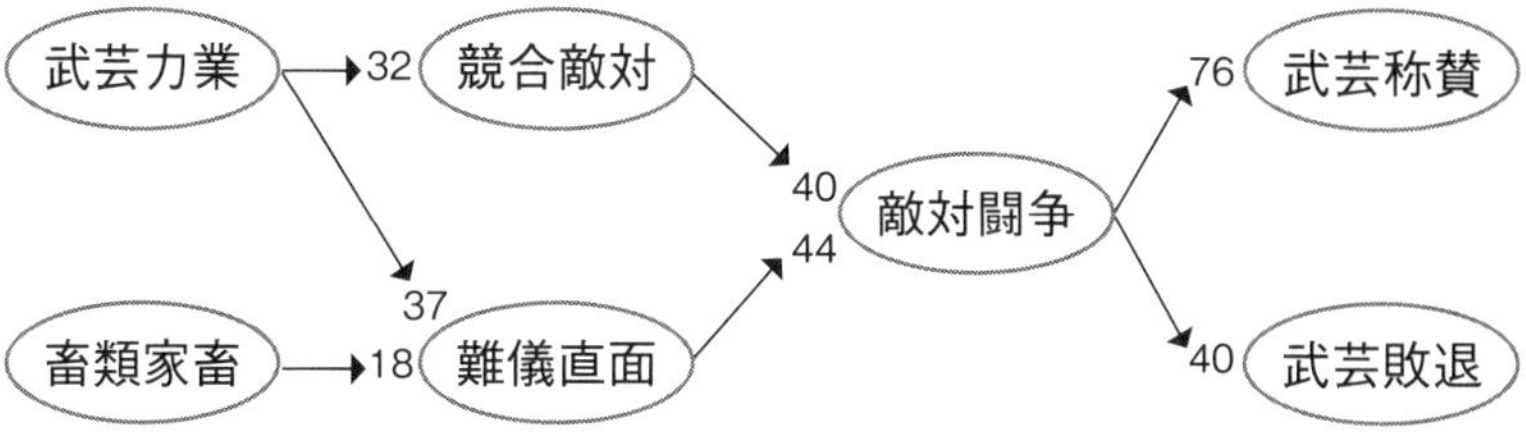

発　端：武芸力業（武芸95・兵71・相撲53）、畜類家畜（動物95・畜類89）

出来事：競合敵対（対立99・同族58・武力65)、難儀直面（被害99・強盗58・襲撃56・異類難38）

行　為：敵対闘争（対決98・敵同輩56・盗人27・狐蛇35）

結　末：武芸称賛（勝利100・武道42・勇気54・報恩14・仇敵28)、武芸敗退（敗北99・武道10・被殺31・追放05）

カイ二乗：1581、自由度：229、カイ二乗／自由度：6.90、ＧＦＩ：0.742、

ｂ：被害・敗北0.9、勝利0.65（競合敵対・難儀直面：相関−0・27、武芸称賛・武芸敗退：相関−0・73）

と呼ばれる百人力の大女がいた(同17話)。力にまかせて、市に出て往還の商人から強奪していた。一方、尾張の国には華奢な身体ながら力持ちの女がいた。かの狐の力を試してやろうと、蛤を積んで市に出た。はたせるかな、美濃狐が出てき商品を奪い取った。どこから来た女だと狐が問うが、無言。このやり取りを繰り返したあげく、狐女が襲いかかる。尾張の女は狐の二の腕をねじり上げて、肉がはがれるまでに女の身体に鞭を打った。美濃狐は降参して、以降市場を荒らすことはなかった。

　宮廷は相撲の節会のために地方から強力の者を召した。以上の物語はこの公事に関連して招集された力持ちたちをめぐる噂話であろう。相撲人の物語の話末では「これを聞く者、皆讃め騒いだ」などと公衆の評価が記されるだけで、編者の教訓的コメントは沈黙している。ただし、これは同じような女強力の話（同18話）だが、出典に当たる日本霊異記（中巻27）を翻案した話末が添えられている。霊異記の話末はいつもの通り「経に説くが如し」と経文を引いたうえで、次のように記している。「これをもってまさに知るべし、（この女は）先の世に大枚の餅を作りて、三宝衆僧に供養し、この強力を得たることを」。『今昔物語集』はもうここまではいわない。「前世にいかなることありてこの世に女の身としてかく力あるらむ」。いかなることか不明だが前世に何かあったのだろうという話の落ちは、世俗編のあちこちで重宝されることになる。

以上のように、相撲人の勝負の物語系列は、発端：武芸力業（武芸・相撲）↓出来事：競合敵対（対立・武力）ないし難儀直面（被害・強盗・異類難・襲撃）↓行為：敵対闘争（対決・敵同輩・盗人）↓結末：武芸称賛（勝利・武芸・勇気）ないし武芸敗退（敗北・武道・被殺）となる。これは後に述べる武士の場合と基本は同一である（武士を主人公とする物語では、発端変数に「兵」が採用される）。

都のど真ん中で大乱闘

さて、相撲人編の中でもことに印象に残る次の話を、因果系列に添いながら読んでおく。

大学の衆、相撲人成村を試みたること（巻二三・21）

（1）発端：武芸力業（武芸・相撲）

陸奥の相撲人成村の若かりし頃の話である。相撲人が全国から集まって節会を待っていた。

朱雀門で涼を取ってから宿に帰るべく、皆でそぞろ歩き、大学寮の東門のあたりを過ぎようとした。皆、水干狩衣の胸元ははだけ、行儀の悪い烏帽子姿で、がやがやぞろぞろと通る。そこに大学の連中がたむろして涼んでいた。

（2）出来事：競合敵対（対立・武力）

大学の連中は相撲連のだらしなさを無礼と取ったのか、「鳴り高し、鳴り制せん」（喧しや、静かにせい）と連呼を浴びせて立ちふさがった。大学の衆といえば未来の殿上人、押し通るわけにもいくまいと立ち止まる。連中のなかに一人、リーダー格らしく、恰好が他の者よりましな小男が先頭に立っていた。感じるところがあって、成村はさあ引き返そうと呼びかけて皆で朱雀門に戻った。

（3）行為：敵対闘争（対決・敵・敗退）

そこで成村が提案する。大学の連中が我らを阻止するとははなはだ怪しからん。今日は控えたが、明日は押し通そう。注意すべきはあの小男だ。今度は血が出るまでケツを蹴り上げてやれと、成村は中でも勝れた相撲人を一人指名した。この相撲人は胸を叩いて、おのれが蹴飛ばせば奴も生きてはおれまいよと請け合った。

さて、その日になった。新たに来る者もおり、大勢の相撲人が参集した。大学の衆も数を増して待ち構えていた。「鳴り高し、鳴り制せん」と、かしましく連呼を浴びせてくる。相撲人たちが打ち寄せるや、昨日のリーダー格が大路の真ん中に出てきて、通すまいことかと気色ばんでいる。成村が指名した男、昨日尻蹴りを宣言した若くてが体のでかいやつを先頭に相撲取りが突っかかる。大学連は通さじと立ちふさがる。こうした中、尻蹴り男は大学のリーダの小男に駆け寄って、蹴り倒さんと足を高く振り上げた。大学の小男は間合いを測り背をかがめてこれをやり過ごし、相手がのけぞったところで足を捕まえる。まるで杖でも持つみたいに相撲人を軽々と持ち上げて、敵陣めがけて二三丈ばかりも投げ飛ばした。尻蹴り男は骨も砕けて起き上がれず、味方の相撲人たちもこれを見て走り逃げてしまった。

(4) 結末：武芸敗退（敗北・武道）

大学の小男はこれには目もくれず、成村めがけて襲いかかる。かなわじと、成村は一目散、朱雀門の内に逃げ込んだが、なおも男は間を詰めてくる。かろうじて築垣を飛び越える。男はその刹那に成村の踵を沓ごととらまえて引き剥がした。沓も踵も刀で切り裂かれたようにもぎ取られて、血が走って止まらない。「広い世の中にはこんなに力の強い奴もいるもんだ」と、成村は密かに宿舎に戻った。かの尻蹴り相撲男は気絶したまま、この年は、相撲の節会にも立てなかった。「これ稀有のことなり」。

何といっても武士

さて、因子「武芸力業」といえば何といっても武士である。『今昔物語集』作者の時代はもとより武士の勃興期に当たる。もともと、宮廷の護衛の者であった武士が、その特技を武芸として特化して「弓箭の家」となり、兵（つわもの）・郎等を従える。これが摂関家などの上級貴族に臣従して武門貴族をなす。貴族にとつて歌を読むことが芸能であったように、武芸もまた武門貴族の芸であった。そして、芸能としての弓箭の家が一個の政治勢力（権門）として登場する時代は、もうすぐ先にある。『今昔物語集』ができてじきに、一二世紀後半は保元平治の乱から源平の合戦へと内戦の時代が来る。

こうして、『今昔物語集』世俗編に登場する兵には、芸能としての武門の性格がまだ残っている。必ずしも弓箭の家をなさずとも、一般の貴族で武芸に秀でた者もいた（橘則光、藤原保昌など）。物語の発端因子「武芸力業」は、以上のような武威を誇る者たちを押し並べて括るようにしてある。世俗編に武士が登場する頻度は高い。なお、仏法編でも源満仲などの武士が十例ほど登場するが（受領やその従者、国人、あるいは滝口を含む）、当然ながら日頃の殺生から改心して出家往生する話が多い。敵同士が合戦する話もあるが、窮地に陥って祈願するや地蔵が身代わりの犠牲になってくれたという顛末である。これにたいして、世俗編の武士は闘争場面でも神頼みはしない。仏に祈願することもあるが、観音など神仏を特定することはない。

次に、芸能としての兵の家の姿をよく写している有名な物語を読んでみる（巻二三・14）。平清盛など平氏の先祖たちの話である。それにこれは勝敗の物語ではなく、むしろ武芸という芸能のパフォーマンスとその達成と称賛の物語であることに留意されたい。

藤原頼通（道長の嫡男）が関白太政大臣のころのことである。内裏で夜居に伺候していた護持僧明尊にたいして、何事か急に三井寺に行き夜のうちに戻るようにとの下命があった。護送のための馬が用意されており、誰かと頼通が問えば「致経（むねつね）なむ候ふ」と応答があった。宿直所に弓矢一式や藁沓などの用意ができている。歩いて行くのかと明尊が問えば、遅れることはございませんと答える。おかしなことと思いながら、松明を先に立てて七八町ばかりを行くと、弓箭を負った黒い影が向こうから現れた。僧都は恐れたが、この者は致経の前に膝を折って「御馬候ふ」といって沓と馬を差し出した。かくて武装の者二人に守られ頼もしく思いながら行くと、また二町ばかりして黒装束が二人、物もいわずに傍らに随行する。この者たちも郎等だろうが妙なことをするものだと思いながらまた二町ばかり行く。すると同様にまた二人黒装束が出てきて扈従する。互いに一切口もきかず、先々これが繰り返されて鴨の河原を越えるころには総勢三十余騎になった。

さて、帰途である。この軍団は前後を固めて散ることもなく、明尊は心安く河原まで戻る。ところが京に入るとともに、何の指示もないままに、郎等どもは二人ずつ先と同じ場所で立ち止まり順々に消えていった。こうして頼通のもとに帰るころには初めの人数、致経と郎等二人ばかりとなった。致経は先に騎乗した同じ場所で馬を下り、騎馬のための沓を脱ぎ捨てて歩み去った。郎等二人も沓を拾い馬を引き取って消えた。明尊は頼通に要件の次第を報告した後に、「致経は奇異(あさまし)く候(さぶらい)ける者かな」「いみじき者の郎等従へて候ける様かな」と、道中のことを余さず言上した。しかし案に相違して、これに関して頼通からは何の下問もなかった。「この致経は、平致頼と云ひける兵の子なり。心猛くして、世の人にも似ずことに大いなる箭射ければ、世の人これを大箭(おおや)の左衛門尉と云ひけるなり」。

馬盗人と敵対闘争する

都の闇の中から幻のように出没した沈黙の軍団、その物珍しさと空恐ろしさ。貴顕が勃興期の武門の者たちをどう見ていたかを、鮮やかに浮き彫りにした作品である。武士の形成に関する歴史資料として名高い物語であるが、作品としては明尊の視点が生きている。当時明尊の三井寺は山門とのシビアな抗争の最中であり、これが物語の緊張感の背景をなしている。そして、明尊の視点から見れば、この乱暴者たちの兵集団はまさしく一個の芸能としてそのパフォーマンスを演技したのであった。武芸・兵→随従・貴顕→演技・技芸→達成・武道という物語の展開である。武士はただの無法な暴れ者ではない。彼らの豪胆沈着、一家郎党の一糸乱れぬ統制、貴族の護衛という位置への忠誠と自足。これが都の貴族から見た武士であり、軍事貴族になる途上の姿だったのだろう。それにしても、貴顕の最たる者の関白頼通はこれに何の関心も示さない。見慣れた当たり前のことだったのか、気に止めるまでもない下位の者たちの振る舞いであったからだろうか。

次に見るのは、芸能演技とは異なり、まぎれもなく勝負の物語である。主人公は今度は源氏の二人、源頼信と頼義の親子だ。

源頼信朝臣の男頼義、馬盗人を射殺すこと（巻二五・12）

（1）発端：武芸力業（武芸・兵）

今は昔、河内の前司、源頼信朝臣という兵がいた。東国から良き馬を献上させたが、道中これを狙って盗人が京にまで付きまとってきた。一方、名馬の噂を聞きつけた頼信の子の頼義が、久々に親のもとにやって来た。さてはこの馬の件だなと、先回りして親の頼信が言う。わしもまだ見ていない、明朝検分して気に入ったら取らせよう。その夜は二人して寝た。雨が降り止まない。

（2）出来事：競合敵対（被害・強盗）

しかるに、かの盗人が夜陰の雨にまぎれてこの馬を盗み出してしまった。厩番の叫び声をかすかに聞き取った頼信はすぐに支度して、傍らの頼義に告げもせずに逢坂の関の方角に馬盗人を追った。だが頼義もまた事の次第を察して、親には告げずに同じく一人で関に向かった。我が子は必ず追って来るだろう、わが親は必ずや先を駆けておられると、親子は互いに思っている。

(3) 行為：敵対闘争（対決・盗人・撃退）

河原を過ぎるころには雨も止んだ。いよいよ逢坂山に取り掛かると、関の近くの河の浅瀬を盗人が馬を進める水音が聞こえた。暗いので子の姿も確かめられないが、まるで前もって打ち合わせができていたみたいに、「射よ、あれだ」と親がいう。この言葉が終わらぬうちに弓の音が鳴った。当りである。乗り手を失った馬が走る鐙（あぶみ）の音がカラカラと聞こえる。追いかけて馬を取ってこいとまた頼信が言い、結果も待たずに帰ってしまった。頼義が馬を引いて帰途に就く。ようやく気が付いた郎等共が一人二人と馳せ参じて、家に帰るころには二三十人になっていた。まだ暗かったので、頼信は結果も詮索せずにそのまま寝てしまった。馬を郎等に預けてから頼義も寝た。

(4) 結末：武芸称賛（勝利・武道）

夜が明けて、頼信は息子を呼んでただ「その馬引出よ」といい、頼義は馬を引き出して「しからば給はりなむ」と答えた。馬には上等の鞍が置いてあった。「あやしき者共の心ばへなりかし。兵の心ばへはかくぞありける」。

先の致経の話と同じような書かれ方であるが、明尊の代わりに父親頼信の視線で語られている。そして先の話とは違って、ここでは沈黙の行為は現に盗人との闘争に勝利するのである。

相手は射ぬかれて落馬した。水しぶきの音が聞こえる。（以上の二話については委曲を尽した池上洵一の読解が『今昔物語集』の世界』にある。）

罰せられる自力救済の私闘

だが、むろん以上のようにある意味お上品な武門の話ばかりではない。むしろ大部分は武力と殺人の物語である。例えば、今は昔、陸奥の前司で橘則光という男がいた（巻二三・15）。「兵の家にあらねども、心極めて太くて思量賢く、身の力などぞ極めて強かりける」と、人に一目おかれていた。この則光が衛府の蔵人のころ、それは前の一条天皇の御代（十一世紀初め）のことだったが、宿直所を出て女のもとに通う途次、大宮大路を下って行くと三人の強力な盗賊に襲われた。八月九日ばかりの月が西の山の端にかかっている。一人目が襲いかかってきた。勢いあまって我が前に出た所を、太刀を抜いて相手の頭の真ん中を打ち割った。よしやった、と思う間もなく「ケヤケキ奴かな」（腕が立つな）と叫んで二人目が突進してきた。逃げると見せて急にしゃがむや、敵は我が身につまずいて倒れた。そこを切りつけて頭を打ち割った。これで終わりと思いきや、三人目が「ケヤケキ奴かな、逃げられるものか」と叫びながら追ってきた。今度は太刀を真正面に向けて構えるや、走り来る敵が腹を合わせるようにぶつかって来た。相手も太刀を振るおうとしたがあまりに近すぎて、則光が構えた太刀が腹の真ん中を貫き通した。太刀を引き抜いて、のけぞる敵の右の腕を肩から切り落とした。さて次はと構えたが、もう襲い来る者はいなかった。

一息ついた則光は伴っていた童を呼びよせて着替えを持ってこさせ、太刀に付いた血もぬぐった上で、素知らぬ顔で宿直所に戻って寝た。これは我が仕業だと露見しまいか、夜通し心配だったが、果せるかな明ければ噂で持ちきりであった。殿上人たちが現場を覗きに行き、則光も目立たない用心に同行した。現場は手付かずのまま、ただ三十ばかりの鬚面の男が手を振り回しながらしきりに何か言っている。呼び寄せてみれば、頬がとんがって顎が反り返った顔、下がり鼻で目の充血した男である。それが我がこととして昨夜の一件を得々と説明する。感心して問いかければいよいよ狂ったように語り続けた。則光は代役の御登場を見て、やれやれと胸をなで下ろしたことであった。

戦闘場面や手柄横取り男の様子など、描写が行き届いていて細かい。この物語には通例のコメントが欠けているが、則光が己の武勇を隠し通したのは謙譲のためではない。喧嘩沙汰や武力の私的行使は、ことに宮仕えの者にとっては、なお罪と見なされていたのである。それでいて、トラブルには自力救済を旨とした時代である。そこの折り合いはどうなっているのだろう。武士たちの私闘の物語を覗いて見よう。

平維衡同じく致頼、合戦して咎をかうぶれること（巻二三・13）。

これも則光の話と同じく一条天皇の御代、二人の兵がいた。維衡（これひら）は貞盛の息子、東国各地の国司を勤め伊勢平氏の源流となる。致頼（むねより）は当時散位、先に沈黙の護衛団を率いた致経の親に当たる。二人はそれぞれに武道を競っていたが、互いに他を中傷する者共がいて、敵となった。そして致頼が先に仕掛けて伊勢の国で合戦に及んだ。郎党眷族に射殺されたものが多数出たが、しかし勝負は決着が付かなかった。両氏の私戦の模様はこんなふうに結論だけが書かれており、それはそれで合戦と勝敗の物語構造をなしている。しかし、この物語の主題はその後日譚に置かれており、こちらは勝負の系列外の展開である。すなわち、両名はそれぞれ衛門府に引き立てられ喚問（勘問）され、進んで自らの咎を認めた。さて罪名であるが、明法博士に詮議（勘申）させた上で公の宣旨を下した。流罪と所変えである。続いて話のついでに付け加えられているが、藤原致忠が美濃に下る途上、橘輔政の郎等との間で起こした喧嘩沙汰にも、公は検非違使を派遣して喚問し明法の詮議を得て罰した。かくして結語、――「然れば、古も今もかくの如くの咎あらば、公必ず罪を行はせ給ふは常のことなり」。武士団は当時なお律令制のもとに位置づけられていたのである。といっても摂関期に改変された律であるが、武士の私戦（合戦）にも適用された。この話の維衡、致頼さらに藤原致忠がいずれもそうであったように、被疑者の身分が五位以上であれば、明法博士に罪刑を裁定させて公に執行した。

地方武士の私戦

武士団という私党どうしの私戦の模様は、巻二五の第3話「源充と平良文と合戦せること」に活写されている。ただ、『今昔物語集』作者からすれば百年ほど前の話で、すでに多分に「物語化」されている。東国に源充と平良文（高望王の子）という二人の兵がいた。これも郎等共の中傷によって、互いに相手の悪口を吹きこまれて引っ込みがつかなくなり、合戦で決着をということになった。さて、合戦の朝、双方五百人ばかりの軍勢が広い野に楯をつき並べて、軍使を送って作法通りに挑戦状を取り交わした。軍使の帰途には双方の陣営から矢を射かけるが、振り返らずに自陣に戻るという名誉も守られた。さて楯を寄せ合っていざ射組まんとする時、良文から提案があった。「今日の合戦は、軍団が互いに騎馬を競うのでは面白味がないだろう。

君と我との力量を互いに知ろうというわけだから、集団戦は止めにして二人だけで対決してはどうか」と。充もこれに合意して、双方ただ一騎による合戦となる。馬を馳せてはすれ違いざまに射て走り、またとって返して射る。これを繰り返すが決着が付かない。良文が充に言う。共に力量は十分に見た。そもそも昔からの敵同士でもない、これ以上殺し合いをすべきではあるまい。こうして二人合意して、おのおの軍を退いた。どきどきはらはらで観戦していた郎等共も喜びあった。「昔の兵はかくありける。その後よりは、充も良文も互に仲良くて、つゆ隔つる心なく思ひ通はしてぞすぐしける」。

後の平家物語など、軍記物のはしりとなる物語である。できすぎの印象を与えるのはそのためだろう。これと違い、地方における武士団の私戦の実相といえば、『今昔物語集』では何よりも巻二五・5話を取り上げねばならないだろうが、充実した長い物語であり筋立ての要約しかできない。貞盛一族の平維茂（これもち）（通称は余五）と田原藤太の孫藤原諸任がそのまま東国に土着していたが、些細な土地争いに端を発して合戦に及ぶ。陸奥の国でのことである。東国における地方武士団に関する歴史資料としても有名である。因果モデルでいえば、同輩との対決から勝利と繁栄に至る典型的物語となる。

さて、陸奥の守（実方中将）配下の余五維茂と藤原諸任はちょっとした土地争いを続けており、双方守に訴え出ていたが、守が亡くなった。それで一層争いが高じ、それに中傷合戦も度重なるようになった。もともとは仲が良かったのに、一触即発の間柄になっていた。こうして、両者は約を交わしていざ合戦の取り決めを交わした。しかし、余五の三千に比べて諸任は千人の軍勢で明らかな劣勢なので、常陸境の方へ兵を引き上げてしまった。また、中傷する者共も維茂を安心させるように言いなしたので、集めた軍勢もそれぞれの国本に還してしまった。軍勢は常備軍でなく、合戦のたびに調達するのである。

ところが、十月の一日のころおい、館ににわかに敵の来襲があった。もはやこれまで、だが一戦構えずに置くものかと、維茂は女子供を裏庭に隠したうえで防戦する。だが多勢に無勢、館に閉じ込められて火をかけられてしまった。死者は八十人余、諸任の軍が臨検するも、皆黒こげで誰が維茂かもわからなかった。犬すらも漏らさずに殺したのだと安心して、諸任は兵を引き大君という者の所に立ち寄った。大君は思慮深く公平で柔軟な人であり、万人に信頼されていた。その妹が諸任の妻であった。だから、ここで疲れた軍勢を休め、飲み食いさせたいとの魂胆であった。

たしかに余五の首を取り持ってきたのか、と大君が諸任に問う。何をおっしゃる、あれでは逃げ出した者とてなく、維茂を打ち取ったことに疑いのあろうはずがない、と諸任。もっともなことだが、私は余五のことをよく知っている。確かにこれが首だと持ってこない以上、安心はできない。汝たちがここに留まって、ここでまた合戦にでもなるのは御免こうむる。さっさと立ち退くがいい、と大君はにべもない。「賢くおはする翁どもかな」と心うちに嘲るのだが、これには従わないわけにはいかなかった。

さて、諸任の軍勢はそこを離れて丘の麓、川のほとりで休息する。大君から酒に肴、馬の飼い葉などが届けられた。乾き疲れた兵たちは武備を解き、酒に酔い潰れてしまった。

一方余五はといえば、戦に見切りをつけて女装して家を脱出、川に潜って生き延びていた。外にいた郎党たちが集まってきた。これから兵を集めたうえで再度闘いに備えようと提案する。

だが、余五が言う。戦に敗れて逃げたとは子孫にまで恥の限り、私は命を惜しまない。私だけでもただちに反撃すると、構わずに発向した。近所の郎党百ばかりも付いて来た。大君の家を過ぎる。心配した通りだと、大君は門を閉ざし見張りを怠らない。余五の軍勢は敵に攻めかかり、武備を解いて寝ぼけ眼の諸任軍は総崩れ、首を取られてしまった。余五軍は余勢をかって諸任の館に攻めよせ、男は殺し家を焼く。女は殺さず、諸任の妻と女房を引き連れて、大君のもとに渡した。

主従と親子、それぞれの関係

因果モデルでは競合敵対には暴力的に勝敗がつけられる。主人公が勝てば勝利の結末へ、負ければ敗北へ繋がる（後者、敗者が主人公の物語は少ない）。ただ、これとは別に、武士団という私党の内部で、対立から対決へと微妙で隠微に物語が展開する場合がある。対決が武力行使となる論理が抑止される。親子、あるいは主従の関係における時代の仕来たりである。別項に物語（15）として紹介するのはその例である。兵の親子の忠節と陰にこもった対立が、主人と郎等との盟約関係を入れ子にして語られている。上総の守である父親を訪問した息子平維茂は、そこで第一の郎等を父の従者の小侍に殺される。小侍は死んだ父の仇を討ったのである。これを察知した維茂は父親の守と対面して下手人小侍の引き渡しを求める。だが、父親はこれを拒み、息子維茂は為す術もなく任地の陸奥に帰った。このように、兵の忠節をめぐって父と子が対決し、そのきっかけとなるのがもう一つの対決（小侍の仇討ち）である。後者は文字通りの殺人であり、前者父と子の対決は暴力抜き、孝養と武士道の葛藤である。武士の論理と父子の孝養とが、異なるレベルで入れ子になっている。後に流行するような仇討物語ではないのである。『今昔物語集』が合戦絵巻などと違った陰影を見せる一例である。文化としては、武士団という集団は暗い。DBではしかし物語の二重構造を単純化し、息子（平維茂）を主人公として武芸・兵↓邂逅・縁者↓対決・父親・敗退↓敗北・武道とした。

動物合戦譚

最後になるが、相撲人と武士以外に、ここでの因果系列は動物を主人公にした勝利・敗北の物語を含んでいる。図3‐7の因子・畜類家畜から難儀直面（被害）に至る系列がそれである。主として巻二九にある動物譚（第31‐40話）を写している。ここでは、対決から勝利へと帰結する話が大半である。動物同士の合戦譚であるが、ただしすべて人間の見聞を通して語られている。鎮西から新羅に渡った商人が目撃した虎と鰐鮫の勝負（31）、陸奥の猟師が目の当たりにした飼い犬と蛇の殺し合い（32）、肥後の者が庭に飼う鷲を蛇が襲う（33）、鎮西で女が助けた猿が女児を奪った鷹を打ち殺した（35）、鈴鹿山中で水銀商人を襲った盗賊のもとに、商人が飼っていた蜂の大群が来襲する（36）、など。後の二話は動物の報恩譚という語り方である。さらに、法成寺阿弥陀堂の軒に巣を懸けた蜘蛛が蜂に襲われる（37）、奈良の農家の母牛が子を狙う狼をつき殺す（38）、それぞれ僧と農家の目撃譚である。

以上、いずれも主人公たる動物（虎、犬、鷲、猿、蜘蛛、牛）が他の動物の襲撃を受け、これと敵対闘争して勝利する物語である。そして、話末のコメントでは、いずれも人間にたいする教訓として動物の勝負が意味づけられる。冷静であれ、余計なことはしない方がいい、鳥獣ですらこうなのだからまして人間は恩を知らねばならないなど。例えば、先の母牛の話（38）では、「然れば、獣なれども魂あり賢き奴は、かくぞありける」と締めくくられている。

物語（15）

兵の父と子、そして主人と従者、それぞれの黙契

（1）今は昔、上総守平兼忠という者がいた。その息子が維茂（余五）であるが当時は陸奥にいた。国司就任祝いを兼ねて、維茂は久しぶりに上総の父の館を訪れた。父も喜んで歓待の準備をして待っていたが、生憎なことに風邪で伏せってしまい、簾のうちに寝て側近の若い従者に腰を叩かせていた。息子は庇の間にかしこまって無沙汰の挨拶をした。維茂の郎党の主だった者四五人ばかりが、弓矢を背負ったまま前庭に控えている。

（2）居並ぶ郎等の頭に太郎介と呼ばれる、五十がらみで大きな身体、鬚むじゃのいかにもこわもての兵らしく見える男がいた。この男を見て、父の兼忠が腰を叩かせている従者に囁いた。「あの男を知っているか。あれは先年お前の父を殺した奴だよ、まだ幼かったので見知らなくて当然だが」と。「父が殺されたとは聞いていますが、誰が殺したのかは存じませんでした。しかし、こうして敵の顔を見知った以上は」と、従者は涙を浮かべて立ち去った。

さて、宴会の後、太郎介は主人を寝所に送ってから、自分の宿舎に戻って郎等たちだけでさらに飲み食いして騒いだ。時は九月の晦日のころで庭は暗く、ところどころに松明が立ててある。太郎介は遠路のくたびれに酒を食らったこともあり、宴果てて高枕で眠った。枕上には武具一式が揃えてある。庭は松明の火で昼間のように明るく、そこを郎等共が弓矢を背負って巡

回している。寝床の周りは布の大幕を二重に廻らせてあるから、弓矢が通るはずもない。警護に遺漏は少しもないのであった。

一方、父の敵を見知ってしまった男は、守の方では気にも留めていなかったが、台所に行き腰刀を念入りに研いで懐に入れ、暗くなるのを待っていた。それから、食事を運ぶ従者に見せかけて郎等たちのどんちゃん騒ぎにまぎれ込み、太郎介の部屋の壁に張った幕の陰に隠れた。「親の敵(かたき)を討つのは天道の許すところ、孝養を尽す今夜の企てをどうか成就させて下さい」と祈念してかがまりいたが、誰一人気づく者はいなかった。こうして夜も更け太郎介も寝入ったころ合い、忍び寄って介の喉笛を掻き切って誰に知られることなく逃げ去った。

夜が明けて朝食を持ってきた郎等が太郎介の血まみれの死体を見つけた。大騒ぎとなり、手下たちはすわとばかり武具を取って走り回るがかいもない。お互いを疑ってかかりもするのだが、さらに言うかいもない。下手人は誰とも知れず、なすすべもなかった。何ともあさましく、悔しい死にざまだ、拙くも死んでしまった主人だわいと、部下たちが東国なまりの声を限りに嘆きあった。

一方、一番の郎等を殺された維茂は驚き騒いで言った。「これは我が恥だ。家中の者の仕業であるはずがない。我を一顧だにしない者だからこそこんなことができたのだ。しかしそれにしても、時と所がいかにも悪い。自分の領地でなら草の根を分けてでも下手人を捕えようものを、知らぬ他国のこと、しかも父親のお祝いだ。何ともあさましくも憎いことだ。そういえばたしか、先年この介は人一人殺している。殺された者の息子が守の子侍にいたはずだ。そいつの仕業にちがいない」と、維茂は父の舘へ出向いて行った。

（3）父の上総介を前にして子の維茂がいわく。「私の侍の一人が昨夜殺されました。旅先でかかる目に会うとは、維茂の極めたる恥に他なりません。下手人は余人にあらず。先ごろ下馬せず通り過ぎる無礼者を射殺したことがありましたが、その男の息子が殿に仕えているはず。そいつのはずですから、どうかそ奴を喚問させて下さい」。

維茂の言い分を聞いて父の守が答える。「間違いなくその男の仕業であろう。実は昨日、そなたの供のうちにかの男を見かけて、わしが腰叩きの子侍に真相を話してやったのだ。そいつは目を伏せて去って行ったが、以降一向にその姿を見ない。その間台所で刀を研いでいたことも分かっている。

だがそもそも、そなたは彼を召喚しろと私に求めた。実にその男の仕業ならば、そなたは男を殺す気だろう。それ点を確かめた上で、わが従者を引き渡そう。この兼忠は賤しい者だが、賢いそこもとの父親だ。仮に、この父親を殺した者がいたとして、そなたたち眷族の者どもがその敵を殺したとする。今のそなたのように、この敵討を人が咎めて怒ったとしよう。一体にそなたは、この非難を善きことと思うのか。親の敵を討つことは天道もこれを許し給うことではないか。そなたが立派な兵であればこそ、父兼忠を殺した者は「安穏ではいられない」と思ったはずだ。今度のように親の敵を討った者を差し出せと私を責めるのであれば、さてはそなた、私が殺されても報復もしないおつもりか」。このように大きな声を放って、兼忠は席を立ってしまった。

（4）これは言い方がまずかったと、息子の方はかしこまって引き下がるほかはなかった。そして、仕方なく陸奥へ帰って、郎党たちは太郎介を葬った。一方、敵を討った小侍は三日ほどして喪服姿で兼忠の前におそるおそる忍んで出頭した。守をはじめこれを見て皆泣いた。その後は皆に一目おかれて認められていたが、いくばくもなく病を得て死んでしまった。「親の敵討つことはいみじき兵なりといへども、有難きこと」なのに、この男はそれもたった一人で、家来に守られた者を意のごとくに討ち取った。「まことに天道の許し給ふこと」であったと人びとは褒めたという。

（巻二五・4　平維茂の郎等、殺されたること）

第十九章　横溢する心性

さて、『今昔物語集』世俗編に集められた説話群を因果系列に分類して、その筋立てを以上に垣間見てきた。データベース（DB）の「結末」から抽出した因子を物語群の名前（テーマ）としたうえで、各因子への因果の筋をたどった。もともと『今昔物語集』世俗編も各巻ごとに類似の話を集めようとしている。芸能譚（巻二十四）や滑稽譚（巻二十八）などが顕著である。ただ、武士とか盗賊を主人公にした物語などは巻をまたいで分布しており、仏法編と比較して巻別の分類ははるかにルーズなものになっている。最後の巻三十一などは「雑事」と名付けるほかない寄せ集めである。したがってその分、世俗編では因子構造は巻別編成にとらわれずに、全物語群から抽出されたものになっている。それだけに、世俗編の説話群のテーマと主人公は多彩だということが出来よう。

テーマの多彩さはまた物語共同体の心性の多様を映している。いつの世も世俗は文字通り雑多なのであり、『今昔物語集』世俗編は時代の世相を拾い集めて比類のないものとなっている。衆目の見るところ、物語としての傑作がここに集中している。類型的な筋立ての枠を物語が横溢する。描写の仔細が語りの集中を妨げかねない。筋の展開を律義に追おうとして、語りの速度を見失わせることもあるだろう。話が長くなる。それほどまでに、世俗が奔放し軋み声を上げている。

武士が源平など軍事貴族を棟梁に全国的な軍団を形成する、時代はその直前である。芸能の一つとして形成された武芸が、すでに殺伐たる殺生・殺人の暴力と化している。私戦、ことに都での武闘は公に禁じられているが、実情はそうはいかない。それらをまた物語が終始ザハリッヒ（あけすけ）に語ってはばからない。物狂いというほかないほど狩猟（殺生）に取りつかれた受領がいる。「兵の家にはあらねども心極めて猛くして、昼夜朝暮に生命を殺すをもって役とせり」の国司のことである（巻二十九・27）。平家の祖貞盛は自分の評判を守るために、妊婦の腹を裂いて胎児の肝を抜くことを何とも思っていない。都には盗賊があふれているから、壮絶な切りあいは日常のことであった。地方では在地領主化する武士が隣同士で私闘を繰り広げる。都と田舎かを問わず、暴力はまた底深い物欲の発露の一部に過ぎなかった。「受領は倒るる所に土をつかめ」（巻二十八・38）など、名高い話が世俗にあふれ出る欲望を描いている。

都にはびこるのは盗賊や武士の暴力ばかりではない。霊鬼と総称される物の気、鬼、魔物、化け物が跋扈していた。文字通り百鬼夜行である。百鬼夜行は昔のおとぎ話などではなく、物語とともに現にここにある日常を構成していた。日常にあって、仏菩薩と同列に霊鬼もまた超越的な恐怖の対象ではなかった。化け物たちはしばしば人形のまま共同体の内側に存在している。法華経が仏との付き合い方を教えたように、霊鬼の跋扈はこれに対処する処世訓を必須のものとしていた。対処がしばしば破綻するがゆえの処世訓であった。

芸能もまた多彩である。王朝文化風の歌や管絃の物語から医術、技能、陰陽道と卜占、さらに相撲から武芸へと展開されている。ただ、猿楽などのいわゆる庶民芸能の世界、そしてこれと対極にある貴族社会の振舞い方にまで、物語は踏み込むことは出来ていない。いってみれば都会の中間層的な世俗、それに地方領主と受領の風俗が物語の世界であり、物語が表出する共同体の心性であった。人びとはそこでそれぞれが才覚と工夫を頼りに生きていかねばならない。古代社会の最後の爛熟とも言えようか。動乱がもうすぐそこに迫っていた。保元平治の乱である。その予兆は『今昔物語集』にはうかがえない。政治はそこには姿を見せない。

主人公に女性が登場すると、物語の筆がことに精彩を帯びることはすでに注意した。王朝の女房女官たちではない。男に捨てられあるいはかどわかされて、女たちは世俗に身を潜めている。物語が彼女たちを浮上させている。今に変わらぬ別離（愛別）の物語があり、逆にハッピーエンドもある。男女の仲が王朝と都を離れた地方にまで及んでいるさまを、物語は捉えている。

『今昔物語集』はインド、中国そして本朝への仏伝として、意図的系統的に編纂されたものといわれる。しかしその反面で、この編成意図が乱れる本朝世俗編は雑然たる説話の寄せ集めと見られがちになる。だが、この雑多さこそが時代の世俗の心性だったのだと読むこともできるだろう。仏法の文法によって物語に落ちを付けることなど、物語の作者ははなから放棄している。それだけに物語の雑多な欲望が解放される。作者は多くの場合取ってつけたような処世訓を落ちにして、この自由に歯止めをかけようとむなしい努力をしているみたいだ。それがまた、かえって時代の稀有な自由を際立たせているようだ。このアナーキーは日本中世へ向けての長い動乱の予兆であったろうか。

とはいえ、説話物語における心性のアナーキーは、どんなに雑多に奔流したとしても、その底には強固な枠組みが終始している。物語の因果性である。『今昔物語集』の仏法編と世俗編はなるほどいくつかの指標により区別されるが、全体を通じて因果物語の結構はくずれない。仏法編ではこれが因果応報と呼ばれるように、仏教的な他力と決定論の趣が主人公たちの行動を縛っている。これに比べれば、出会いや対立から戦いや利生に至る世俗の物語では、偶然や自力の要素が目立つ。仏教の因果応報の枠に捉われてはいない。だが、繰り返してきたように、説話物語は「結末から発して発端へとさかのぼりつつ秩序立てられる」。この秩序立てが説話の両編に共通する因果性なのだった。この意味でも、仏法編と世俗編とを問わず、作者が物語の結末に付け加えた公衆の応答や教訓を無視してはならないだろう。

そこで、本書を閉じるにあたって、物語の顚末にたいする聴衆の評価と教訓につき、次にまとめておくことにしよう。

終章　聴衆の評価

公衆評価というアイテム

『今昔物語集』の説話はおしなべて「……となん語り傳えたるとや」で閉じられるが、その直前に世の人びとによる物語の評語が置かれることが多い。「これを見聞く人、皆、涙を流して貴びにけり」（巻一二・37）、「「いみじく口惜しきこととしたる別当なり」となんその時の人云い謗り(そしり)たり」（巻三一・19）などがよく見る形である。事件を実際に見聞した人びとの感想や評価も物語の大切な一部をなしていたのである。それればかりではない。説話がもともと社交や仏事での噂話や説法であったことを思えば、物語はその聴衆の存在を前提にしている。聴衆は物語が語られるのを聞き終えて、何と貴いことかと涙を流し合った。また、不当な行為が語られるや、口々に物語の主人公を誹り罵り(ののし)あって騒ぐのだった。事件とともにその物語も公共の存在であり、公衆としての聴衆がいた。「これを見聞く人」たちの存在である。むしろ、物語作者の意識からすれば、事件のドキュメントにたいする公衆評価でなく、物語そのものへの聴衆の反応と評判こそがまた物語の眼目であったろう。こうして、説話は物語られることを通じて聴衆と一体化した。類型的ながら、公衆の物語評価に「これを見聞く人」「その時の人」たちの心性を見ることができるだろう。これが物語のいわゆる意味論的構造の端的で類型的な表出である。物語はこの心性に訴え、効果を及ぼそうとし、逆にまた時代の心性から意味をくみ取ろうとする。

『今昔物語集』の私家版データーベース（ＤＢ）では、「公衆の評価」のアイテムを設けて評語を採録するようにした。上に見た二例はそれぞれ「貴ぶ」と「謗る」をデータとする。なお、物語にたいする聴衆の評価は、直接に結びの一句に加えられることもある。「これ、必ず極楽に参れる人ぞと人皆云いけるとなん語り傳えたるとや」（巻一五・5）、「これ、稀有のことなりとなん語り傳えたるとや」（巻一三・30）。これらもまた公衆の物語評価と受け取って、それぞれ「貴ぶ」と「稀有」をＤＢに記録した。結びの一句は何々すべしという教訓に充てられることも多いが、これと区別して物語の公衆評価とする。

さて、こうして採録した物語への反応・評価を集計して、主なものを示す（数字は話数）。

仏法編（全３８６話：評価あり２２４話、なし１６２話）

貴ぶ１６１、奇異13、稀有11、謗る11、不思議7、有難し5、縁あり4、悲し4、愚か2

世俗編（全２８７話：評価あり１８３話、なし１０４話）

讃る40、笑う29、稀有16、謗る16、恐ろし15、奇異14、哀れ11、愚か11、不思議8、有難し5、賢し4、憎む4、武勇4、貴ぶ2、泣く2

見られるとおり、仏法と世俗とも三分の二には評価が加えられており、評語は両編で大きく異なる。「貴ぶ」は仏法編の主要な標語だが、世俗編ではわずかに二例にすぎない。他方で、世俗編に多出する「讃る」（褒める）や「笑う」は仏法編ではまず見られない。また、「稀有」「奇異」「不思議」「有難し」などは両編に共通に分布する。これらの評価の主なものについて、以下に物語の「結末」と関連させながら分析することにする。

物語は結末から遡って秩序立てられている。だから、聴衆による物語の評価も、何よりも結末と関連付けて受け取るべきものだ。（物語類型とそのDB変数については表3と4の「結末」の項を見られたい。）評語から結末を振り返る。これはまた、仏法世俗の両編を合わせて、『今昔物語集』（本朝）全体の簡潔なまとめともなるであろう。以下では、両編を合体したDB（全673話）から公衆評価と結末変数1とを抜き出して主成分分析にかけ、評語と関連の強い結末（すなわち物語類型）を拾い出すこととした。主成分分析は相関の高い評語と結末変数データをまとめるとともに、これらを相互に独立の相関群（主成分）に区別する手法である。

物語の顛末をそしり、あるいは憎む

物語の事件に立ち会った人びと、あるいは物語の聴衆たちが、憤慨して口々にののしり（罵り）あう。これが「謗る」という反応である。これを見聞く人皆、謗り罵りあうこと限りなしなどと表現されることもある。物語にたいする聴衆の反応がまた物語をなす。物語の公共性を端的に示すのが「謗る」という評語だといっていいだろう。「謗る」という反応は仏法世俗の両編にまたがって分布している。謗る対象（物語）は一方では「敗北」と「失墜」、すなわち武芸譚の内の武芸敗退と芸能譚の芸能失格という物語類型に当たる。聴衆は主人公の失敗を遠慮なく非難するのである。武芸敗退の物語では、兵や相撲人が対立や危難に遭遇して相手と敵対し闘争する。そして敗北して殺され、また追放される。芸能失格の物語では、社交の場でおのれの文芸を披歴し、演技に失敗して芸の面目を失い嘲笑を浴びるのである。いずれも、物語のメインストリームである武芸と芸能の勝利・達成との対比で語られている。こうした芸能の敗北と失墜の物語にたいして、公衆は謗りの声を上げた。口々に失敗を貶めたのである。同情や共感などはない。公衆はいつも残酷である。

謗る物語対象のもう一つは、仏法編の仏罰・現報と世俗編の懲罰でありともに悪因悪報譚に属する。仏法編では三宝毀損など仏法に敵対した者が現報を受ける、あるいは寺物や銭金、風流に執着して仏罰を受ける。罰は死亡または逃亡である。公衆はこうした話を見聞きして主人公を謗りなじり、かつは仏罰を肯定するのだった。「憎む」ともいわれる。たとえば、妻が参加した法事の講師にたいして密通の嫌疑をかけ、盗人法師と罵った男が死んだ。そのとき、「これを見聞く人、「打つことなしといえども、悪心を起こしてみだりに法師をのり、恥しめたる故に、現報を得たるなり」と云いて、憎み謗ること限りなし」（巻一六・38）というわけである。仏罰には少数例ながら、「悲しぶ」という反応も聞かれる。「いかばかりの苦を受けらん。哀れなりけることとなり」とぞ見聞く人、皆悲しび云ひけり（巻二〇・38）。

他方世俗編では、悪事が露見してそれにふさわしい懲罰が主人公に与えられる。主人公は殺され、追放され、そうでなくとも非難にさらされる。たとえば、強欲の国司が民にたいして多量のアワビを要求して失敗した。国の者どもはこの国司を謗ったという。少数例ながら、「憎む」もまたこうした場面での反応である。ここでも聴衆は懲罰に納得し、罰を恐れ憎んで主人公を謗るのだ。溺れた犬を叩くように容赦ない公衆の振る舞いである。

仏法成就を貴び、あるいは芸能達成を賛美する

誇ると逆の評価が貴ぶという聴衆の反応である。貴ぶという標語は仏法編の物語では最も頻度が高い。これは往生譚、蘇生譚、それに現世利益譚や孝養譚に散らばっているが、何といっても往生譚に集中している。往生譚とは僧が死期を覚りまた予告して正念往生を遂げる物語であるが、最後に極楽往生間違いなしという公衆による「認定」がなされるのだった。このように認定して往生を「貴ぶ」のである。貴ぶに対応する標語は世俗編ではまず見られない。仏法にかなう行為が素直に貴ばれたのであろう。

誇ると逆の評価は世俗編では貴ぶでなく、「讃る」（ほめる）である。賢いとか武勇ありとの評価も同じ場面で使われている。これらの褒め言葉は何といっても技芸・芸能の達成の物語に頻出する。高陽親王が水を引く人形を工夫して日照りを救い、人は皆この御子を讃た（巻二四・2）。医師や陰陽師にたいしても同様である。そして何よりも文芸の達成。南殿の桜を詠んだ枇杷の大臣の歌が「いみじく世に讃られけり」（巻二四・32）など、巻二四はほぼ全編が社交界のこうした反応を記している。

讃るは武芸の勝利にも使われる。東宮の屋根に現れた狐を源頼光が射落とした。「世間にもこのこと聞こえて、いみじく頼光をなん讃ける」（巻二五・6）。しかし、これも芸能としての武道を讃るのであって、兵の振る舞いそのものへの評価としては「怖じ恐れる」がむしろ頻出する。感嘆して褒めそやすというより、不気味なのである。これについては後述する。

霊験の不思議、奇異、稀有、有難し

人びとは理解を越えた出来事に日常的に遭遇し、またこれを見聞きした。さらに、物語の物珍しさが聴衆を驚かした。こうしたときの反応が「奇異なり」である。稀有、有難し、不思議という感慨も同様に聞かれる。これらは物語への最もポピュラーな反応であるから、様々な物語類型に広がっている。まず、率直な驚きの反応は仏の霊験と現世利益の物語に多い。観音に祈願して生命の危機を救われた男の話、「観音の霊験の不思議、かくなんおわしましける」といわれる（巻一六・6）。霊験のおかげで金銭や結婚に恵まれる利生福徳物語にも、こうした評価が与えられる。「有難し」も同様である。これらは貴ぶと同じ系列の仏法帰依の表明である。

他方、奇異あるいは稀有という評語は世俗編に見られる世にも不思議な物語への反応である。世俗編では武勇を発揮して霊鬼や狐に対決して勝利する話に用いられる。大杉に化けた狐を射殺した話が、「かかる稀有のこと」といわれた（巻二七・38）。また例えば、京の町を引き回す女児を捕えて正体が狐と明かした兵の話が、「奇異のこと」と評される（巻二七・41）。洪水に流されたが一家でただ一人救出された男児の話の末尾は、前生の宿報が強かったのだろうと隣国の人たちまでが「奇異に」思ったという（巻二六・3）。竹取物語の末尾で、この話「すべて心得ぬことなり」と不思議がったうえで、「かかる稀有のこと」としている（巻三一・33）。

奇異には「あさまし」という読みが記されていることがあり、称賛をこめた驚きとは別に、気味悪くおぞましいという意味もこれには込められているようである。矢傷を治すために胎児の肝を要求した平貞盛にたいして、「奇異く恥なき心」という非難が寄せられる（巻二九・25）。霊鬼と同様に、新興の武士の振る舞いが怪しくもおぞましいものに思われたのである。奇異という評語は仏法世俗両編ともに多出するが、「あさまし」とはことに世俗編に多い読みのようである。

怖じ恐れ、滑稽を愚弄する

恐ろしは専ら世俗編に出る評語である。もちろん、霊鬼や化物が恐ろしい。ホラーは昔も人気の物語である。巻二七中心の霊鬼譚がこれに当たる。猟師の兄弟を取り食らおうとする老母の話が、「極めて怖しきことなり」と評される（巻二七・22）。もうひとつ、特徴的なことに、「恐ろし」は武士（兵）の行動を見聞したものの反応として用いられる。藤原保昌が盗賊袴垂を懲らしめた話（巻二五・7）、あるいは源頼信が巧みな作戦で平忠恒を降伏させたこと（同・9）では、人びとが「恐じ惑う」「恐じ怖れ」たといわれる。彼ら兵の武勇は一面で讃るべきことでありながら、庶民にとっても貴族にしても、やはり恐じ怖れる奇異のことなのである。

他方で、笑う、愚か（鳴呼）はもちろん滑稽譚の評語である。艶笑譚も含めて、笑い話は今に変わらぬ世の大好物である。人びとは他人の滑稽な振る舞いを見聞して、心おきなく笑い、愚か者（鳴呼）と嘲って大騒ぎする。笑いさざめく者たちは一般に「これを見聞く人」といわれ、世人である。これ以外に貴族官人仲間、僧たちの集まりなどが滑稽話の花が咲く場であった。笑いのなかには滑稽譚というより、当意即妙でユーモラスな応答が「物云いおかし」と評されることもある。さる下級官吏が深夜帰宅の途次強盗に襲われた。この男、あらかじめ車の中で裸になって備えており、笏を持ちかしこまって強盗に言った。「そこの大宮で、公達（あなた様方）が寄ってきて装束を皆召し取られまして」と。これを聞いて強盗どもは苦笑いを残して立ち去った。帰宅して顛末を話すと、「どちらが盗人ですことやら」と妻が答える。二つの物言いのおかしさが笑える（巻二八・16）。

機縁と哀れ

若くして山に登り出家する者がいる一方で、日常生活のふとしたきっかけが俗世から出離させる。こうした出家譚は多くは「貴ぶ」と評されるが、中には「出家は機運」といわれることがある。きっかけは人の世の無常を知ることである。六の宮の姫君の死に目に会った夫、やむなく殺生を犯した生侍や郎等など、これを契機に出家したことが「機縁なること」、「逆罪を犯すといえども出家の縁となる」と評されている。仏法編巻一九の5，6，7話である。

一方、哀れという感想は歌詠みの哀れとして褒め言葉となる。またこれとは別に愛恋譚で使われる。情愛関係にあった男女が離別し、ふとしたきっかけで再会するが、出会いは暗転して再度の別れとなる。国司となった元夫に再会して死んだ女の話、「これを思うにいと哀れなることなり」といわれた（巻三〇・4）。

物語と評語の類型

物語に語られる出来事、あるいは物語そのものを「見聞く人」の反応と評語を以上のようにまとめてみれば、これらもまた少数の類型をなすことが分かる。物語の類型性に対応した現象であり、評語もまた物語であることの証左である。最後に、今度は物語類型（表３・４）の側からこれにたいする評語を表にしておこう。

仏法編	世俗編	評語
弘法譚		貴ぶ、奇異
霊験譚		貴ぶ
出家譚		貴ぶ、機縁あり
往生譚		貴ぶ
蘇生譚		貴ぶ
転生譚		不思議、稀有、貴ぶ
利益譚	利益譚	奇異、有難し、貴ぶ
福徳譚	同（福徳）	不思議、有難し
悪報譚	悪報譚	誇る、憎む、悲し、愚か
	芸能譚（達成）	讃る、哀れ
	同（失墜）	誇る、笑う
	武芸譚（勝利）	恐ろし、賢し、勇まし、讃る
	同（敗北）	憎む
	霊鬼譚	恐ろし、稀有
	滑稽譚	笑う、愚か
	愛恋譚	哀れ

あとがき

いつか古い日本語を読んでおきたい。そう思ってきた。『今昔物語集』を取り上げたのは半ば偶然のことである。ただ、ホイジンガーの『中世の秋』に接した昔、一九六〇年代から、西欧とわが国の中世には関心を持ち続けてきた。断続的に関連する書物を読んできた。それもわが国でいえば鎌倉幕府以前の「中世」がいい。野蛮では無論ないが、現在につながることが少ない文化がいい。儒教も神道も、新仏教も禅宗もなくていい。そんな嗜好が『今昔物語集』を選んだ理由に働いたかもしれない。

『今昔物語集』は千を越える説話からなっている。短い話とはいえ読み流すだけでは、個々の物語をもう到底憶えきれない。メモ代わりにデータベースを作ることにした。物語論からもヒントを得て、データベースのフォーマットに多少の工夫をした。そのうえで、『今昔物語集』本朝編六七三話のデータベースを統計的因果モデルにより分析した。物語の因果系列を抽出腑分けして、これをもとに説話を分類して読んでいくためである。この作業は老年の身にとって存外に楽しい時間だった。楽しさが皆さんにも伝われればと願っている。

なお、保元平治の乱（一一五六年）を境にして、『今昔物語集』の成立と接するようにして生きた人に、天台座主慈円と摂政九条兼実の兄弟がいる。二人が書き残したのは『今昔物語集』とはまるで違う王朝貴族の政治世界のことなのだが、しかしこの世界が滅びていく有様なのである（愚管抄と玉葉）。二人については私の『乱世の政治論』と『摂政九条兼実の乱世』（いずれも平凡社）を見て頂けたらと思う。

本書の編集では情況出版の横山茂彦氏のお世話になった。また、明月堂書店の末井幸作氏が出版の労を取ってくださった。末尾ながら、お二人に心からお礼を申し上げたい。

長崎浩（ながさき　ひろし）

評論家。歴史ジャンルの近著に『愚管抄を読む』（平凡社　新書）、『摂政九条兼実の乱世「玉葉」を読む』（平凡社）、『幕末未完の革命　水戸藩の叛乱と内戦』（作品社）、『中江兆民と自由民権運動』（月曜社）など。

今昔物語集　因果モデルで読む日本中世の心性

二〇二三年四月三〇日　初版第一刷発行

著　者　長崎浩

発行者　末井幸作

発行所　明月堂書店

住所　東京都新宿区河田町三―十五　河田町ビル

電話　〇三―五三六八―二三二七

装幀　落合剛之

印刷・製本　中央精版印刷